知念実希人

火焔の凶器
天久鷹央の事件カルテ
完全版

実業之日本社

実業之日本社文庫

目次

火焔の凶器

Spontaneous Human Combustion

天久鷹央の事件カルテ

［完全版］

プロローグ

炎のように熱を帯びた液体が食道を落ちていく。

ウイスキーのロックを飲み干し、アルコール臭いため息をついた内村秀典《うちむらひでのり》は再びキーボードを叩《たた》きはじめる。

時刻は午前一時を回っていた。デスクの上に置かれた灰皿には、吸い殻の山ができている。

夕食を取ってから五時間近くこの部屋でパソコンに向かっていたことになる。薄明りの方が集中できるので常夜灯だけ灯《とも》してディスプレイを眺めていたのだが、さすがに目の奥が重い。

先日、眼科を受診した際、「少し老眼がはじまっていますね。眼鏡を替えた方がいいですよ」と勧められた。そのときは、まだそんな年じゃないと拒否したのだが、こう眼精疲労がひどくては、意地を張らない方がいいのかもしれない。

秀典は再びため息をつくと、淡い光に浮かび上がる十畳ほどの室内を見回した。本当なら、こんな1DKのマンションではなく、もっと広い部屋に住みたかった。デスクや本棚も既製品の安物ではなく、アンティークでそろえるつもりだった。しかし、私立大学の准教授《じゅんきょうじゅ》の給料ではそんな贅沢《ぜいたく》はいえない。

いつの間にか、うだつの上がらないまま五十歳を超えてしまった。予定では四十代のうちに教授の座を掴《つか》み取るはずだったのに……。

暗澹《あんたん》たる気持ちになりかけた秀典は、勢いよく頭を振る。

いや、少し遅れただけだ。夢は必ず実現する。この論文が発表されれば、大きな反響を呼ぶはずだ。きっと本も出版できるだろうし、テレビも取材に来る。そうなれば、国立大学の教授の座さえ夢ではない。

俺はついている。本当ならこの論文は俺ではなく、教授の名で発表されるはずだった。しかし、教授とその共同研究者が相次いで体調を崩したおかげで、俺にお鉢が回ってきた。『呪《のろ》い』に怯《おび》えている教授は、もはやこの件から手を引いている。

「なにが呪いだ。ばかばかしい」

嘲笑《ちょうしょう》が漏れる。千年も前に死んだ陰陽師《おんみょうじ》の呪いを信じるなど、どうかしている。

たしかに、あの墓を調べてすぐに、教授たちは体調を崩した。けれど、そんなの偶然に決まっている。そう、偶然に……。

寒気をおぼえ、秀典は体を震わせる。五月だというのに、季節外れの寒波のせいで冬に逆戻りしたような気温になっている。タンスの奥から引っ張り出したセーターをシャツのうえに着ていても、寒さが骨身にしみた。

冬の間は灯油のストーブを使っていたが、もう燃料がない。小型の赤外線ヒーターを持ってきて、そばに置いているのだが、焼け石に水だった。

酒で誤魔化すしかないか。秀典は空になったコップにウイスキーを注ごうとする。しかし、酔いのせいか手が滑り、瓶が倒れて中身がセーターにかかってしまう。

「ああ、良い酒なのに……」

慌《あわ》てて瓶を立てたとき、部屋が明るくなった気がした。秀典は反射的に顔を上げる。常夜灯以外に光源がないはずの部屋が、オレンジ色に照らされていた。

なんだ？　首を捻《ひね》った瞬間、下半身に違和感をおぼえた。視線を落とした秀典は目を見開く。

腰が橙色《だいだいいろ》の炎に包まれていた。

口を開いて硬直していた秀典は、皮膚が焼ける激痛で我に返る。幻じゃない。本当に燃えているんだ。

「ひっ！　ひっ！」

しゃっくりのような声を出しながら秀典は両手でズボンをはたく。しかし、炎は消えるどころか、その勢いを増していった。文字通りの焼けつくような痛みが、下半身全体に広がっていく。

悲鳴をあげながら立ち上がる。椅子《いす》がフローリングの床に倒れ、大きな音を立てた。

水だ。水があるところに逃げないと。廊下の奥にある風呂場《ふろば》へ向かおうとするが、混乱で足が縺《もつ》れ倒れてしまう。立ち上がろうとした秀典の目に、ズボンを焼いた火の先端がウイスキーで濡れたセーターに触れる光景が飛び込んできた。次の瞬間、一気に炎が上半身を駆け上がってくる。

秀典は大きく口を開く。しかし、悲鳴が零《こぼ》れる前に、深紅の蛇が喉《のど》深くまで侵入してきた。

声帯、気管支、肺、体の内側が焼けただれていくのを感じながら、秀典は崩れ落ちる。視界が真っ赤に染まり、なにも見えなくなっていた。

すぐ手が届くところまで近づいていた夢が燃えていくのを感じながら、秀典の意識は炎の中に溶けていった。

第一章　呪《のろ》いの墓

1

「陰陽師《おんみょうじ》の呪い？」

僕が聞き返すと、対面のソファーに座った年配の男は露骨に顔をしかめた。彼が咥《くわ》えている爪楊枝《つまようじ》がピクリと震える。

五月中旬の木曜日、僕は清瀬《きよせ》市のとある家の応接室にいた。かなり広い部屋だった。床には毛足の長い絨毯《じゅうたん》が敷き詰められ、向かい合って置かれた本革製のソファーの間には、大理石で作られたローテーブルが鎮座している。アンティーク調のデスク、置き時計、壁に飾ってある油絵、この部屋にある全《すべ》てのものから落ち着いた高級感が醸《かも》し出されていた。

「面白そうだな。それじゃあ詳しく話を聞かせてもらおうか。とりあえず、自己紹介からしてくれ」

隣から好奇心に満ちた声が上がる。僕は横目で、この事態の原因になった人物を見た。

ぶかぶかのセーターとキュロットスカートを着た短身痩躯《そうく》。一見すると、女子高生に見えそうな童顔だが、実は二十八歳の立派なアラサーで、しかも僕の上司だったりする。

天久鷹央《あめくたかお》。東久留米市《ひがしくるめ》にある天医会《てんいかい》総合病院の統括診断部部長にして、副院長でもある彼女の命令で、僕は勤務時間後におかしな話を聞かされる羽目に陥っていた。

見習い内科医として、僕が大学病院から統括診断部に派遣されてから約十ヶ月間に、鷹央はいくつもの不可解な事件の真相をあばいている。その中には、警察すら解決できずにいた殺人事件も含まれていた。

公式には鷹央がそれらにかかわったことは発表されていないが、人の口に戸は立てられない。なにやら尾ひれがついた噂《うわさ》が広がっているらしく、統括診断部のメールアドレスには毎日のように事件の調査依頼が届く始末だ。それらの大部分は夫の浮気を調べて欲しいだの、別れた恋人の行方を探して欲しいだの、統括診断部を探偵事務所かなにかと勘違いした的外れなものだが、ごくまれに鷹央の無限の好奇心をくすぐる不可思議な事件の調査依頼が混じっている。それを見つけるたびに、普段、冬眠中の熊《くま》のように引きこもっていることが信じられないほど鷹央は活動的になり、事件に首を突っ込む。そして、その際には部下である僕、小鳥遊優《たかなしゆう》も決まってつき合わされるのだ。

目の前にいる男も、そんな『鷹央の好奇心をくすぐる事件』の調査依頼をしてきた人物だった。

十数分前、(嫌々ながら)鷹央を連れてやって来た僕が、広い敷地に建つ二階建ての家の前でインターホンを鳴らすと、若い女性が現れてこの応接室へと案内してくれた。

少し待っていると、杖《つえ》をついた老人がキャリーカートを引いた若い男を連れて部屋に入ってきて、ソファーに腰掛けるなり言い放った。「陰陽師の呪いを解いて欲しい」と。

「私は室田宗春《むろたむねはる》、翠明《すいめい》大学日本史学科の教授をやっている。後ろにいるのは私の研究室の助手で、加賀谷《かがや》だ」

室田と名乗った男は振り返ることもせず、背後に立っている眼鏡の男を指さす。

「加賀谷正志《まさし》と申します。室田教授の付き人のようなことをしています。よろしくお願いいたします」

眼鏡の男は首をすくめるように会釈《えしゃく》をした。教授とはいえ、助手に『付き人のようなこと』をさせるとは、かなり前時代的な研究室のようだ。僕は首筋を掻《か》く。

「翠明大学って、練馬《ねりま》の辺りにある総合大学ですよね。そこの教授さんがどのようなご用なんでしょうか?」

「メールで用件は伝えたはずだが」室田の眉間《みけん》に深いしわが寄った。

「いえ、まあそうなんですが……。できれば、言葉で説明してくださった方が、詳しい話も聞けますし……」

統括診断部宛《あて》のメールは鷹央が管理しているので、僕は内容を知らないし、こうして調査に行くときも彼女が前もって情報をくれることはほとんどない。本人は「その方が面白いだろ」とか言っているが、おそらくは単に説明が面倒なだけだろう。

「だから、呪いだよ。陰陽師の呪いだ!」

室田は吐き捨てるように言うと、激しく咳《せ》き込んだ。加賀谷が慌《あわ》てて背中をさする。

咳がおさまるのを待ちながら、僕は室田を観察する。現役の大学教授ということはおそらく還暦前後なのだろうが、その姿は八十代のようだった。頬はこけ、肌は一見してかさついているのが見て取れる。背中は曲がり、かなり痩《や》せている。シャツから覗《のぞ》く首筋には、くっきりと筋が浮き出ていた。おそらく体重は五十キロにも満たないだろう。

そして、なにより気になったのは、加賀谷が運んできたキャリーカートに乗った装置だった。ソファーのわきに置かれた装置に接続されたチューブが、室田の鼻まで伸びている。その機器がなにに使うものなのか、僕は知っていた。

在宅酸素療法。慢性の呼吸不全を患《わずら》い、日常生活でも少量の酸素投与が必要な患者用に、携帯可能なボンベから酸素を供給するものだ。

「肺気腫《はいきしゅ》か。在宅酸素療法が必要だということは、かなり重症だな。ちゃんと診療を受けているんだろうな」

つぶやいた鷹央を、ようやく咳がおさまった室田が睨《にら》む。

「秋津《あきつ》にある病院に行っている」

「うちの病院にかかっていないのか？　ここなら、秋津よりうちの方が近いだろ」

「主治医から紹介されたんで、ずっとそっちにかかっている。娘や妻は、天医会総合病院にかかったこともあるみたいだがな」

ノックの音が響き、先ほど案内してくれた若い女性が盆を片手に部屋に入ってきた。彼女は慣れた手つきで、テーブルにコーヒーカップを置いていく。

「娘の春香《はるか》だ」

室田が紹介すると、彼女は「室田春香です」と微笑《ほほえ》んだ。年齢は二十代前半といったところだろう。柔らかく落ち着いた雰囲気が、ワンピースを着た小柄な体から醸し出されている。額の前でまっすぐに切り揃《そろ》えられた黒髪のせいか、ややあか抜けない印象も受けるが、顔のつくりは整っていた。

「お邪魔しました。ごゆっくりお過ごしください」

　春香は恭《うやうや》しく頭を下げ、部屋から出て行った。

「お若い娘さんですね」

　僕が言うと、それまで厳しかった室田の表情がかすかに緩んだ。

「遅く生まれた子供だったんで、まだ二十四歳だ。妻が死んだあと、仕事を辞めて戻ってきて私の身の回りの世話をしてくれているんだ」

　咥えていた爪楊枝をテーブルの上に置き、コーヒーを一口飲むと、室田は「さて」と笑みを引っ込める。

「話を戻そうか。病気の診断をして欲しくて、あんたたちを呼んだわけじゃない」

「ああ、私だって肺気腫なんていう自業自得《じごうじとく》な疾患に興味はない。さっさとその『陰陽師の呪い』とやらについて詳しく聞かせてくれ」

　鷹央が身を乗り出したとき、ふと疑問が僕の口をついた。

「あの、陰陽師って本当に存在するものなんですか？」

　鷹央と室田が刺すような視線を送ってきた。加賀谷の目付きにも心なしか、呆《あき》れの色が浮かんでいる気がする。

「小鳥《ことり》、お前、本気で言っているのか？」

「いえ……。そもそも、陰陽師ってなんなのか、いまいちよく分かっていなくて……」

「日本史で教わっただろ」

「教わったんですかね……。ちょっと記憶が曖昧《あいまい》で……」

「……可哀そうな奴《やつ》だな」鷹央は力なく首を横に振る。

「馬鹿《ばか》にするならまだしも、憐《あわ》れまないでください！　ちょっと日本史が苦手だっただけですよ。簡単にでいいから教えてください」

「しかたないな。飛鳥《あすか》時代、天武天皇により陰陽寮という機関が設置され、暦の作成、天文・気象の観測、卜占《ぼくせん》などを行っていた。陰陽師とはもともと、陰陽寮の中で卜占を行う官職、つまりは国家のために占いを行う公務員のような役職をさしていた。しかし、平安時代の中期ごろには、陰陽寮に所属する役人のことを陰陽師と呼ぶようになった。これが官人陰陽師だな」

　鷹央は心の底から面倒くさそうに説明をはじめる。

「かんじん……？」

「国家によって正式に認められた陰陽師ということだ。それとは別に、陰陽術を使う私度僧である法師陰陽師という存在がある」

「しどそう……？　ほうし……？」

なにがなんだか分からない。

「平安時代、仏僧は課税を免除された。そのため、納税を逃れるために剃髪《ていはつ》して法衣《ほうえ》を纏《まと》っていた『もぐり』の仏僧がいたんだ。それが私度僧だ。そして、その私度僧の中には陰陽術を用いて占いやお祓《はら》いなどを行って生計を立てている者がいた。それが法師陰陽師だ」

「先生、お医者さんなのによくご存じですね」加賀谷が眼鏡の奥の目を丸くする。

「私はありとあらゆる知識に精通しているんだ」鷹央は薄い胸を反らした。

たしかに鷹央は日々、医学と関係ないものも合わせて、様々な資料を読み漁《あさ》り、高性能な脳にブラックホールのように知識を吸い込み続けている。そのジャンルは量子力学の最新論文から、インド映画のダンスの振付にまで及ぶ。日本史の知識ぐらい持っているのも当然だ。

「というわけだ、小鳥。お前の鳥頭でも陰陽師がどんな存在か理解できただろ。まあ、一番有名なのは安倍晴明《あべのせいめい》だな」

誰が鳥頭だ。内心で抗議しつつ、僕は首を傾ける。

「え？　安倍晴明って実在の人物なんですか？」

「……」

「だから、憐みの眼差しをむけるのはやめて！　なんとなく陰陽師のことは分かりました。それで、その呪いっていうのはどういうことなんですか？」

僕は室田に水を向ける。これ以上、憐憫《れんびん》の視線を浴びたら、心に深い傷を負う。

「私は日本史の中でも平安時代を専門にしている。そして研究を続けるうちに一人の陰陽師に興味を持った。蘆屋炎蔵《あしやえんぞう》という、平安時代中期に活躍した法師陰陽師だ」

「蘆屋？　それは蘆屋道満《どうまん》と関係があるのか？」

鷹央が口を挟んだ。蘆屋道満という名前に聞き覚えがあった僕はつぶやく。

「蘆屋道満って、安倍晴明のライバルでしたっけ？」

「安倍晴明を題材にした物語の中では、そう描かれているな。安倍晴明を騙《だま》して命を奪うが、蘇《よみがえ》った晴明に討たれる敵役だ。ただ、それはあくまでフィクションの中の話であって、実際に蘆屋道満がどのような陰陽師であったのかははっきりしていない」

鷹央の説明に、室田は重々しく頷《うなず》いた。

「そう、蘆屋道満が実在したという証拠はあるが、どのような人物であったかは詳しくは解明されていない。その謎《なぞ》を解き明かす糸口が、この蘆屋炎蔵にあるはずだ。同じ蘆屋姓を名乗っているところを見ると、きっと道満と炎蔵は血縁、または師弟関係だったに違いない。炎蔵について調べることが、謎に包まれた道満の正体を解明する手掛かりになると私は考えたんだ」

「その蘆屋炎蔵という男については記録が残っているのか？」鷹央はあごを撫《な》でる。

「私が発見した検非違使《けびいし》の記録のなかに、はっきりとその名前が書かれていた」

「あの……、検非違使ってなんでしたっけ？」

僕がおずおずと訊《たず》ねると、鷹央は不治の病に冒された病人に向けるような目を向けてきた。だから、その目はやめてくれ。

「検非違使っていうのは、当時の警察みたいな……。ああ、あとでお前でも分かるような資料をやるよ」

虫を追い払うように手を振ると、鷹央は室田に向き直る。

「検非違使の記録ということは、その陰陽師は罪を犯して追われていたのか？」

「ああ、そうだ。色々と資料を当たってみると、蘆屋炎蔵は当時、とあることで有名だったことが分かった」

「とあること？」

鷹央が聞き返すと、室田は薄い唇の端を上げた。

「呪詛《じゅそ》だよ。蘆屋炎蔵は極めて優れた呪詛師だったんだ。そのことが明るみになり、炎蔵は検非違使に追われるようになったんだ」

「え？　呪詛って呪いのことですよね」僕は目をしばたたかせる。「他人を呪っただけで犯罪になったんですか？」

「小鳥、現代とは常識が違うんだ。平安時代、呪詛は敵対する人物に害を与える方法として世間に浸透していた。呪詛を行うこと自体が重大犯罪だったんだよ。当然、呪詛の対象が死亡したら、呪詛師は殺人の罪を負うことになった。だよな？」

　鷹央に声をかけられた室田は重々しく頷いた。

「その通りだ。記録によると、炎蔵によって呪い殺された人間は十人を超えていたらしい。その中には貴族もいた」

「平安貴族を呪い殺したということか。そりゃ、検非違使も必死になるだろうな。しかし、どこでそんな資料を見つけたんだ？　蘆屋炎蔵なんていう陰陽師、これまで聞いたことがないぞ」

「うちだよ」室田は頭髪の薄い頭を掻く。

「うち？」

「うちの家系は代々、古文書や様々な骨董品《こっとうひん》を集めてきた。父の代までは単なる収集で終わっていたが、私は違う。うちに眠っていた大量の資料を調べ上げ、それを発表していった。だからこそ翠明大学の教授にまでのぼりつめることができたんだ」

「その古文書がこの家にあるのか⁉　ぜひ見せてくれ！」鷹央が前のめりになる。

「……なんでわざわざ資料を見る必要があるんだ」

「どんな情報から謎が解けるかわからないんだ。だからこそ、ありとあらゆる情報を吸収しておくことが調査には必要なんだ」

立ち上がった鷹央は、室田に顔を近づける。それらしいことを言ってはいるが、単に古文書を見てみたいだけに決まっている。知識欲が他の全ての欲求を遥《はる》かに凌駕《りょうが》する鷹央にとって、未発表の古文書などまさに宝の山なのだろう。

難しい顔で数十秒考え込んだあと、室田は杖を摑《つか》んで立ち上がった。

「案内しよう」

室田に先導された僕たちは玄関を出ると、家の裏手へと回り込んでいく。正面から見たときもかなり広い敷地だと思っていたが、奥行きは想像以上だった。都心からはある程度離れているとはいえ、東京にこれだけ広い土地をもっているところを見ると、室田はかなりの資産家のようだ。

家の裏手には芝生が敷かれ、その奥に巨大な蔵がそびえ立っていた。

杖をつき、呼吸を乱しながら室田は蔵へと向かっていく。その隣では加賀谷が、小型酸素ボンベが載ったキャリーカートを引きつつ、ときどきふらつく室田の体を支えていた。

「寒い……、寒い……」

隣を歩く鷹央が震えている。たしかに、この数日流れ込んできている寒気のせいで、外は冬に戻ったかのように寒かった。

寒さに弱い（というか、あらゆる環境の変化に対して脆弱《ぜいじゃく》な）鷹央には辛《つら》いだろう。

「だから、もっと厚着した方がいいって言ったじゃないですか」

僕は着ていたロングコートを脱いで鷹央の肩にかける。

「ん？　いいのか？」

「どうぞ。先生が風邪ひいて診療できなくなったら、僕も困りますし」

「おっ、そうか」

鷹央はコートの前を合わせた。丈が合っていないので、マントを羽織っているような形になる。よく見ると、コートの裾《すそ》が地面に触れて引きずられていた。

クリーニングに出さなきゃな……。

「しかし、こんなに寒いのに小鳥は平気なんだな。きっとあれだな、体がでかすぎて末端まで神経が通っていないから、寒さを感じないんだろうな」

「……コート返せ」

「わ、何するんだよ。一度渡した以上、このコートの所有権は私にある。それに、女の服を無理やり脱がせたりしたら、セクハラで……、あ、こら。やめろ」

そんなやり取りをしているうちに、蔵の前にたどりつく。室田の息が整うのを待ちつつ、僕は首を反らして蔵を見上げた。高さはゆうに十メートルはあるだろう。外壁には細かいひびが無数に入り、この建物が過ごしてきた時間の流れを伝えていた。

「これ、いつ建てられたものなんだ？」錆《さび》の目立つ重厚な鉄扉《てっぴ》を、鷹央が叩《たた》く。

「江戸の末期だ」

ようやく呼吸が安定した室田が答えた。

「私の家は、三百年ほど前から代々この土地で店を営んでいた豪商だった。戦争で空爆されて家が燃えた際も、この蔵は燃えずに残ったんだ」

室田はズボンのポケットからキーケースを出すと、蔵の扉を閉じていた南京錠《ナンキンじょう》を外した。加賀谷が両手で押して扉を開ける。濡れた土の匂《にお》いが鼻をかすめた。

入り口の脇《わき》にあるスイッチを入れると、梁《はり》に取り付けられた裸電球が灯《とも》る。

小型の体育館ほどのスペースの中央には通路が走り、その両側に大量の蒐集物《しゅうしゅうぶつ》が積み上げられていた。僕たちは奥へと進んでいく。床は土になっていて、一歩踏み出すたびに靴裏から柔らかい感触が伝わってきた。

鷹央が好奇心に満ちた目で辺りを見回す。たしかにこの蔵の中は、なかなか興味をそそられるものが置かれていた。甲冑《かっちゅう》や刀剣、陶器、掛け軸など、どれもがかなりの年代物であることが見て取れた。

「なかなかのコレクションだな。そこにある甲冑は安土桃山時代のものだ。こっちの陶器は、江戸時代に大陸から渡ってきたものだし、あのキセルは大正時代の高級品だ。ありとあらゆる世代の骨董品がある」

鷹央が通路脇にある金庫の上のキセルを手に取ると、室田が足を止めて振り返った。

「うちの先祖が三百年かけて集めたものだからな。そのキセルは、私の曾祖父《そうそふ》に当たる人物が使っていたものだ。当主が亡《な》くなった際には、その人物が使っていたものを金庫に収めて、二度と開けないようにしていたんだ」

「ん？　けれど、この金庫は空いているぞ」

鷹央が指さした金庫には、懐中時計や筆記用具、喫煙道具に着物などが収められていた。

「金庫の中にしまっておいても仕方がないからな。最近、業者に頼んで開けてもらったんだよ。そんなことより、さっき言っていた古文書はここにあるぞ」

通路の突き当たりまで進んだ室田は、加賀谷に指示してそこに積まれていた木箱の一つを開けさせる。中には一見して、作られてから長い年月が経過したことが分かる巻物や冊子が詰め込まれていた。

「おお、すごい数だな」

加賀谷を押しのけるようにして木箱を覗き込んだ鷹央は、巻物を一つ取り出し、慎重な手つきで開いていく。

「これは、戦国時代の大名の日記だな。なになに……」

巻物を読んでいる鷹央を、室田は不思議そうに見下ろす。

「それが読めるのか?」

「当然だ。けど、これはだらだらと愚痴が書いてあるだけで、あまり面白くないな。それで、蘆屋炎蔵という陰陽師について書かれていたのはどれなんだ」

「……これだよ」

室田は緊張をはらんだ表情で、茶色く変色した冊子を取り出した。受け取った鷹央がそれに目を通すのを、僕は少し離れた位置から見守る。

「加賀谷君は研究室の助手なんだよね。いつも、室田さんの身の回りの世話を?」

手持無沙汰《ぶさた》になったので、隣に立つ加賀谷に小声で話しかけてみる。

「いえ、普段は身の回りの世話は娘の春香さんがしています。僕がやっていたのは、資料の整理とか、車での送り迎えとか、スケジュール管理とかだったんです。ただ、最近教授の体調が悪くなって色々と介助が必要になったので、夜に教授が寝室にいくまでは付き添わせていただいています」

「そこまでやるんだ。大変だね」

助手というより秘書、いや、どちらかと言うと小間使いのようだ。

「室田教授の下で学べるんだから、それくらい気になりません。教授は平安時代研究の第一人者で、特に陰陽師については日本で一番詳しいといっても過言じゃないんです。教授のそばにいて、間近で研究を見ることができるなんてすごく贅沢《ぜいたく》なことです」

加賀谷のセリフに熱が籠《こ》もっていく。本人が満足しているならそれでいいのだろう。僕は小さく肩をすくめると、鷹央に視線を戻す。数分間、一心不乱に古文書に目を通したあと、鷹央はゆっくりと書物を閉じた。

「これには、十人以上を呪詛によって殺害した罪で、蘆屋炎蔵という陰陽師が検非違使に追われていることが書かれているな。ただ、その顚末《てんまつ》までは記載されていない。結局、蘆屋炎蔵は捕まったのか？」

「いや、捕まることはなかった」

室田が首を横に振る。

「それどころか、追ってきた検非違使を何人も殺害して平安京から逃げのびたらしい。しかし、その後、炎蔵がどうなったのかは、これまで不明だった」

「過去形で言っているということは、足取りがつかめたということだな」

「ああ、炎蔵と思われる人物の記録が関東で見つかったんだ」

「関東？　平安京から関東まで逃げてきたのか。その頃の関東というと、坂東《ばんどう》武者が入り乱れて覇権を争っていた時代だろ」

「その通り。そこで炎蔵が呪詛を行っていたという記録が見つかったんだ。おそらく、力のある武者に取り入り、その敵を呪い殺して権力と富を手に入れていったんだろう。

そして、炎蔵の死後、子孫がその財産を綿々と受け継いでいった。……現代までな」

「現代まで？」

「蘆屋炎蔵の子孫が鎌倉《かまくら》にいることをつきとめたんだよ。平安時代から、鎌倉、戦国、江戸、そして近代まで、その地の名家として住み着き、いまもかなり広大な土地を所有している。ただ、何より重要なのは、そこに墓があることだ。蘆屋炎蔵の墓がな」

「墓⁉　間違いないのか？」鷹央が前のめりになる。

「間違いない。その家では代々、自分たちが蘆屋炎蔵の子孫であるという話が受け継がれて来ていた。炎蔵が死後も守ってくれているおかげで、家が繁栄しているとな。そこまで調べがついたのが約五年前、私はすぐに炎蔵の墓の調査を蘆屋家の当主に頼んだ」

「調べられたのか？」

「いや、だめだったよ。絶対に炎蔵の墓には触れない。それが、蘆屋家が代々引き継いできた教えだったんだ。当主は、もし墓をあばけば家が炎蔵に呪われると怯《おび》えて、どれだけ説得しても無駄だった。けれど、三年ほど前に状況が大きく変わった」

「当主が気を変えたんですか？」

僕が訊ねると、室田はふっと鼻を鳴らした。

「いや、急死したんだよ。脳卒中でな。当主の財産を相続した妻は、相続税に苦労していた。もともとは名家でも、戦後はかなり財産を減らし、台所事情が苦しかったらしい。だから少々の援助と引き換えに家に残っていた資料などを調べさせてもらった。そのあとも粘り強く交渉し、ようやく炎蔵の墓を調べる許可を先月貰《もら》ったんだ」

「ということは、墓の調査をしたんだな」鷹央が待ちきれない様子で先を促す。

「三週間ほど前、四人で墓に入った。私と共同研究者である帝都《ていと》大の教授、あとうちの大学の准教授《じゅんきょうじゅ》と、帝都大の関係者だ」

「ん？　そこの助手は入らなかったのか？」

鷹央に指さされた加賀谷は、残念そうに唇を歪《ゆが》めた。

「僕は荷物を運んだりで墓の前まではいきましたが、中には入りませんでした」

「炎蔵の墓は、自然の洞窟《どうくつ》に手を加えたもので、通路の奥に小さな部屋があった」

室田はぼそぼそと低い声で続ける。

「部屋には石棺が設置されていて、中にミイラ化した遺体が入っていた。蘆屋炎蔵の遺体で間違いない」

その光景を想像し、背中に冷たい震えが走る。

「なるほど、ついに目的のものを見つけたっていうことか。で、そのあと一体なにがあったんだ？『陰陽師の呪い』っていうのはなんなんだ」

鷹央はあごを引くと、上目遣いに室田を見る。唇を舐《な》めた室田は緊張で息苦しくなったのか、携帯型酸素ボンベのつまみを回し、酸素の投与量を増やした。

「炎蔵の墓を調べてから一週間ほどして、体調がおかしくなってきたんだ」

「体調が?」鷹央の眉《まゆ》がピクリと上がる。

「そうだ。最初は咳が出るようになり、そのあと微熱が出て体がだるくなった。息苦しくなって、酸素投与が必要になった。それに酷《ひど》い口内炎もできてきたんだ」

「肺気腫の患者は呼吸器感染症を起こしやすい。そして、感染するともともとの呼吸機能が低かったので重症化することも多い」

「かかりつけの医者もそう言って、抗生剤を出してきた。それを先週から飲んでいるんだが、全然よくならない。それどころか、体調はどんどん悪くなってきているんだ!」

「なるほど……。お前、肺気腫以外に持病はないのか?」

「手根管症候群とかいうやつで神経が圧迫されて、右手の親指に力が入らない。あと数年前に、弁膜症で心臓の手術を受けた。けれどそれくらいだ。今回みたいに体調が悪くなることはこれまでなかったんだ」

怯えた表情で言った室田は細かく震える手をスーツの懐に入れると、あろうことか煙草《たばこ》のケースを取り出し、一本口にくわえる。

僕が注意する前に、鷹央が素早く室田の口から煙草を奪い取った。

「何をするんだ⁉」

抗議の声を上げる室田に、鷹央はぐいっと顔を近づけ、睨みつけた。

「それはこっちのセリフだ。肺気腫の患者が煙草を吸うんじゃない」

鷹央は握りつぶした煙草をコートのポケットに押し込む。ポケットの中に煙草がまき散らされるからやめて欲しいんだけど……。

「呼吸状態が悪化しているのに喫煙って、いったいなにを考えているんだよ」

頭痛をおぼえたのか、鷹央は頭を押さえた。

肺気腫の多くは煙草が原因だ。長期間の喫煙で肺の末梢にある肺胞が破壊され、弾力を失ってしまう。その結果、呼吸不全が引き起こされるのだ。それゆえ、肺気腫の治療ではなによりも禁煙が優先される。

「説教は結構だ」

室田は乱暴な手つきで煙草の箱を懐に戻すと、代わりに爪楊枝を取り出し、それを口に咥える。なにか口に咥えていないと落ち着かないのかもしれない。

「あの……、体調が悪くなっているのは、陰陽師の墓を調べたこととは関係ないと思うんです。抗生剤で病状が改善しないなら、もう一度主治医を受診した方がいいと思いますよ。感染した病原菌によっては、抗生剤に耐性を持っている場合もありますし」

僕は呆れつつ、アドバイスをする。重症の肺気腫の患者が喫煙を続けているとなれば、どんなことが起こってもおかしくない。それを『呪い』だなんて、どうかしている。

「私だけじゃない！　他の二人にもおかしなことが起きているんだ」

「他の二人？」僕は反射的に聞き返す。

「そうだ。一緒に墓を調べた碇《いかり》という名の帝都大の教授も、二週間前からおかしくなっている。最初はちょっと熱が出ただけだったが、そのうちに食事もとれなくなり、わけのわからないことを口走るようになったんだ」

「わけの分からないことって、具体的にはどんな？」

「三日前、碇が突然私に電話をかけてきて喚《わめ》き散らしたんだ。『呪われた！　墓を暴いたから、炎蔵に呪い殺されるんだ！』ってな。普段は冷静な男なのに、人が変わったよう……。いや、何かにとり憑《つ》かれたかのようだった」

「とり憑かれたって……。その碇さんは病院には行ったんですか？」

「いや、怯えて部屋に閉じこもって、家族にすら顔を見せないらしい」

「それはなんというか……重症ですね。ちなみに、その方はなにか持病とか？」

「たしか、潰瘍性《かいようせい》大腸炎とかいう病気だったはずだ。けれど、その病気が悪化したからって、錯乱したりはしないだろ」

室田は苛立たしげに頭を掻く。

潰瘍性大腸炎は大腸に炎症性の潰瘍が生じる原因不明の難病だ。たしかに悪化しても基本的には精神症状はきたさない。けど、いくらなんでも呪いなんて……。

「……もう一人」黙って話を聞いていた鷹央が、ぽつりとつぶやく。

「え？　鷹央先生、なにか言いましたか？」

「おかしなことが起こったのは三人だろ。残りの一人も体調を悪くしているのか？」

室田の体が震えた。加賀谷の顔にも緊張が走る。空気が張り詰めていく。

「……死んだよ。内村《うちむら》という名の、私の研究室の准教授がな」

喉《のど》の奥から絞り出すように室田が言う。

「死んだ⁉」

声が裏返る。そんな僕をはた目に、鷹央が低い声で訊ねた。

「それは病気でってことか？」

「いや、焼死だ。先週、深夜に火事で焼け死んだんだ」

室田は唇を噛《か》むと、ボンベのつまみを捻《ひね》って、さらに酸素量を上げた。

「で、でも、体調が悪くなるのと、火事で亡くなるのは全然別問題じゃないですか。きっと偶然が重なっただけで……」

刃物のように鋭い室田の視線に射抜かれ、僕は口をつぐむ。

「一つだけ言い忘れていたことがあった。炎蔵に呪われた相手がどうやって死ぬかだ」

言葉を切って息を整えた室田は、低く籠った声でつぶやいた。

「焼き殺されるんだよ。炎蔵に呪われた者は全員、火事で焼け死んでいるんだ」

2

「本当にこの件を調べるんですか？」

ハンドルを握った僕は、助手席に座る鷹央に語りかける。

翌日、金曜日の午後六時過ぎ。病院での勤務を終えた僕は鷹央を乗せて、愛車のRX－8を走らせていた。

「なんだ、呪いが怖いのか？」

昨日と同じセーター姿の鷹央は、からかうように言う。

「そんなわけないじゃないですか。呪いなんてあるわけありませんよ」

「そうとは言い切れないぞ。墓を暴いた者が呪いを受ける話は少なくない。一番有名なのは、『ファラオの呪い』だな」

「それってたしか、エジプトで昔の王族の墓を調べた人たちが、次々に死んだって話でしたっけ？」

「ああ、そうだ。一九二二年、ハワード・カーターが率いる調査隊が、『王家の谷』と呼ばれる古代エジプトの王たちの墓が集中している場所で、ツタンカーメン王の墓を見つけた。王家の墓はそれまで、ほとんどが盗掘されつくしていたが、ツタンカーメンの墓だけはその被害にあっておらず、あの有名な『黄金のマスク』を含む財宝が埋葬当時の状態で発見されたんだ。そのため、その業績は偉業として称《たた》えられた。しかしその後、発掘に携わった者たちが次々に命を落とす。まず、調査隊のスポンサーであるカーナヴォン卿《きょう》が翌年の四月に感染症によって急死。それを皮切りに、墓の開封の際に立ち会った考古学者たちが不審な死を遂げていった。墓の入り口にあった碑文に『偉大なるファラオの墓に触れた者に、死はその素早き翼をもって飛び掛かるであろう』と警告が記されていたこともあり、『ファラオの呪い』によるものと恐れられたんだ」

「……きっと偶然ですって。古代の墓が調査されることなんて、別に珍しいことじゃないでしょ。母数が多ければ、一つくらい隊員たちの身に連続して不幸が起こる調査隊もありますよ。統計的には無意味です。それに、どこまで本当の話か分かりませんしね」

僕は声が震えないよう、喉に力を込める。

「お前、本当につまらない奴だな。そんなだから女にもてないんだぞ」

「関係ないでしょ！　ほっといてください！」

「まあ、たしかに『ファラオの呪い』に関しては、かなりの誇張やデマが含まれているらしいけどな。墓の発見後、一年以内に死んだのはカーナヴォン卿だけで、彼はもともと健康状態が良くなかった。その他の関係者たちは別に早死にしたっていうわけではなく、死亡時の平均年齢は七十三歳と、その時代にしては比較的長生きだったぐらいだ。そもそも、墓の入り口にあった警告の碑文については完全なデマで、そんな記載はまったくなかったらしい」

「なんだ、やっぱり『呪い』なんてないんじゃないですか」

「『死者の呪い』と言われているのは、『ツタンカーメンの呪い』だけじゃない。世界中に似たような話はいくらでもあるんだ。その全てがデマだとは言い切れないだろ」

　鷹央は不満げに唇を尖《とが》らせる。

「はいはい。それで、今回の件に本当に『陰陽師の呪い』が関係していると思っているんですか？　単に二人の持病が悪化したのと、火事で一人が亡くなっただけですって」

「そうかもしれないし、そうじゃないかもしれない。それをこれから調べにいくんだろ。本当に『陰陽師の呪い』なら面白いしな」

「面白くありません！」疲労をおぼえながら、ハンドルを切った。

僕たちはいま、室田の共同研究者で、呪いに怯えて閉じこもっているという、帝都大学の教授の自宅へと向かっていた。昨夜、鷹央が依頼を引き受けるとすぐに、室田がその教授の家族に連絡し、アポイントメントを取ったのだ。

昨日、室田の話を聞いて、鷹央は『陰陽師の呪い』に無限の好奇心を刺激された。こうなった彼女はスッポンのごとき執念で『謎』に食らいつき続ける。その際にサポートするのが、僕の役目だった。

病院業務に関係ないのだから、本来なら断ってもいいのかもしれない。しかし、社会常識が致命的に欠けている鷹央が一人で行動した場合、こちらの想像を絶するトラブルを巻き起こすリスクが高い。その尻拭《しりぬぐ》いをするよりは、最初からついていって僕がうまく緩衝材になった方が、結局のところ労力が少なくて済む。それが、統括診断部で勤務した十ヶ月で僕が身につけた処世術（諦《あきら》めとも言う）だった。

田無《たなし》駅の近くにあるタワーマンションの地下駐車場へ車を進めると、僕は鷹央とともにエレベーターで最上階まで上がる。

「最上階か。大学教授っていうのはなかなか儲《もう》かるんだな」

鷹央はインターホンを押す。すぐに『はい』と女性の声で返事があった。

「天医会総合病院の天久鷹央だ」

鷹央が名乗ると、『少々お待ちください』と返事があり、数秒してから扉が開いた。中から年配の女性が顔を出す。

「碇の家内の道子《みちこ》と申します。室田先生よりお話は伺っております。本日はわざわざお越しくださり、ありがとうございます」

女性は恭しく頭を下げて、僕たちを招き入れてくれた。品のある物腰だが、目の下は濃いクマに縁取られ、表情には力がない。一見して、消耗していることが伝わってきた。

「ん？　お前は誰だ？」

鷹央が声を上げる。見ると、玄関に若い女性が立っていた。デニムのジーンズと、細身の黒ジャケットをスタイリッシュに着こなした長身。黒髪のショートカット。年齢は僕と同じぐらいだろうか。意志の強そうな二重の瞳《ひとみ》がこちらを見つめ、やや肉厚な唇にはかすかに笑みが浮かんでいた。その整った容姿に思わず視線が引き寄せられる。

「倉本葵《くらおとあおい》よ。初めまして」

「閉じこもっている男の親戚《しんせき》か？」

「いいえ、帝都大学日本史学講座の准教授」

「准教授？」スニーカーを脱いだ鷹央は、無遠慮に葵の顔に視線を注ぐ。

「こんな若い女が帝都大の准教授で驚いた？」

「いや、別に。学問には年齢や性別は関係ない。優秀で学問的な功績がある奴が上に行くべきだ」

「そうね。私は優秀だから、この歳《とし》で准教授になったの」

葵は悪戯《いたずら》っぽく微笑む。ともすると冷たく感じる端整な外見だが、その表情は少女のようでとても魅力的だった。

「私が気になるのは、その准教授がここで何をしているのかだ」

「教授の様子がおかしくなって、どうしたらいいか分からないっていう連絡を奥様からいただいたから、研究室を代表して私が伺ったの。それに、あなたがやって来るってことも聞いたから。天久鷹央さん」

「私のことを知っているのか？」

鷹央は猫を彷彿《ほうふつ》させる大きな目をしばたたかせる。

「私は帝都大であなたの四つ先輩だったからね。学科が違ってもあなたの噂はよく聞いたわよ。すごい天才がいるってね」

ということは僕より二つ上か。頭の中で計算していると、葵は鷹央に近づいた。

「一度お話をしてみたいと思ったけど、こんなところで会えるとは思わなかったな」

「私はお前と話をしに来たんじゃない。碇という男の様子を見に来たんだ。お前は碇と会うことは出来たのか？」

「いいえ……」葵の顔から笑みが消える。「扉の外から呼びかけたけど、出てきてくれなかった」

「それじゃあ、私が掛け合ってみよう。で、閉じこもっている部屋はどこなんだ？」

鷹央は道子に向き直る。道子は「あ、こちらです」と、重い足取りで廊下を進んでいった。柔らかい絨毯が敷かれた長い廊下を、僕たちは道子のあとについて行く。

「あの、初めまして。天久先生と一緒に働いている小鳥遊といいます」

僕はそばを歩く葵におずおずと声をかける。

「小鳥遊先生ね。初めまして、よろしく」

葵は柔らかい笑みを浮かべる。なぜか、少し体温が上がった気がした。

廊下の突き当たりにある扉の前で、道子が足を止める。

「ここが主人の書斎になります」

「書斎に閉じこもっているのか？」

「はい、中から鍵《かぎ》をかけて、ここ数日は夜もほとんど出てきません。食事は運んでいるんですが、それにもあまり手をつけなくて……。もう、どうしていいのやら」

道子は両手で顔を覆《おお》った。

「体調が悪いんだよな。病院には行っていないのか？」

「本人が拒否するんです。『外に出たら呪い殺される』とか、意味の分からないことを言って……。あんなに信頼していた倉本さんでもだめで……」

鷹央は「そうか」とつぶやくと、拳《こぶし》を固めて扉に打ちつける。重い音が響いた。

「おーい、出てきて話を聞かせてくれ」

「ちょ、ちょっと鷹央先生。そんないきなり……」

たしなめるが、鷹央は乱暴なノックを続ける。

「そんなに時間はかからないから。話をするくらい、いいだろ」

「うるさい！」

扉越しに怒声が飛んできた。音に過敏な鷹央は、腕を振り上げた状態で硬直する。

「誰が来ようと私は絶対にこの部屋から出ないぞ！　外に出たら殺される！　炎蔵が私を殺そうとしているんだ！」

道子が手を伸ばし扉に触れた。

「ねえ、お願いだから出てきて。お医者様が来てくださったのよ。体調が悪いんでしょ。きっと治してくださるから」

「医者？　医者なんかに治せるわけがない。これは呪いなんだ！　みんな消えろ！」

扉が震える。あちら側から殴っているのだろう。道子は力なくうなだれた。

「ずっとこの調子なのか？」ようやく硬直が解けた鷹央が訊ねる。

「最初は体調が悪いって言っていただけなんですけど、そのうちおかしなことを口走るようになって……。先日、翠明大学の准教授の方が火事で亡くなったと連絡を受けてからは、ここに閉じこもり続けているんです」

「そうか……」

あごに指を当てて数秒考え込んだ鷹央は、振り返って僕を見た。

「小鳥」

「……なんでしょうか？」

悪い予感がする。

「蹴破《けやぶ》れ」

「はぁ？」

「だから、扉を蹴破るんだよ。出てこないなら、こっちから押し入るしかないだろ。ほら、さっさとやれって。こういうときのためにいるんだろ、お前」

「違います！　部下をなんだと思っているんですか⁉」

さらっと酷いことを言いやがった。

「無理やり入って来たら警察を呼ぶぞ！　不法侵入と器物損壊で訴えてやるからな」

こちらの声が聞こえていたのだろう。扉の奥から警告が飛んできた。

「だ、そうです。逮捕されたら困るんで、違う方法を考えましょう」

「なんでだ？　逮捕されるのはお前なんだから、私は困らないぞ」

「もしそうなったら、鷹央先生に指示されたって言いますからね。絶対に先生も道連れにします」

「私まで逮捕されるのは困るな。……しかたがない、他の手を考えるか」

僕が逮捕されるのはかまわないのだろうか？　僕が湿った視線を投げかけていると、鷹央はセーターに包まれた胸の前で両手を合わせた。

「天照大御神《あまてらすおおみかみ》作戦で行くか」

「はい？　アマテラス？」

僕が聞き返すと、鷹央は扉に近づいて声を張り上げる。

「あー、どうやら開けてくれないようだなぁ。せっかく来たのに残念だなぁ」

「……なんですか、その棒読みのわざとらしいセリフは？」

「仕方ないから帰るとするかぁ。いやあ、せっかく呪いを解く方法が分かったのになぁ。けれど、会ってくれないなら、呪いは解けないなぁ。本当に残念だ残念だ」

僕を無視して、鷹央は大根役者さながらの演技を続ける。いくらなんでも、こんな猿芝居につられるわけが……。呆れていると扉が開いた。予想外の展開に、僕は目を見張る。

「本当か！　本当に呪いが解けるのか⁉」

扉の向こう側にいた丸顔の男を見て、僕は軽くのけぞってしまう。それほどに、彼の姿は異様だった。

大きく見開かれた両眼は蜘蛛《くも》の巣のように血走り、目尻には眼脂《めやに》がべっとりと付いている。髪は脂《あぶら》ぎり、頭を掻きむしった際に出血した跡なのか、白髪の根元が赤黒く染まっていた。口の端からは涎《よだれ》が零《こぼ》れ、呼吸は全力疾走したあとのように乱れている。部屋から漂ってくるすえた悪臭は、おそらくは嘔吐物《おうとぶつ》の臭《にお》いだろう。

さっきの芝居にも騙されるはずだ。おそらくこの男性は、正常な判断ができる状態ではない。

道子は痛みを耐えるような表情で顔を背け、葵は口を固く結んで眉間にしわを寄せる。しかし、鷹央だけは全く動じることなく碇と対峙《たいじ》した。

「どうなんだ、本当に呪いは解けるのか⁉」

碇は両手を鷹央に伸ばしてくる。我に返った僕は慌てて、二人の間に割り込んだ。

「小鳥、大丈夫だ」

僕の体を押しのけて前に出た鷹央は至近距離で碇を見つめる。僕はなにかあったらすぐに動けるように警戒しつつ、成り行きを見守った。

「呪いとは具体的になにが起こっているんだ？」

「なんでそんなことを言う必要がある！　それより、どうやったら呪いが解けるんだ⁉　早く教えてくれ」

　碇は唾《つば》を飛ばしながらヒステリックに叫び続ける。

「呪いの内容によって、それを治す方法も変わってくるんだ。だから、助けてほしいなら、お前の身に何が起こっているのか具体的に教えろ」

　鷹央が淡々と諭すと、碇は両手で頭を掻きむしった。頭皮のかさぶたが剝《は》がれたのか、指先にうっすらと血が付着している。

「体が熱くなって、……頭が割れるように痛いんだ。それに、……聞こえる。声が頭の中に聞こえてくるんだよ！」

「声？　どんな声だ？」

「男の声……。地の底から響くような声が、『お前を呪い殺してやる』『よくも俺の墓を暴《あば》いたな』って、ずっと……」

　碇は両手で耳を覆うと、その場にうずくまってしまう。

「炎蔵だ。墓を暴いたせいで、炎蔵に呪われたんだ！　私は呪い殺されるんだ！」

　悲痛なうめき声が辺りに響いた。身を守るかのように丸くなって震える碇を、僕は呆然《ぼうぜん》と見下ろす。酷い状態だとは聞いていたが、まさかここまでとは……。

　あまりにも常軌を逸した碇の様子に、僕、葵、道子が固まっている中、鷹央が動いた。丸くなっている碇を見下ろしながら口を開く。

「なるほど、大まかな症状は分かった。それじゃあ行くぞ」

「……行く？」碇はのろのろと顔を上げる。

「ああ、そうだ。これからうちの病院に行って、徹底的に検査を受けてもらう」

「な、なんで病院なんか行かなくちゃいけないんだ？　私は病気じゃない。炎蔵の呪いを解いて欲しいだけなんだ」

「まずお前の身に起こっていることが本当に呪いなのか、それとも医学的に説明がつくことなのか調べる必要がある。それ次第で、対応も変わってくるからな。分かったら行くぞ」

早口で説明を終えた鷹央が促すが、碇は立ち上がらなかった。それはそうだろう。たしかに鷹央の説明は正論だが、いまの碇にその『正論』が伝わるとは思えない。案の定、鷹央を見上げる碇の顔に失望の色が浮かんでいく。

「ほら、さっさと立ち上がれってば」

鷹央が伸ばした手を、碇は乱暴に振り払った。

「触るな！　病院なんか行かない！　これは『呪い』なんだぞ。病院に行ってなんになるって言うんだ」

「だから、それについては、いま説明しただろうが」

鷹央は苛立《いらだ》たしげにかぶりを振る。

「うるさい！　誰がなんと言おうと、私はどこにも行かない！」

碇は逃げるように部屋に戻る。扉が閉まる寸前、僕は慌てて足を隙間《すきま》にこじ入れた。

挟まれた足に痛みが走り、「いつっ」と声が漏れてしまう。

「なにをする！」

血走った目で碇は睨みつけてきた。無意識に足を出してしまったが、このあとどうしたものだろうか。僕は横目で鷹央をうかがう。

「めんどくさいから、拉致《らち》して強引に連れて行っちまうかな」

鷹央が物騒な独り言を漏らすと、碇の顔に怯えが走った。

「そ、そんなことをしたら、お前らを誘拐で訴えてやるからな！」

鷹央は「ふむ」とあごを撫で、僕に視線を向けてくる。

「私は関係なく、お前の単独犯ということにして、この男を病院まで誘拐したりは
……」

「絶対にしません！」

「……使えない奴」

ぼそりと酷いことをつぶやきながら、鷹央は頬を掻く。

「いますぐ出て行け！　ここは私の家だ。さもないと、不法侵入で警察を呼ぶぞ！」

碇は扉に挟まれた僕の爪先を、思い切り踏みつけた。

「いてっ」

痛みに足を引いた瞬間、扉が大きな音を立てて閉まる。道子がふらふらとした足取りでその扉に近づくと、声を絞り出した。

「ねえ、お願いだから出てきて。ちゃんと病院に行ってお医者さんに見てもらって。……お願いだから」

しかし、中から返事が聞こえてくることはなかった。道子は振り返ると、涙が浮かんだ目で僕たちを見る。

「お願いです。なんとか……、無理やりでもいいので、主人を病院に連れて行ってください。このままじゃ、あの人が…」

「残念ながら無理だ」鷹央は首を横に振った。「私たち医者には、本人の意思に反して患者を拘束し、治療する権利はないんだ。無理やりそれをすれば、さっきあの男が言ったように誘拐罪が成立してしまう」

「そんな！　妻の私がいいって言っているんですよ！」

「配偶者の許可は関係ない。本人が明確に拒否している以上、私たちは碇を病院に連れていくことはできない」

「じゃあ……、じゃあ、どうすればいいんですか……」

道子は両手で顔を覆って、悲痛な声を漏らした。

腕を組んで数十秒考え込んだあと、鷹央がぽつりとつぶやいた。

「……墓」

「ん？　鷹央先生、なにか言いましたか？」

「墓だよ。蘆屋炎蔵の墓だ。そこを調べるぞ」

「え？　でも、碇さんを放っておくわけには……。どうにかして病院に連れて行かないと」

碇の身に何が起こっているのか、はっきりとは分からない。しかし、このまま放っておいたら危険なことは間違いない。なんとか病院に連れて行き、最低限の治療だけでも施さなくては。

「だから、病院に連れていくために墓を調べる必要があるんだよ」

「病院に連れていくために？」

「いちいち説明している暇はない。いいから、蘆屋炎蔵の墓を調べるぞ」

鷹央は早口でまくしたてる。こうなった彼女には、どんな説得も通じない。

「そ、それじゃあですね。とりあえず、室田さんを通じて墓の所有者に連絡をとって、お互いの都合がいい時間をすり合わせ……」

「いまからだ」

鷹央が僕のセリフを遮った。

「いまから墓を調べに行くぞ」

「そうだ、いまから墓を調べに行くぞ」

「ちょ、ちょっと待ってくださいよ。その墓って鎌倉にあるんですよ」

「それがどうしたんだよ?」

「いえ、もうすぐ午後七時ですよ。いまから鎌倉に行ったら、何時になるか。そんな時間に押しかけるのはさすがに……」

「小鳥」

鷹央が僕の目を見つめてくる。その真剣な眼差しに、僕は口をつぐんだ。

「いますぐだ。いますぐに墓を調べる必要があるんだ。だから私と一緒に行ってくれ」

僕は数秒黙り込んだあと、ふうっと息を吐く。

「分かりました。行きましょう」

気分屋でわがままな、手がやける上司だが、この人が必要だと言い切るなら、それは間違いなく必要なことなのだ。これまでの付き合いで、僕はそのことを知っていた。

「すぐに室田教授か、助手の加賀谷さんに連絡を取って詳しい住所を教えてもらいます。あと、土地の所有者にも一報を入れておかないといけませんね。不法侵入で通報されたりしたら大変だから」

「そのあたりのこと、全部私がやるよ」

　突然、葵が口を挟んできた。

「お前が？」鷹央が訝《いぶか》しげにつぶやく。

「うん。その代わり、私も連れていってね」

「ちょっとまて、何を言っているんだ？　お前は関係ないだろ」

「それが、関係大有りなの。教授の症状が本当に『炎蔵の呪い』によるものだったりしたら、私が困るのよね」

「どういう意味だ？」

　鷹央が眉根を寄せると、葵はおどけるように肩をすくめた。

「教授たちと炎蔵の墓を調べた最後の一人、それが私なんだ」

3

　フロントグラスの奥に、暗い国道が延びている。ハンドルを握った僕は、ちらりとバックミラーを見る。後部座席では葵がスマートフォンを顔の横に当てていた。

「……そういうわけで、もうすぐ到着しますから。よろしくお願いしますね」

　通話を終えた葵は、大きなため息をついた。

「話はついたか?」助手席の鷹央が振り返る。

「うーん、話がついたというより、話にならないから切り上げたってところかな」

「さすがにこんな夜遅く押しかけるのは問題でしたかね?」

僕が訊ねると、葵は苦笑を浮かべた。

「たぶん、時間は関係ないわね。炎蔵の墓を調べること自体、気に入らないの」

「え? 調査を許可してもらう代わりに、室田さんが援助をしたんじゃ?」

「許可してくれたのは、先代当主の奥さんなの。その人は、いまは鎌倉市内のマンションに移り住んでる。いま炎蔵の墓がある土地に住んでいるのは、先代当主の息子、三十代の独身男よ。電機メーカーの技術者だったんだけど、去年リストラされていまはフリーターみたいなことをしているらしい」

「その人は、墓の調査を歓迎していないってことですか?」

「歓迎していないどころか、激怒してる。代々守り通してきた炎蔵の墓を暴くなんてとんでもないって。ただ、土地の権利なんかは全部先代の奥さんが相続したんで、法律的にはなんの権限もない。それでいつも地団駄ふんでいるのよ」

「すみません、なんか面倒なことをお願いして」

「ああ、気にしないで。これくらい大したことじゃないって。もともと、蘆屋家との話し合いはほとんど私がやっていたんだよね。研究室の人たちはみんな、そういう交渉ごとが苦手で頼りにならないからさ」

　葵は軽い調子で言う。その端整な外見に似合わず、なかなか姉御肌なようだ。話していて気持ちがいい。

「それに有名な天久鷹央先生と一緒に調査できるんだから、楽しみ」

「鷹央先生って学生時代、そんなに有名だったんですか？」

　僕は助手席をちらりと見る。鷹央は興味なさげに、窓の外を眺めていた。

「学生時代も有名だったけど、帝都大の卒業生の中でよく話題に上がるようになったのは最近かな。あとは、私の父が帝都大の附属病院で医者をやっているから、そっちからも色々と聞いてるの。警察でもてこずるような難事件を解決したりしているんでしょ。あれってどこまで本当なの？」

　葵のテンションが上がってくる。

「……なんでそこまで知っているんですか？」

　へたにその情報が広まると、またわけの分からない依頼が舞い込んできて、日常業務に支障をきたすことになりかねないのだが……。

「警視庁に勤めているキャリアには、帝都大の卒業生がかなりいるからね。そこから噂が流れてくるの」

　警察官のくせに口が軽すぎじゃないか？　僕は頭痛をおぼえながらアクセルを踏み

込んでいく。

「ねえ、天久先生。鷹央ちゃんって呼んでもいい？　先生、すごく可愛《かわい》らしいから」

葵が後部座席から体を乗り出してきた。

「好きに呼んでくれ。それより、まだ着かないのか？」

「あと十五分ぐらいです」

僕はナビを見ながら言う。周りには閑静な住宅地が広がっている。ときどき、落ち着いた雰囲気の寺院の前を通過するのが、なんとも鎌倉っぽい。

「懐かしいなー」外を眺めながら、葵がつぶやく。

「鎌倉の出身なんですか？」

僕が訊ねると、葵は首を振る。

「ううん、高校時代、付き合っていた同じ学校の子と、よくこの辺りにデートに来ていたんだ」

葵ははにかむ。こんな美人と鎌倉デートなんてできたら幸せだろうな。会ったこともない相手の男に僕が嫉妬《しっと》しているうちに、目的地が近づいて来た。

ハンドルを切って、脇道へＲＸ－８を滑り込ませる。数分進んでいくと、カーナビから『目的地周辺です』という人工音声が響いた。

「あ、そこの左手にあるお屋敷」

葵がフロントガラスの奥を指さす。延々と続く塀の奥に、日本邸宅の屋根がわずかに覗いていた。五十メートルほど向こう側に、重厚な作りの門が見える。僕は門の前に車を寄せて止めた。

「いやあ、市街地から離れているとはいえ、とんでもなく広いですね」

車から降りた僕は、辺りを見回す。街灯もまばらで、車の通りも少なく、かなり寂しい場所だった。

「昔はすごい金持ちだったらしいからね。ほら、あそこにある山も全部、蘆屋家の持ち物なの」

塀のずっと向こう側にそびえる山を、葵が指さす。ここまで広い土地を持っているとなると、たしかにかなりの額の相続税を払うことになるだろう。

「ずっと車に乗っていたから、体が硬くなっちゃった」

葵は両手を頭上に上げると体を反らせた。なかなかにボリュームのあるバストが強調され、思わず視線が吸い寄せられてしまう。

「なに鼻の下を伸ばしているんだ。さっさとトランクを開けろ」

いつの間にかそばにいた鷹央が、脛《すね》を軽く蹴ってきた。

「別に鼻の下なんて……」

慌てて葵の胸元から視線を引き剝がす。葵は悪戯っぽくこちらを見ながら、「あら」

と含み笑いを漏らした。

「あ、えっと……、トランクでしたよね。すぐに開けます」

僕はトランクを開けると、中から巨大なリュックサックを取り出す。ずしりと両腕に重みが伝わってくる。

「これ、めちゃくちゃ重いんですけど、なにが入っているんですか？」

鎌倉に向かう前、鷹央の指示で一度、天医会総合病院に戻った。病院の駐車場で十五分ほど待っていると、鷹央がこのリュックをカートに載せて戻ってきたのだ。

「後で分かるよ。それより急ぐぞ」

鷹央は早口で言う。碇の家を出てからというもの、鷹央はどこか不機嫌……、というか焦《あせ》っているように見える。

鷹央は『蘆屋』と書かれた表札がぶら下がっている大きな門に近づくと、インターホンを連続して鳴らした。十数秒してスピーカーから、『うるさい！』と怒声が響き渡った。

『なんなんだよ。こんな時間にピンポンピンポンってチャイムを鳴らしやがって！』

「蘆屋炎蔵の墓を調べに来た。話は聞いているだろ」

鷹央は声を張り上げる。スピーカーから大きな舌打ちが聞こえてくる。

『さっき、あの女が言っていた奴か。はっきり断ったはずだぞ』

「私は門を壊してでも中に入るぞ。いいからさっさと開けろ」

しばしの沈黙のあと『……待ってろ』と返答があった。

数分後、錠が外れる音が聞こえ、続いて軋《きし》みを上げながら扉が開いていく。中から、小太りの男が姿を現した。

「蘆屋雄太《ゆうた》さん。一応、蘆屋家の現当主よ」

葵が紹介すると、蘆屋雄太は露骨に顔をしかめた。

「『一応』じゃない。俺はれっきとした当主だ」

「これは失礼」

葵は鼻を鳴らす。その態度から、雄太のことを嫌っていることが感じ取れた。

「そもそも、あんたら誰なんだ？」

「私は天久鷹央、東京都東久留米市にある天医会総合病院の医師だ。で、こいつは私の部下の小鳥」

鷹央は僕を指さす。だから、あだ名で紹介するのやめてくれないかな。雄太は「ことり？」と訝しげに僕を見る。

「小鳥遊といいます」

とりあえず僕が自己紹介すると、雄太は「ことり？　たかなし？」と首を捻《ひね》ったあと、苛立たしげにかぶりを振った。

「で、その医者がいったいなんのつもりなんだよ」

「話を聞いていなかったのか？　墓だよ。炎蔵の墓を調べたいんだ」

「そうじゃない。こんな夜遅くに押しかけて、いきなり中に入れろなんて非常識なことを言う理由を訊《き》いているんだ」

僕は腕時計に視線を落とす。時刻はもうすぐ午後十時になるところだ。たしかに非常識だろう。ただ、天久鷹央という人物は、『常識』というものから最も離れたところにいる。案の定、彼女は「時間なんて関係ないだろ」と言い放った。

「関係ないわけがあるか！　来るなら、前もって連絡を入れて、こっちの都合があうときにしろ。分かったらそのガキっぽい車に乗って、さっさと帰れ！」

ガキっぽい？　愛車のＲＸ－８を侮辱された僕が眉間にしわを寄せていると、鷹央が雄太に近づき、睨《ね》め上げた。

「お前がなんと言おうと、私はいますぐに蘆屋炎蔵の墓を調べる。絶対にだ」

「許可なく他人の敷地に入ったら不法侵入だ。警察を呼ぶぞ」

碇の家でも同じような警告を受けたな。軽いデジャヴをおぼえながら、僕は鷹央の耳元に囁《ささや》いた。

「鷹央先生、この人が言うこともっともですよ。とりあえず、今夜は撤退して、あらためて予定を組んで……」

刃物のように鋭い視線に射抜かれ、セリフが尻すぼみになっていく。

「そんな余裕はない。私は医者として、今夜中に蘆屋炎蔵の墓を調べて、『呪い』の正体を解き明かさないといけないんだ」

医者として……。つまり、たんなる好奇心からではなく、患者を救うために行動しているということだ。鷹央がここまで断言している以上、いますぐに蘆屋炎蔵の墓を調べる必要があるのだろう。けれど、どうしたら……。

蘆屋雄太が今夜敷地に入る許可を出してくれるとは、とても思えなかった。

「雄太さん、あなたの許可なんていらないのよ」

唐突に葵が声を上げた。雄太は「なに言っているんだ？」と眉根を寄せる。

「だからあなたの許可なんかなくても、私たちは中に入ることができるの。あなたに連絡を入れたのは、礼儀として一声かけただけ」

「あんた、まさか……」

「ええ、この土地の所有者である、あなたのお母様に先ほど連絡して、今夜炎蔵の墓を調べる許可はいただいてるの。電話して確認する？」

葵はジャケットのポケットからスマートフォンを取り出す。雄太は唇をゆがめて数十秒黙り込んだあと、大きな舌打ちとともに踵《きびす》を返した。

「勝手にしろ！」

「それじゃあ勝手にさせてもらうわね。鷹央ちゃん行きましょうか」

「おお！」

鷹央の高らかな声とともに、僕たちは門をくぐって敷地内に入る。

そこには多くの樹木が植えられた日本庭園が広がっていた。室田の家も広かったが、ここはその比ではない。個人の家というよりも、もはや由緒ある旅館といった雰囲気だ。しかし、よく見ると庭にはかなり雑草が生えていて、樹々《きぎ》の枝も伸び放題で手をかけている様子はない。正面に立つ巨大な平屋の建物も、ほとんど明かりがともっていないので廃墟のようだった。少し離れた位置にある倉庫らしきプレハブ小屋などは、窓ガラスが割れ、屋根は一部が崩れ落ちて、悲惨な様相を呈している。

「こっちの道が裏手の山に続いてるの。炎蔵の墓はその山をちょっと上がったところ」

脇に向かう細道を葵は指さす。僕たちがそちらに向かおうとしたとき、仏頂面《ぶっちょうづら》でついて来ていた雄太が「ちょっと待てよ」と声を上げた。

「なんだ。まだ邪魔する気か？」

「邪魔なんかしないさ。ただ、本気であの墓に入る気かと思ってな」

「……なにが言いたい？」鷹央の目がすっと細くなる。

「この前、炎蔵の墓を荒らした奴ら、呪われたんだろ」

雄太は唇の片端を上げた。

「知ってるぜ。碇とかいう帝都大の教授が、何日か前に『呪いを解く方法を教えてくれ』って電話してきたからな。一人は火事で焼け死んだんだって？　まさに炎蔵に呪われた奴の死に方だ。炎蔵の墓を暴いたりするから、罰が当たったんだよ」

「お前は『呪い』を信じているんだな」

「そりゃそうさ。炎蔵の話はガキの頃から、繰り返し教え込まれるからな」

雄太の顔に自虐《じぎゃく》的な影が差す。

「うちの家がここまで栄えたのは炎蔵が守ってくれていたからだ。炎蔵のおかげで、戦争で屋敷が燃えることもなく、徴兵された家族も一人も死なないで戻ってこれた。だから、炎蔵を崇《あが》め続けなくてはならない。そして、絶対に炎蔵の墓に足を踏み入れてはならない。そうすれば、うちの家は永遠に栄え続ける」

抑揚のない口調でつぶやいた雄太は、大きく両手を広げた。

「毎日そんな話を、爺《じい》さんや親父《おやじ》から念仏みたいに聞かされるんだ。嫌でも信じるさ。まあ、最近は迷信かもしれないと思っていたけれど、あの教授たちに起こったことを見ると、炎蔵の力は本物らしい。それを確認できたことについては感謝しているよ」

「それで、お前は呪いを解く方法を碇に教えたのか？」

「呪いを解く方法？　そんなものねえよ。炎蔵に呪われたらおしまいなんだ。だから訊いたんだよ。あんたら、本当に炎蔵の墓に入るつもりなのかってな。そこの姉ちゃんはもう手遅れだ。この前入っちまったから、もう炎蔵に呪われている」

雄太に指さされた葵は、無言のまま口元に力をこめた。

「けれど、あんたたち二人は違う。まだ呪われちゃいない。それなのにわざわざ炎蔵の墓を荒らして、呪われなくてもいいんじゃねえか？」

僕は唾を飲み込む。呪いなど信じてはいないが、墓に入った者たちの身に不幸が降りかかっているのは紛れもない事実だ。たしかに僕たちがリスクを冒す必要があるのだろうか？　僕が横目で視線を向けると、鷹央は硬い表情のまま口を開いた。

「警告はありがたいが、私はできるだけ早く墓を調べる義務があるんだ。誰になんと言われようと、炎蔵の墓に入る」

雄太の顔の筋肉がぴくぴくと蠕動《ぜんどう》しだした。

「なら好きにしろ！　炎蔵に呪い殺されちまえよ。俺の知ったことじゃねえ」

捨て台詞《ぜりふ》を残して、雄太は屋敷へと戻っていく。その姿を見送った鷹央は、屋敷の裏手にある山を見上げると、「よし、行くぞ！」と胸を張って歩きはじめた。

「鷹央ちゃん、大丈夫？」

先頭を行く葵が懐中電灯（鷹央がリュックから取り出したものだ）で前方を照らし

つつ、振り返って心配そうに言う。

「大丈夫……じゃない」

僕の前を歩く鷹央は、息も絶え絶えに声を絞り出した。

意気揚々と炎蔵の墓へと向かった鷹央だったが、山道に入って数分もすると目に見えて歩みが遅くなり、あごを突き出して荒い息をつくようになった。

好奇心を刺激されると、とたんに活動的になる鷹央だが、基本は引きこもりだ。普段は天医会総合病院の屋上に建つ自宅で本を読んだり、パソコンをいじったりして過ごし、ほとんど病院の外に出ることがないので、ナマケモノ程度の体力しかない。傾斜のきついこの獣道を登るのはたしかに厳しいのだろう。

足を止め、膝《ひざ》に両手をついた鷹央は、振り返って僕を見た。

「小鳥……おんぶ」

「無茶言うな」

即答した僕は背負っている巨大なリュックサックを指さす。

「こんな重い荷物を運んでいるんですよ。どうやって先生を背負えって言うんですか」

「それを前に抱えて……、私を背中に……」

「無理です。ちゃんと自分の足で歩いてください」

「薄情……者……」

悪態をつく口調にも力がない。

「ほら、鷹央ちゃん。あと少しだから頑張りましょ。手を引いてあげるから」

「……うん」

葵が差し出した手を握って、鷹央がゆっくりと山道を登っていった。

「倉本さん、体力ありますね」

息を弾ませた僕が声をかけると、葵は得意げに口角を上げた。

「高校時代に部活のソフトボール部でかなり鍛えたからね。本当は野球が好きだったんだけど、うちの高校、野球部はなかったんだ。まあ、普通の野球部よりずっと厳しい練習していたけど」

「強豪校だったんですか？」

「うん、県大会とか優勝したりしてた。だから練習も凄《すご》くてさ、授業が終わったらすぐに教室でユニフォームに着替えて、校庭に向かうの」

「教室で……」僕はあんぐりと口を開く。

そんな感じで話をしながら進んでいくとやがて傾斜が弱くなり、少し開けた場所に出た。

「あそこよ」

葵が正面を指さす。十メートルほど先に切り立った岩肌が露出しており、そこに腰を屈《かが》めればなんとか通れるほどの穴が開いていた。

「やっと……ついたか……」

鷹央は崩れ落ちるように膝をつく。その小さな背中を、「大丈夫？」と葵がさすった。

「これが、蘆屋炎蔵の墓……」

僕は膝丈の雑草を踏みしめながら洞穴へと近づいていく。入り口のそばには、何重にも重ねられた厚い木の板や、古びたしめ縄が無造作に放置されていた。よく見ると、板の表面にはお札が何枚も貼《は》られている。

「それで入り口が封印されていたのを、教授が開けたの」

鷹央の背中を撫でていた葵が近づいてきた。

「強引に開けたみたいですね。その扉、かなり損傷していますよ」

僕が扉の残骸《ざんがい》を指さすと、葵は形のいい眉を八の字にする。

「待ちに待った調査だったからか、翠明大学の室田教授が興奮しちゃってね。私が止める間もなく工具を取り出して、どんどん扉を壊していっちゃったんだ」

そんな乱暴な方法で墓を暴かれたりすれば、陰陽師でなくても呪いたくなるだろう。歴史学の専門家なら、もっと死者に敬意を持つべきじゃないだろうか。

もやもやとした気持ちになりつつ、僕は洞穴の中を懐中電灯で照らす。しかし、想像以上に深いのか、光が飲み込まれていくだけで、中の様子はうかがい知れなかった。

「それじゃあ入るとするか」

振り返ると、鷹央がすぐ後ろに立っていた。その顔には生気が戻っている。どうやら、好奇心が疲労を打ち消したようだ。

懐中電灯を片手に洞穴に入ろうとする鷹央の肩を、僕は反射的に摑む。

「なんだよ?」鷹央が唇を尖らせた。

「いえ、なんというか……。本当に入るのかなぁ、とか思ったりして」

「はぁ？　なんのためにここまで来たと思っているんだよ」

「いえ……、この墓を調べるためなんでしょうけど。ただですね、ここに入った人たちの身に、いろいろとおかしなことが起こっているわけで……」

「だから、その原因を解明するために、この中を調べるんだろ」

鷹央は意味が分からないというように僕を見る。やがて、その顔に、にやーっと、意地の悪い笑みが浮かんできた。

「お前、やっぱり怖いのか?」

「そ、そういうわけじゃ……。ちょっと気味が悪いな、とか思っているだけで……」

「そうかそうか。そんなでかい図体しているのに怖いのか」

鷹央はあごをくいっと上げると、小馬鹿にするように鼻をならす。

「そりゃ怖いですよ!」僕は半ばやけになって言い放つ。「呪いなんてないって分かっていても、深夜にこんな不気味な場所に来たら、怖いと感じるのが普通の感覚です」

「いやいや、呪いがないとは断言できないぞ。世界中で、呪いによる殺人といわれている事例はたくさん報告されているんだ。例えば……」

「いまはそんな情報いりません!」僕は両手で耳を塞《ふさ》ぐ。

「私は一人でも中に入る。怖いなら、お前はそこで待っていてもいいぞ」

数秒の躊躇《ちゅうちょ》のあと、僕は拳を握りしめると、洞穴の入り口に近づく鷹央の前に出た。

「ん? なんだ、ここで待っているんじゃなかったのか?」からかうように鷹央は言う。

「先生を一人だけ行かせるわけがないでしょ。僕がいないと危なっかしいんだから」

「……別にお前がいなくたって大丈夫だ。子供扱いするな」

膨らんだ鷹央の頬を僕は指さす。

「そういうところが子供っぽいんですよ。それより、もうこんな時間です。明日も仕事だし、行くならさっさと行きましょうよ」

「よし、いっちょ洞窟探検としゃれこむぞ」

鷹央が高らかにいうと、目を細めて僕たちのやりとりを眺めていた葵が先頭に立った。

「じゃあ、一度入っている私が先導するね。かなり滑るから、気をつけて」

艶《つや》っぽいウインクをした葵は、身をかがめて洞穴の中へと入っていった。僕たちはそのあとを追う。入り口をくぐると、黴《かび》の臭いが鼻腔《びこう》に侵入してきた。湿度の高い濁った空気が体に纏わりつく。

僕は周囲を懐中電灯で照らす。濡れた緑色の岩肌が光を反射していた。なんとか立ち上がることができるが、頭から天井まで十センチもない。横幅も人一人がなんとか進めるぐらいしかなかった。圧迫感で息苦しくなってくる。

「狭いから気をつけてね」

先頭を歩く葵の声が、狭い空間に反響した。

「かなり湿っぽいな」鷹央は首筋を拭う。

「地下水が岩の隙間から少し染《し》み出しているの。ちょっとだけ傾斜があるんで、水は外に流れるようになっているけど、湿度はずっとこんな感じね」

葵は慎重な足取りで進みはじめた。次に鷹央、最後尾に僕の順で、蘆屋炎蔵の墓の奥深くへと向かっていく。

「いてっ」

数分歩いたところで、天井から飛び出た岩に頭が当たった。

「気をつけて歩けよな。無駄にでかい図体しているんだから」

前を歩く鷹央が呆れ顔で振り返る。

「悪かったですね。鷹央先生みたいにコンパクトじゃなくて」

「コンパクト⁉　それがレディの身体《からだ》を形容する単語か？」

鷹央が目を剝《む》くと、葵がくすくすと笑い声を漏らした。

「なにがおかしいんだよ？」鷹央は不満げに訊ねる。

「いや、二人とも仲が良いなと思って。ちょっと聞きそびれていたけど、二人って恋人同士なの？」

「違うぞ」「違います！」

僕と鷹央の声が重なる。

「あ、違うんだ。息がぴったりだからてっきりそうだと」

「なんで私がこんなむさい男と付き合わないといけないんだ。相手を選ぶ権利ぐらいあるはずだ」

「そうです、その通りです！」

「……なんだよ、お前。私が相手じゃ不満みたいな言い方だな」

鷹央にじろりと睨め上げられた僕は、慌てて胸の前で両手を振る。

「いえ、別にそういうわけじゃ……」

「お前には私の、大人の女性としての魅力が分からないのか」

「大人の女性、ですか……？」

「なんで疑問形なんだ⁉　どこからどう見ても、セクシーなレディだろうが」

「せ、せくしー⁉」

天久鷹央という女性と対極にある単語に思考が混乱し、声が裏返る。

「……ぶっ殺す」

無表情になった鷹央は物騒なことをつぶやくと、羽織っているジャンバーのポケットを探りはじめた。

「あ、セクシーです。とてもセクシーで見惚《みと》れちゃいました」

身の危険をおぼえ、泡を食って声を上げる。鷹央はこの空間の湿度に勝るとも劣らない、湿った視線を僕に投げかけてきた。

「……命拾いしたな」

低く籠った声でつぶやいた鷹央がポケットから手を出すのを見て、僕は胸をなでおろす。いったい、あのポケットには何が入っているんだろう？

「やっぱり息ぴったり。お似合いだと思うんだけど」

忍び笑いを漏らす葵に、鷹央は向き直る。

「そんなことより、炎蔵の墓はまだなのか？」

「あともう少しよ」

葵は闇《やみ》がわだかまる洞窟の奥を指さし、再び進みはじめた。

「あの、鷹央先生」

「……なんだよ」

後ろから声をかけると、どこまでも不機嫌な声が返ってきた。完全にへそを曲げたらしい。普段こういうときには、お菓子でも与えて機嫌を取るのだが、残念ながらいまは持ち合わせがない。

「ここに入る前、『医者として炎蔵の墓を調べる』って言いましたよね」

「それがどうした」

やはり鷹央はこちらを見ない。拒絶されている雰囲気を察しつつも、僕はずっと気になっていることを訊ねる。

「医者としてということは、今回の件が超常的な力によるものじゃなく、疾患によるものだと当たりがついているんじゃないですか？」

ようやくこちらを見てくれた鷹央は、唇に皮肉っぽい笑みを湛《たた》えた。

「もちろん、いろいろと仮説は立てて……いてっ⁉」

前を見ないで歩いていた鷹央は、壁から出っ張っていた岩に頭をぶつける。重い音が狭い空間にこだました。

「ああ……、僕に注意して歩けっていったくせに。大丈夫ですか？」

僕は膝をつくと、後頭部を押さえてしゃがみこんだ鷹央の顔を覗き込んだ。

「痛い……」

「でしょうね。すごい音がしましたから」僕は鷹央の頭を撫でる。「で、その仮説ってどういうものなんですか？」

「うっさい、お前になんか教えてやんない。もちろん、本当に蘆屋炎蔵の呪いの可能性もあるぞ。そうだったら、お前も呪われるぞ。ざまあみろ」

頭を抱えたまま、鷹央は涙目で僕を見上げてきた。

「八つ当たりはやめてくださいよ。そもそも、呪われるなら鷹央先生も一緒でしょ」

僕が呆れていると、葵が「ねえ」と声をかけてくる。

「二人の夫婦《めおと》漫才見てるのもなかなか楽しいんだけど、見えてきたよ。炎蔵の棺《ひつぎ》が収められた部屋」

葵が指さす先に視線を向けると、十数メートル先に洞穴の入り口よりもさらに小さな穴が開いていた。

「おお、あそこか」

目的地についた興奮で痛みが消えたのか、鷹央は立ち上がると足早にその穴へと向かっていく。

僕たちは膝立ちで進んで穴をくぐる。中にはテニスコートほどの面積の空間が広がっていた。これまでの道とは違い、天井は高くドーム状になっている。一番高いところでは五メートルほどの高さがあるだろう。

部屋のいたるところに、古文書の山や法具が入った木箱などが置かれていた。おそらく、生前に炎蔵が使っていたものなのだろう。一見してそれらは保存状態が悪く、触れたら簡単に崩れ落ちてしまいそうだった。持ち出せなかったというのも納得がいく。

「ここが蘆屋炎蔵の墓ですか」

背負っていたリュックを床に置き、懐中電灯で辺りを照らしていた僕は、部屋の中心に置かれた長方体の物体に気づく。それは棺だった、苔《こけ》がむした石棺。

あの中に遺体が……。部屋の室温が一気に下がった気がして、僕は身震いをする。

「ええ、そうよ。三週間前、私たちはこれを開けたの。約千年ぶりにね」

石棺に近づいた葵は、その蓋《ふた》に触れる。

「遺体はまだ中に入っているんだな？」

葵の横に並んだ鷹央は、石棺の表面を照らして観察していく。

「千年前に死んでいても、遺体には違いないからね。運び出すためにはいろいろと手続きが必要なのよ」

「だが、その手続きをする前に、墓をあばいた奴らの身に不幸が降りかかってきた」

鷹央のセリフに、葵は苦笑を浮かべる。

「そう、私以外の全員の身にね」

「なるほどな。じゃあ、さっそく蘆屋炎蔵とご対面といくか」

「え？　棺を開けるんですか⁉」

僕が声を上げると、鷹央が呆れ顔で振り返った。

「お前、まだそんなこと言っているのかよ。そろそろ覚悟決めろよな」

「でもですね。棺を開けるのには、さすがに抵抗があるというか……」

「遺体が怖いのか？　救急部で勤務しているんだ。遺体なんて見慣れているだろ」

「それとこれとは話が違うと思うんですが……」

「いいからやるぞ。時間がないんだよ。『呪い』の正体を掴むためには、遺体を調べる必要があるんだ」

鷹央は力強く言う。覚悟を決めた僕はあごを引いた。

「分かりました。やりましょう」

「じゃあ、頼むぞ」

鷹央は横にずれて道を開ける。葵もそれに倣《なら》った。

「え、僕が開けるんですか⁉」

「他に誰がやるんだよ。この蓋を見ろよ。何十キロもあるぞ。お前以外に持ち上げられるわけないだろ」

鷹央は石棺の蓋を平手で叩く。葵も「よろしくね」とコケティッシュに微笑んだ。

「……やりますよ。やればいいんでしょ」

半ばやけになりながら石棺に近づいた僕は、蓋と棺の隙間に指をかける。

「これで、まず呪われるとしたらお前になるな。墓を暴く張本人なんだから」

鷹央が忍び笑いを漏らす。

「そういうこと言わないでください！」

叫びながら僕は腕に力をこめる。想像以上の重さに歯を食いしばりつつ、蓋をずらしていった。

「わ、すごい。前回は男性三人がかりでやっと動かせたのに」

「すごいだろ。うちの小鳥は体力だけが取り柄だからな」

誰が「体力だけ」だ！　内心で抗議しつつ、僕はさらに力を込めて蓋を動かした。

「よし、それくらいでいいぞ」

鷹央の合図で手を放す。石棺の蓋は、数十センチずれていたが、暗くてその中身はみえなかった。

「どれ」

鷹央が懐中電灯で棺の中を照らす。その瞬間、ミイラの頭部が視界に飛び込んできた。喉から「ひっ」と声がもれる。

頭蓋骨《ずがいこつ》に張り付いた茶色に変色した皮膚、わずかに頭部に残る髪、唇がしぼんで露出した歯。まさにそれは、教科書などで見る『ミイラ』そのものだった。完全に空洞と化した眼窩《がんか》の奥に、どこまでも深い闇がたゆたっている。

「ふむ、たしかにミイラ化しているな。わざとそうなるように処理したのか、埋葬条件によって偶然そうなったのか……」

鷹央は身を乗り出すと、見つめ合うようにミイラに顔を近づけた。

「まだ調べていないからはっきりしないけど、たぶん偶然じゃないかしら。即身仏になった僧が、意図せずミイラ化することは珍しくないし」

葵も鷹央と同じように棺の中身を覗き込む。

暗い洞窟の奥深くで、ミイラの顔をまじまじと覗き込む二人の女性というシュールな光景に、じわじわと現実感が希釈されていく。

「仏僧の服装で埋葬されているんだな」

「ええ、炎蔵は法師陰陽師だったから。ただ、周りにある副葬品の中には、陰陽師独特の物がたくさんある。特に、呪詛に使ったと思われるものがね」

る。

「なるほど、興味深いな」

あごに指を当ててつぶやいた鷹央は、ぐるりとフクロウのように首を回して僕を見
「小鳥、リュックを持ってこい」

「え、リュックですか。はい」

入り口辺りに置いていたリュックを持っていくと、その側面にある小さなポケット
のファスナーを開け、ごそごそと漁りはじめた。

「鷹央先生……、なんでそんなものを……？」

懐中電灯を床に置いた鷹央が中から取り出したものを見て、僕は声を震わせる。そ
れは滅菌パックされたメスだった。

「必要だからに決まっているだろ」

パックを破いてメスを手にした鷹央は、数個の小さなプラスチック容器をリュック
のポケットから取り出し、再び棺を覗き込む。メスの刃が、懐中電灯の光を反射した。

「ちょ、ちょっと待ってください！　何をするつもりですか⁉」

メスがミイラの顔に近付いていくのを見て、僕は慌てて声を上げる。

「なにって、見ての通りだよ」

「だ、だめですよ。遺体を勝手に切り開くなんて」

「元外科医のお前と一緒にするな。切り開いたりしない。表皮を少し削り取るだけだ」

「それでもだめですって。遺体に傷をつけたりするのは。問題になりますよ。ですよね、倉本さん」

僕が水を向けると、葵は困惑した表情を浮かべる。

「私たちも遺体を少し傷つける調べ方をする場合はあるけど、それにはちゃんと許可を取らないといけないの。そうじゃないと……」

「死体損壊罪に当たるんだろ。それくらい分かっている。けれどいまは、わざわざ許可を待つ余裕なんてないんだ」

「なにをそんなに焦っているんですか？　まずはちょっと落ち着きましょう」

僕が諭すように言うと、鷹央は顔を横に振った。

「そんな時間はないんだよ。私は医者だからな」

「医者だから？」

「そうだ。患者のことを第一に考えるのは医者の義務だ。だから、たとえ罪に問われようとも、私は絶対にいますぐ、この遺体を調べる必要があるんだ」

その口調、そして表情から伝わってくる強い決意が、僕たちの口をつぐませる。鷹央は再びミイラに向き直った。

刃がミイラに触れる寸前、背後から近づいた僕は、鷹央の手から素早くメスを奪い取った。鷹央は険しい表情で振り返る。

「メスを返せ。いますぐにだ」

「……ダメですよ」

「小鳥？　お前、何してるんだ？」

ため息交じりに言うと、僕は鷹央の隣に跪《ひざまず》き、メスをミイラの頬骨辺りに当てた。

「だから、鷹央先生みたいな不器用な人じゃ、ダメだって言っているんです。ここはメスに慣れている元外科医の僕の方が、遺体への傷を最小限で済ませられるでしょ」

鷹央は不思議そうに数回まばたきしたあと、口元を綻《ほころ》ばせた。

「言われてみればそうだな。じゃあ、頼むとするか」

「この容器にサンプルを入れればいいんですね。表皮を少しでいいんですか？」

「ああ、それで十分だ」

鷹央が懐中電灯で手元を照らしてくれる。僕はメスをミイラの頬にかすかに触れさせ、撫でるように動かした。極限まで研ぎ澄まされた刃が表皮を剝ぎ取っていく。僕はそれを左手に持った容器の中へと落とした。容器の底で、皮膚は脆《もろ》く砕け散る。

「よし、これで皮膚のサンプルは取れたな」

鷹央は僕の手からメスを奪い取ると、他の容器を持って部屋の隅へと移動する。古文書、法具、岩の壁、それらの表面をメスでこすってはサンプルを採取していった。

「しかし、お前が炎蔵の皮膚を剝がしてくれるとは思わなかったよ。墓を開けたのもお前だし、これで呪われるにしろ、遺体損壊で逮捕されるにしろ、第一候補は小鳥だな」

「……普通、そういうこと言います？」

そんなくだらない会話をしているうちに、鷹央は十数種類のサンプルを採取し、リュックの脇にしゃがみこむ。

「さて、やるか」

鷹央は両手で頰を叩いて気合を入れると、リュックのファスナーを大きく開いた。中から無骨な作りの顕微鏡と、様々な薬品の容器、そしてプレパラートの束などが現れた。

あんなものが入っていたのか。どうりで重いはずだ。

「鷹央先生、いったい何をするつもりなんですか？」

「うるさい、邪魔するな。慎重にやる必要があるんだから」

プレパラートに採取したサンプルを乗せている鷹央は、こちらを見ることすらしなかった。

そんな言い方しなくてもいいじゃないか。唇を尖らす僕に、葵が近づいてくる。

「倉本さん、こんな時間に案内させて、すみませんでした」

「ああ、気にしないで。あと、葵でいいよ。一緒に探検した仲なんだしさ。私も小鳥遊君って呼んでもいい？」

「ええ、もちろん」葵との距離が縮まった気がして、思わず顔の筋肉が緩んでしまう。

「ところで、鷹央ちゃんって、いつもこんな感じなの？」

「ええ、なにかに集中しているときは大抵」

まあ、今日はいつもより余裕がない気もするけれど。

「小鳥遊君もいろいろと大変そうね」

「ええ、大変です。……とっても」

「けれど、そばで見ていると二人の息がぴったりで、ちょっと妬《や》けちゃうな」

「え？　それってどういう意味ですか？」

どきりとしながら訊ねるが、葵は意味ありげな微笑を浮かべるだけで、なにも答えなかった。鷹央はサンプルを乗せたプレパラートを、次々と薬品につけて染色していく。

プレパラートがこすれる音だけが、岩壁で囲まれた空間に反響し続けた。

「出来た！」

顕微鏡を取り出してから三十分ほどして、鷹央が両手を上げた。肩越しに覗き込むと、鷹央の前に十数枚の染色済みのプレパラートが並んでいた。鷹央はその中から一つを手に取ると、顕微鏡にセットする。

「光を顕微鏡に集めてくれ」

顕微鏡を覗き込みながら鷹央が言う。僕と葵は顔を見合わせると、持っている懐中電灯で顕微鏡を照らした。

「光を！　もっと光を！」

ゲーテの最期《さいご》のような言葉を叫びつつ、鷹央はレンズの倍率を変えては、次々とプレパラートを観察していく。

「……やっぱり」顕微鏡を覗き込んだまま、鷹央は低い声でつぶやく。

「なにか分かったんですか？」

僕が訊ねると、鷹央はすっと立ち上がった。

「出るぞ。さっさと顕微鏡をリュックに戻せ」

「え？　もういいんですか？」

いまにも鷹央が動き出しそうな気配をおぼえ、僕は急いで顕微鏡や薬品をリュックに詰め込んでいく。片付け終えると、鷹央は「行くぞ」と出口へと向かう。

「ちょっと待ってくださいよ。棺の蓋を戻さないと」

「そんなことしてる暇はない」

鷹央は懐中電灯を拾うと、さっさとこの空間から出て行ってしまう。

「ああ、もう」

仕方なく僕は、葵とともに鷹央に続いて部屋を出た。

棺の蓋を開け、メスで頬の皮膚をそぎ落とし、さらには蓋を戻すこともせずに帰る。これじゃあ、呪われても文句が言えない。

「鷹央ちゃん、なにに気づいたのかな」

細い道を進みながら、葵が声をかけてくる。

「さあ、分かりません。けれど……」

僕は前方に視線を向ける。異常なほど夜目が利《き》く鷹央は、足元に気をつけて慎重に歩く僕たちを引き離していた。

「きっと、『陰陽師の呪い』の正体を解き明かしたんだと思います」

一人ですたすたと先に行く鷹央を必死に追って、僕と葵は洞窟を出て、山道を下り、蘆屋家の敷地から出た。

「のんびりしている暇はないぞ。すぐに行かないと」

リュックをトランクに積み込んでいると、助手席に乗り込んだ鷹央が声を上げる。

「行くってどこに行くんですか？」僕はトランクを閉め、運転席に座った。

「もちろん、碇の家だ」

「もしかして、碇教授がおかしくなった原因が分かったの？」

後部座席に座った葵が身を乗り出す。

「ああ、分かったぞ」

「やっぱりなにかの病気なの？」

「それについては後で説明する。まずは一刻も早く、あの男を病院に連れていかないといけないんだ」

「でも鷹央先生。碇さんが病院にいくとは思えないんですけど……」

僕はエンジンをかけながら言う。さっきの様子では、たとえ論理的に治療の必要性を説いたところで、碇が同意するとは思えなかった。そして、法律上、僕たちは彼を強制的に病院に連れていくことはできない。

「分かっている。だから、碇のマンションの前に、行ってほしいところがあるんだ」

「行ってほしいところ？」

僕が聞き返すと、鷹央はにやりと笑ってその場所を告げた。

「……本気ですか？」顔がこわばる。

「もちろん本気だ。さあ、さっさと行くぞ」

鷹央はフロントガラスの向こうをびしりと指さした。

4

「あの、鷹央先生……、本当にあの人に会うつもりですか？　もう日付変わっている時間ですよ」

エレベーターに乗りながら、僕は鷹央に声をかける。

「もちろんだ」

液晶画面に表示されている階数を眺めながら鷹央は答えた。

「けれど、なんでわざわざあの人に？」

「いいから黙ってついて来いよ。すぐに分かるから」

階数表示が『11』になる。軽い電子音が響き、扉が開いた。鷹央とともにエレベーターを降りた僕は、蛍光灯に照らされた外廊下を進んでいく。

天医会総合病院から徒歩で数分の場所に立つマンションに僕たちはいた。葵には駐車場に停めた車の中で待ってもらっている。

「ああ、ここだここだ」

一室の玄関前で鷹央は足を止めると、インターホンに手を伸ばす。

「ま、待ってください。本人には訪ねるって伝わっていないんですよね」

「しかたないだろ。ここに来るまで何度も電話したのに、繋《つな》がらないんだから。きっと携帯の電源が落ちているんだな」

いや、電源の問題じゃなく、着信拒否されているんだ。僕にはその確信があった。

「というわけで、こうやって押しかけるしかないってわけだ」

鷹央はインターホンのボタンを押し込んだ。ピンポーンと気の抜けた電子音が聞こえてくる。しかし、数十秒待っても反応はなかった。

「きっと留守なんですよ。出直しませんか?」

「留守? そんなわけない。あいつは独身で猫を飼っているから、毎晩絶対に家に戻っている。もしかしたら眠っているのかもな。それなら起こさないと」

鷹央は続けざまにインターホンを押す。電子音がけたたましく鳴り響いた。次の瞬間、玄関扉が勢いよく開く。

「ピンポンピンポンうるさい!」

パジャマ姿の中年女性が、額に青筋を立てながら怒鳴りつけてきた。眼鏡の奥の目は三角に吊《つ》り上がっている。天医会総合病院の精神科部長、墨田淳子《すみだじゅんこ》。鷹央の天敵(というか一方的に墨田が鷹央を嫌っているのだが)の一人だった。

「おっ、やっぱり眠っていたのか」

「違う! モニターであんたが見えたから居留守使っていたのよ。こんな夜中にインターホン鳴らして、近所迷惑でしょうが！」

「お前の怒鳴り声の方がたぶん近所迷惑だと思うぞ」

墨田の顔が、茹《ゆ》でダコのように紅潮していく。その全身から立ち上る怒りのオーラに、僕は一歩後ずさってしまう。

三年ほど前、まだ研修医だった鷹央が精神科で研修を受けた際、墨田が指導医として担当した。そのとき、鷹央は墨田の誤診に気づき、あろうことか患者やその家族の前でそれを指摘した。以来、墨田は鷹央を蛇蝎《だかつ》のごとく嫌っている。

もちろん、鷹央には墨田を貶《おとし》めようという意図はなかった。ただ、指導医の面子《メンツ》を潰《つぶ》さず、裏でやんわりと指摘するという芸当が、『空気を読む』という能力に欠けている鷹央にはできなかっただけだ。しかし、精神科部長が研修医に赤っ恥をかかされたという事実に変わりはない。

それ以外にも、精神科の研修期間で色々とトラブル（その内容は聞くのが恐ろしくて、把握していない）を起こし、鷹央はいまでは精神科病棟への出禁を食らっている。

「いいから……、さっさと消えなさい……」

墨田の声は地獄の底から響いてくるようだった。

「そういうわけにはいかない。お前に話があるんだ」

「話なら、明日病院で聞きます」

「だめだ。いますぐ聞いてくれ。いま話す必要があるんだ」

「何時だと思っているのよ！　本当に常識のない子ね！」

抑えが利かなくなったのか、墨田は金切り声を上げる。

「そう怒るなって、ほら猫が怯えているぞ」

鷹央は墨田の足元を指さす。そこには、白と黒のまだら模様の可愛らしい猫が、首をすくめるように墨田を見上げていた。

「ああ、ごめんね。びっくりしたわよね」

突然表情を緩めた墨田は、まさに猫なで声で言うと、抱きあげた猫に頬ずりをする。

「アメリカンショートヘアか。可愛いな。私も撫でていいか」

鷹央が伸ばした手を、墨田はぱしりと叩く。

「うちの子に触らないで。で、なんなの？　話って」

鷹央は不満げに頬を膨らませて、叩かれた手を押さえる。

「ちょっと近くまでついて来て欲しいんだよ」

「ついて来て欲しい？　どこに連れていくつもりなのよ？」

「詳しいことはあとで説明するから、一緒に来てくれ。診てもらいたい奴がいるんだ」

「ちょっと、この子、なにを言っているの？」困惑顔で墨田は僕を見る。

「いえ、僕の方もなにがなんだか……」

おそらく鷹央は、墨田を碇の家に連れて行こうとしているのだろう。しかし、なんのためにそんなことをするのか、意味が分からなかった。

碇の症状が精神疾患によるもので、精神科医である墨田に診せることで診断しようとしているのだろうか？　しかし、それだけならここまで急ぐ理由がわからない。

「あのね、私は明日も朝から外来なの。あなたたちだって、明日仕事があるでしょ。診察して欲しい患者がいるなら、正式に依頼書を書いて、明日にでも精神科外来に……」

「そんな暇はないんだ！」

鷹央の鋭い声が、墨田のセリフを掻き消す。その声量に驚いたのか、墨田に抱かれていた猫の尻尾《しっぽ》がぶわっと膨らんだ。

「いますぐに対応しないと、一人の男の命が危険なんだ。そいつを助けるためにはお前の力が必要なんだよ」

鷹央はまっすぐに墨田の目を見つめる。無言でその視線を受け止めた墨田は、ノブを摑んで扉を閉めようとする。

「ちょっと待ってくれ。頼むから」

鷹央が必死に扉を押さえる。墨田は大きなため息を吐《つ》くと、抱えていた猫を靴入れの上に離した。

「すぐに着替えて化粧してくるから、ちょっとそこで待っていなさい」

「……ついて来てくれるのか？」鷹央は目をしばたたかせる。

「命を救うためなんて言われたら、行かないわけにはいかないでしょ。医者としてね」


「あの、なにか分かったんでしょうか？」

玄関で僕たちを迎え入れた碇道子が小声で訊ねる。墨田を連れ出した僕たちは、その足で碇のマンションへと舞い戻っていた。

「碇の様子はどうだ？」

道子の問いに答えることなく、鷹央はスニーカーを脱ぐ。

「相変わらず部屋から出てこようとはしません。中から、なにか叫んでいるような声が聞こえるんですが、私にはもうどうしていいか……」

鷹央は「そうか」と頷くと、許可を得ることもなく家に上がり込んだ。道子は不安げに葵に近づく。

「倉本さん、どうなってるの？　主人は治るの？」

「天久先生になにか考えがあるみたいなんですけど……」

僕と同様に、何の説明も受けていない葵は曖昧に答えた。

「それに、こちらの方は？」道子は墨田を見た。

「私は天医会総合病院精神科部長の墨田と申します」

墨田が自己紹介すると、道子の眉間にしわが寄る。

「精神科の先生がどうして？」

「それは、天久先生に連れてこられてと言いますか……」

やはり墨田も言葉を濁すことしかできなかった。

「お前たち何してるんだ。早く来い」

状況を混乱させている張本人である鷹央は、大股《おおまた》で廊下に向かう。僕たちは顔を見合わせると、鷹央の後を追った。

「それで、どうするんですか？」

数時間前と同じように、碇が閉じこもっている部屋の前までやってくると、僕は鷹央の指示で持ってきているリュックサックを床に置いた。

「やっぱり鍵は閉まったままか」

鷹央はノブを摑んで押すが、扉は開かない。

「おい、扉を開けろ。『呪い』を解く方法が分かったぞ」

扉に向かって鷹央は声を張り上げる。まったく状況を把握できていない墨田が「呪い?」と、訝しげにつぶやいた。

「消えろ！　さっさと消えろ！　私の家から出て行け！　炎蔵が入ってくる。扉を開けたら炎蔵が……」

扉の向こう側から怒声が響いてくる。その口調は数時間前と比較しても明らかに弱々しく、そして支離滅裂になっていた。

「仕方ないな」鷹央は横目で僕を見る。「小鳥、蹴破れ」

「だから、それはできないって言ったでしょ。冗談はそれくらいに……」

鷹央は僕の襟をつかむと、ぐいっと顔を近づけてくる。

「今度は冗談じゃない。いいからすぐにこの扉を蹴破るんだ」

いつになく真剣な眼差しに射抜かれた僕が固まっていると、鷹央は道子に向き直った。

「お前の夫を助けるためには、いますぐにこの扉を壊して中に入る必要がある。扉を壊してもいいよな?」

「はい！　主人が治るなら、扉なんていくらでも壊してください！」

「よし、家人の許可が出たぞ。小鳥、さっさとやるんだ」

「……分かりました」

覚悟を決めた僕は、数歩下がると呼吸を整える。周りの人々が扉から離れた。

僕は床を蹴って一気に扉に近づくと、加速した体重を乗せた前蹴りを扉へと叩き込む。破裂するような音が響き、衝撃が足裏から膝、腰へと走り抜けた。扉自体は表面がへこんだだけだったが、蝶番《ちょうつがい》を壊すことができた。扉が部屋の向こう側に倒れていく。

「よし、よくやった」

歓声を上げた鷹央は、僕の脇をすり抜けて室内へと飛び込んだ。デスクと小さなソファー、そして壁を覆いつくすような本棚だけが置かれた簡素な部屋。その隅で、碇は絨毯に横たわって、いや、倒れて動けなくなっていた。

表情には力がなく、呼吸は乱れて目の焦点が合っていない。よく見ると、絨毯には嘔吐したと思われる染みがあった。

「来るな！　来ないでくれ。ああ、なんで扉を……。これじゃあ炎蔵が中に……」

よだれが垂れる口から、弱々しい声が零れる。

「これってどういうことなの？」

部屋に入ってきた墨田が、困惑の声を上げた。

「この男を病院に連れていきたいんだ」鷹央は碇を指さす。

「ダメだ！　私は絶対にこの家を出ない。私を連れて行ったら、誘拐で訴えてやるからな！　いいから、いますぐにここから出て行け！」

碇は息も絶え絶えに声を絞り出した。

「本人が拒否していたら、病院に連れていくなんてできないでしょ。そもそも、その人、どうしてそんな状態になっているの?」

墨田が訊ねると、碇は喘《あえ》ぐように大きく口を開いた。

「呪いだ。炎蔵に呪われたんだ。ここから出たら、私は呪い殺されるんだ」

両手で頭を抱える碇を、墨田は唖然《あぜん》として見下ろす。

「な、なんだか分からないけれど、私にはどうしようもないわよ。本人が明確に拒否しているんだから、診察することもできないでしょ」

「たしかに法律上はその通りだな。ただ……」

鷹央は唇の片端を上げた。

「本人が『呪い』のせいで、正常な判断ができない状態だとしたらどうだ?」

「呪い? あなた本気で言っているの?」

「ああ、本気だ。この男はある陰陽師の墓を調べてから『呪い』で体調を崩した。だから、今夜私たちはその墓を調べた。そして分かったんだ。『陰陽師の呪い』の正体がな」

鷹央は大きく両手を広げると、道子が「本当ですか⁉」と身を乗り出した。

「ああ、本当だ」

　鷹央は突然、倒れている碇の後頭部に両手を添え持ち上げる。苦痛の悲鳴を上げながら、碇は腰から上半身を上げた。その光景に、僕の口から「あっ……」と声が漏れる。

「普通なら、首だけが上がるはずが、上半身全体が持ち上がった。これはなにを意味するか分かるな？」

　碇の頭部を絨毯に戻しつつ、鷹央は僕を見る。

「頸部《けいぶ》硬直……、ケルニッヒ兆候です」

「その通りだ。それが起こる場合、なんの疾患が考えられる？」

「クモ膜下出血、または……髄膜炎」

　僕が呆然と答えると、鷹央は満足げにあごを引いた。

「そう、髄膜炎だ。頭痛、発熱、嘔吐、そして頸部硬直。全て髄膜炎の症状と合致する」

「あの、髄膜炎って……？」道子がおずおずと訊ねる。

「脳の周りや脊髄《せきずい》内は、髄液と呼ばれる液体で満たされています。そこに病原菌が感染した状態を髄膜炎と呼びます」

　僕が答えると、鷹央が言葉を引き継いだ。

「髄膜炎は原因となる病原菌によってウイルス性や、細菌性などに分類される。しかし、この男に感染しているのはおそらく、ウイルスでも細菌でもない」

鷹央は言葉を切ると、左手の人差し指をぴょこんと立てた。

「真菌《しんきん》だ」

「真菌ってたしか……カビ？」葵が首を捻る。

「カビやキノコ、あとは酵母などの生物が含まれる。真菌が引き起こす感染症でよく見るのは皮膚に白癬菌《はくせんきん》が感染することによる白癬症、いわゆる水虫やたむし等だな。それらは表在性白癬症と呼ばれ、致命的になることは少ない」

滔々《とうとう》と語る鷹央の説明に、僕たちはいつの間にか引き込まれていた。

「しかし一方で、肺や心臓、脳などの重要臓器に感染する深在性真菌感染症は極めて重症化しやすく、治療が困難な場合が多い」

「主人はその病気なんですか⁉」道子が声を上ずらせる。

「ああ、そうだ。この男や翠明大学教授の室田の体を蝕《むしば》んだ『呪い』、その正体はクリプトコッカスと呼ばれる真菌だ」

「クリプトコッカス……」

立ち尽くした葵がその言葉をくり返すと、鷹央は大きく頷いた。

「蘆屋炎蔵の体や、墓に残されていた副葬品を調べたところ、ありとあらゆる部分でクリプトコッカスが認められた。千年近く封印されていた間に、あの墓の中ではクリプトコッカスが大増殖していたんだろう。おそらく、空気中にも漂っていたはずだ。それを大量に吸い込んだせいで、この男と室田はクリプトコッカス症を発症したんだ」

「ちょ、ちょっと待って」葵が掌《てのひら》を突き出す。「私も炎蔵の墓に入ったのよ。それじゃあ、私もこれからその病気になるってこと？」

「いや、その可能性は低いな。基本的に真菌の感染力は極めて弱く、ほとんどの場合は日和見《ひよりみ》感染、つまり何らかの理由で免疫力《めんえきりょく》が低下している場合に生じるものだ」

鷹央は立ち尽くしている道子を見る。

「なあ、この男は潰瘍性大腸炎を患っているんだよな？」

突然声をかけられた道子は「え、あ……、はい」とためらいがちに頷いた。

「潰瘍性大腸炎は大腸の粘膜に炎症性の潰瘍ができ、下血や下痢などを起こす原因不明の難病だ。症状がひどい場合には治療として、ステロイドや免疫抑制剤を使用する場合がある。この男をよく見ると、顔がふっくらとしている割には手足が細い」

鷹央は碇を指さす。

「これは、満月様顔貌《がんぼう》とよばれる、ステロイドを長期間使った際に現れる副作用だ。なあ、この男はステロイドをずっと内服していたんじゃないか？」

「……はい、主人は何年もずっとステロイド薬を飲んでいました」

「ステロイドは免疫を抑制する効果がある。つまり、この男は易感染状態で炎蔵の墓に入り、大量のクリプトコッカスに暴露されたんだ。その結果、取り込んだクリプトコッカスは免疫系に排除されることなく髄液に到達し、そこで増殖した。そして結果的に真菌性髄膜炎を発症した」

「じゃあ、室田さんの呼吸状態が悪くなっているのは……」

僕は呆然とつぶやいた。

「あの男はもともと肺気腫を患っていて、しかもいまだに喫煙を続けている。肺の感染症が引き起こされやすい状態だったんだ。さらに肺気腫患者は健康な者より呼吸にカロリーを必要とするため、栄養状態が悪化しやすい。つまり、あの男も易感染状態だったということだ」

「……真菌性肺炎」無意識にその言葉が、僕の口から零れる。

「そうだ。室田は一般的な細菌ではなく、肺にクリプトコッカスが感染して肺炎を起こし、その結果、呼吸状態が悪化していたんだ。抗生物質を内服しても症状が改善しなかったのがそれを裏付けている。抗生物質はあくまで細菌に対する薬だからな。真菌感染症に対しては、抗真菌薬を使う必要がある」

鷹央は左手の人差し指で葵を指さした。

「お前が『呪われて』いないのは、易感染状態になかったからだ。健康状態が良い者はクリプトコッカスに暴露されても、ほとんどの場合、症状が出ることはない」

　説明を終えた鷹央は、いつものように左手を軽く振った。

「しゅ、主人は治るんですか？　その病気は助かるんですか？」

　縋《すが》りつくように道子が叫ぶ。満足そうな表情が浮かんでいた鷹央の顔が引き締まった。

「真菌性髄膜炎は致死率の高い疾患だ。しかも、この男を見ると、かなり病状が進行している。助かると保証することはできない」

「そんな……」道子は両手で口を押さえる。

「ただ、治る可能性も十分にある。そのためには、入院して集中管理を受けながら、抗真菌薬を大量に投与する必要があるんだ」

「すぐにそれをやってください。早くこの人を入院させてください！」

「出来ればそうしたいんだがな……」

　鷹央は渋い表情で碇を見下ろした。碇の体が震える。

「わ、私はどこにも行かないぞ！」

「いま説明したように、お前の体に起きていることは『呪い』なんかじゃない。真菌性髄膜炎と言うれっきとした『疾患』だ。それを治すためには入院が必要なんだ」

「これは『呪い』だ！　外に出たら、俺は殺されるんだ！　いいからほっといてくれ」

よだれが零れる口から、碇は金切り声を発し続ける。もはや碇には、鷹央の説明を理解するだけの思考力が残っていないのだろう。

「ねえ、お願いだから病院に行って。そうすれば治るのよ。前のあなたに戻るの」

道子が涙を浮かべながら、夫に抱きつく。しかし、碇は「放せ！」と道子の体を突き飛ばした。尻餅《しりもち》をついた道子は、顔をこわばらせて碇を眺める。

「お前たち、私を殺すつもりなんだな！　私を炎蔵に殺させようとしているんだろ。分かっているんだぞ。いますぐ私の家から出て行け。さもないと、警察を呼ぶぞ！」

碇のセリフは支離滅裂で、説得が不可能だということは誰の目にも明らかだった。

「この人を病院に連れて行ってください。お願いします」

道子が祈るように両手を合わせたが、鷹央はゆっくりと首を左右に振る。

「残念ながら、私にはできない。拒絶している人間を無理やり入院させる資格は私にはないんだ」

「で、でも、入院して治療を受けないと助からないって……」

「その場合でも、一般的な医師は患者の意思に反して入院させることはできない。本人の意思に反して身柄を拘束することを法的に許されている資格は、日本には二つしかないんだ。一つは裁判官だな。裁判で有罪判決を出して懲役刑や禁固刑に処すことができる。さて、もう一つはなんだと思う」

突然、鷹央は皮肉っぽい笑みを浮かべながら、僕に話を振ってきた。

「え？　え……っと。警察官ですか？」

おずおずと答えると、鷹央の視線が一気に冷たくなる。

「お前、なに言ってるんだ？」

「いえ……、だって、警察官って犯人を逮捕したりするじゃないですか」

「それは、裁判所が逮捕状を発行した場合だ。身柄を拘束する許可を出しているのはあくまで裁判官だ。もちろん、現行犯の場合は逮捕状がなくても逮捕できるが、その場合も勾留《こうりゅう》するためには裁判所の許可が必要だ。家に帰ったら、六法全書を読み直せ」

「いや、そもそも六法全書なんて持っていないんですけど……」

「私のを貸してやるから、来週までに全部暗記してこい」

「無茶言わないでください！」

「無茶でもやれ！　『医学』に法律は必要ないが、『医療』を行うためには法律の知識が必要なんだよ。来週、ちゃんと覚えてきたか確認するからな」

「それより、身柄を拘束できるもう一つの資格って何なんですか？」

僕が慌てて話を戻すと、鷹央は鼻を鳴らした。

「なんで私がわざわざ墨田を連れてきたと思っているんだ」

「え、何でって……」僕は少し離れた位置で立ち尽くしている墨田を見る。

「私たちと違って、資格を持っているからだよ」

墨田は「私が？」と自分の顔を指さした。

「資格って、人を拘束する資格ですか？」

僕が訊ねると、鷹央はあごを引く。

「そうだ、裁判官の他にそれができる資格、それが精神保健指定医だ。精神保健福祉法二十九条において『精神障害者であり、かつ、医療及び保護のために入院させなければその精神障害のために自身を傷つけ又は他人に害を及ぼすおそれがあると認める』と精神保健指定医二名が判断した場合、措置入院といって、患者を強制的に入院させることができる。そうだろ？」

鷹央に水を向けられた墨田は顔を引きつらせる。

「待ってよ。まさか、この人を措置入院させるつもり？　確かに私は精神保健指定医の資格を持っているけれど、措置入院は普通、精神症状による妄想や幻覚で混乱状態になって、自傷や他害のおそれのある患者に適用するもので……。そもそも、ここに指定医は私しかいないじゃない。たしかに、指定医一人の判断でひとまず入院させる緊急措置入院っていう制度もあるけど、この人に適用するのはいくらなんでも……」

「私もこの男を措置入院させるつもりはない。強制入院させる方法は他にもあるだろ」

鷹央はあごを引くと、上目遣いに墨田を見る。

「……医療保護入院」

墨田が小声でつぶやくと、鷹央は「それだ」と手を合わせた。

「精神保健福祉法三十三条に基づくもので、一名の精神保健指定医が必要であると判断すれば、家族の同意のもとに患者を強制的に入院させることができるんだ」

そこで言葉を切った鷹央は、尻餅をついたままの道子に「同意するよな」と訊ねる。

「同意します！　もちろん同意します！」

「よし、家族の同意は取れた。あとは、精神保健指定医であるお前が許可をすれば、この男を合法的にうちの病院に入院させ、治療することができる。許可をしてくれ」

鷹央はずいっと墨田に迫った。

「で、でも医療保護入院は基本的に、精神疾患によって判断能力が低下した症例を想定したもので。この場合は……」

「この男はクリプトコッカスによる髄膜炎だ」

鷹央は倒れている碇を指さす。碇の目は虚《うつ》ろで、もはや意識が朦朧《もうろう》としてきているのが、傍目にも見て取れた。

「クリプトコッカス性髄膜炎の症状に、意識障害や性格変化などの精神症状がある。この男に起こっていることがまさにそれだ。つまり、この男は広義の精神疾患によって、入院を拒否しているということになる。医療保護入院の対象になるはずだ」

「……その診断は確実なの？」

「私はさっきこの男が調査をした洞窟に行って、サンプルを採取した。そのあらゆるところからクリプトコッカスが確認されたんだ。症状も完全に一致する。間違いない。もし疑うなら、あのリュックに顕微鏡が入っているから、お前も確認してみてくれ」

墨田は廊下に置かれたリュックサックを一瞥《いちべつ》すると、頭を掻いた。

「そんな面倒なことしないわよ」

「待ってくれ。顕微鏡で見ればすぐに分かるんだよ。クリプトコッカスが原因だって」

鷹央の声に焦りが滲《にじ》む。

「分からないわよ」墨田は髪を掻き上げた。「みんな、あんたみたいに異常な知識があると思わないで。私は精神科医なの。学生時代の病理学の授業以来、顕微鏡なんて覗いたこともない。顕微鏡でなんの病原体か判断するなんて芸当、出来るわけがないでしょ」

「いや、でも……」

鷹央の反論を、墨田は掌を突き出して遮った。

「私はあんたのことが大っ嫌いなのよ」

鷹央の頬がピクリと震える。

「空気を読まないし、年長者に敬意を払わないし、頼んでもいないのに他科の診断とか治療に口出してくるし。そもそも、普通深夜にいきなり自宅に押しかけたりする？」

溜《た》めこんでいた不満を墨田は吐き出していく。

「あの、それはですね……」

フォローしようとするが、墨田に「あなたは黙っていて！」と一喝された。

「……分かった。他の精神保健指定医を探す」鷹央は唇を噛んでうつむく。

「待ちなさい。話は終わってないわよ」

墨田は深いため息をつきながら、頭を掻いた。

「いま言ったように、私はあなたが嫌いよ。けれど、あなたの診断能力は認めている」

鷹央は「え？」と顔を上げる。

「嫌いだからって、あなたが優れた診断医だっていう事実まで否定するほど馬鹿じゃないって言っているの」

「どういうことだ？」

言葉の行間を読むのが苦手な鷹央は、首を捻る。

「だから、あなたが診断したなら、私が顕微鏡を覗くまでもなく、その人はクリプトコッカスによる髄膜炎だって信じるってこと。それによって精神症状が引き起こされた結果、入院を拒否していることもね。それじゃあ、一つ確認していいかしら、天久先生」

墨田のあらたまった物言いに、鷹央も姿勢を正す。

「あなたは内科医として、その人はすぐに入院して治療を受ける必要があると判断するのね」

「ああ、もちろんだ。治療開始までの時間がかかればかかるほど、救命できる可能性が低くなっていく。一分でも早く病院に運ぶべきだ」

「分かりました」墨田は大きく息を吐く。「精神保健指定医として、この人に入院の必要性があると認めます。ご家族の同意もあるので、これで医療保護入院の用件は満たされました」

墨田の宣誓を聞いて、鷹央の表情がぱっと明るくなった。

「小鳥、すぐに救急車を呼べ。あと、うちの救急部と内科の当直医に連絡を取って、いまから重症の真菌性髄膜炎患者を搬送すると伝えろ」

「はい、分かりました！」

僕はポケットから素早くスマートフォンを取り出す。もはや、状況が把握できていないのか、倒れている碇は反論することなく、ぼそぼそと譫言《うわごと》をつぶやくだけだった。

「救急車、すぐに来るそうです。救急部も、受け入れ態勢を整えて待機しています」

連絡を終えた僕は報告すると、近づいて来た鷹央が得意げに胸を反らした。

「な、医療には法律が必要だろ」

「明日にでも、書店に行って六法全書を買ってきます」

第二章　紅蓮《ぐれん》の呪術師《じゅじゅつし》

1

「……はい、分かりました」

低い声でこたえた僕は、内線電話の受話器を置く。

「碇《いかり》の件か？」

ソファーに腰掛けている鷹央《たかお》が声をかけてくる。僕は「……はい」とあごを引いた。

墨田《すみだ》の許可のもとに碇を医療保護入院させてから二週間が経《た》った金曜の夕方、僕は天医会《てんいかい》総合病院の屋上に建つ、鷹央の〝家〟にいた。統括診断部の医局も兼ねている赤レンガで作られたこの建物は、ヨーロッパの童話にでも出てきそうなファンシーな外見をしている。しかしその内部は常に薄暗く、さらに膨大な鷹央の蔵書がいたる所に積み上げられた〝本の森〟が広がっており、（別の意味で童話に出てきそうな）不気味な様相を呈していた。

先々週、天医会総合病院に救急搬送された碇は、鎮静をかけられたうえで髄液検査を施行された。採取された髄液中からは大量のクリプトコッカスが検出され、真菌性髄膜炎という鷹央の診断が正しかったことが証明された。

碇は精神科の閉鎖病棟に入院となり、墨田とともに治療にあたることになった感染症内科医がすぐに大量の抗真菌薬の投与を開始した。並行して僕たちは室田《むろた》にも連絡を取り、真菌症による肺炎を起こしている可能性が高いので、すぐにかかりつけの病院に受診するように指示をした。聞いたところ、室田も入院のうえ抗真菌薬の投与を受け、呼吸状態は劇的に改善して、昨日、退院したということだ。

だが、碇の病状は室田のように良い方に転がることはなかった。碇の体に入り込んだクリプトコッカスは髄液にとどまらず、血流に乗って全身の臓器を冒していて、その勢いは抗真菌薬をもってしても止めることができなかった。

四日前から重度の真菌性肺炎により人工呼吸管理になり、さらに腎臓《じんぞう》や肝臓、ついには心臓の機能までが低下してきていた。真菌感染による多臓器不全、それが現在の碇の病状だった。

「……どんな状態だ？」

陰鬱《いんうつ》な声で鷹央が訊《たず》ねてくる。カーテンの隙間《すきま》からわずかに夕陽が差し込むだけの薄暗い部屋の中、かすかに見える鷹央の表情には、怯《おび》えが滲《にじ》んでいた。

「心拍数が減少してきたということです」

「そうか……」鷹央は一言だけつぶやくと、薄い唇を嚙《か》んだ。

末期状態の患者の心拍数が低下する。それは、間もなく最期《さいご》のときを迎えるということを意味する。これまで、必死に拍動して血流を保っていた心臓が限界を迎えているのだ。やがて血流が滞った全身の臓器が機能を失っていき、そして心臓も鼓動を停止する。

「僕は碇さんの病室に行きますけど、先生はどうしますか？」

統括診断部は碇の治療にはかかわっていないが、彼に診断をくだし、入院させた責任がある。僕だけでも最期を見届けるつもりだった。

鷹央の顔に逡巡《しゅんじゅん》が浮かぶ。基本的に鷹央は、そのような場に立ち会うことを避けてきた。空気を読めないことを自覚している彼女は、自分が厳粛な場にそぐわない行動を取ってしまい、遺族を傷つけることを恐れている。

「無理はしないでいいんですよ」

痛みをこらえるかのような鷹央の姿に、僕は慌《あわ》てて言う。

「……いや、行く。碇に診断をくだしたのは私だ。見届ける義務がある。だろ？」

立ち上がった鷹央は、ソファーの背に掛けてあった白衣を手に取り、ルームウェアーである若草色の手術着のうえに羽織る。

「ええ、そうですね」

自然と唇がほころんだ。十ヶ月前、出会った頃の鷹央だったら、そのことを理解していたとしても、恐怖が先立って行動には移せなかったはずだ。

玄関扉の前で立ち止まった鷹央は、「小鳥《ことり》」と大きな瞳《ひとみ》で見上げてきた。

「私がなにかおかしなことをしそうになったら、お前が止めてくれ。頼むぞ」

「頼まれました。任せておいてください」

僕は扉を開きながら、大きく頷《うなず》いた。

屋上にある〝家〟を出た僕たちは八階の内科病棟にある碇の病室へと向かった。肺炎により人工呼吸管理になってから、全身状態を集中的に監視する必要があるということで、碇は精神科の閉鎖病棟から、内科病棟の個室へと移されていた。

ノックをして室内に入る。八畳ほどの病室にはすでに数人の姿があった。碇が横たわっているベッドのそばには、妻である道子《みちこ》が目に涙を浮かべて立ち、夫の手をさすっている。その隣には、三十前後の男が立っている。年齢からみて、おそらく碇夫婦の息子だろう。彼等の後ろには主治医である感染症内科医が厳しい表情で控えていた。僕は出入り口の近くに墨田と葵《あおい》が立っている。僕たちに気づいた葵が目礼してきた。僕は「お疲れ様です」と会釈《えしゃく》をする。

ともに炎蔵《えんぞう》の墓に侵入したときは、溢《あふ》れんばかりの活力をみなぎらせていた彼女だが、今日は別人のように弱々しく見えた。尊敬する師の最期が近いのだから当然だ。

僕はベッドわきに置かれているモニターに視線を向ける。心拍数はすでに毎分四十回を切っている。全身の臓器の酸欠はすでにはじまっているだろう。

「ん？　なんでお前がいるんだ？」まばたきしながら鷹央が墨田に言う。

「なんでって、担当医だからに決まっているでしょ」

「たしかに一応担当医だけど、すぐに昏睡《こんすい》状態になったから、お前はまったく治療にかかわっていなかっただろ。医療保護入院を許可した時点で、用済み……」

いらないことを口走りかけた鷹央の脇《わき》を、僕は慌てて肘《ひじ》でつつく。

「なにすんだよ」鷹央が睨《にら》んできた。

おかしなことをしそうになったら止めろって言ったの、あなたでしょうが。

呆《あき》れつつ、僕はモニターを指さす。表示されている心拍数が毎分三十回を切っていた。

鷹央の表情が引きしまった。

重苦しい空気の中、僕たちは無言で『その時』を待ち続けた。

数分後、モニターに表示される心電図がフラットになる。ピーという気の抜けた電子音が空気を揺らした。道子が夫の体に縋《すが》りつき、深い慟哭《どうこく》をあげる。

主治医がモニターの電源を落とし、人工呼吸器を止めた。一定のリズムで上下していた碇の胸が動きを止める。

道子の泣き声が小さくなるのを待って、主治医が死亡確認をはじめる。ペンライトと聴診器で、瞳孔《どうこう》反射の消失と呼吸・心拍の停止を確認したのち、「ご臨終です」と厳かに告げ、頭を下げた。

僕と墨田もそれに倣《なら》う。鷹央は僕たちを見て、慌てて頭《こうべ》を垂れた。

「これから、管などを抜いたうえで、お体を綺麗《きれい》にさせていただきます。その後、ご家族との時間をとっていただきますので、談話室で少々お待ちいただけますでしょうか」

主治医の説明を聞いた碇の息子は「分かりました」と頷くと、母親の背中に手を置いて出口に向かおうとする。そのとき、足に力が入らなかったのか、道子の体がぐらりと揺れた。慌てて駆け寄った葵が、道子の脇を支える。

息子と葵に支えられた道子は、僕たちの前までやって来たところで、はっと顔を上げた。どうやら、僕たちが部屋に来ていたことにも気づいていなかったようだ。

「このたびはご愁傷様です」僕は静かにお悔やみを述べた。

「いえ、主人が本当にお世話になりました。……天久《あめく》先生、頭を上げてください」

道子の声に戸惑いが混じる。見ると、鷹央はつむじが見えるほどに頭を下げたまま、固まっていた。頭を上げるタイミングが分からず動けなくなっているようだ。

「鷹央先生、もう頭を上げても大丈夫です」

僕は鷹央の耳元に囁《ささや》く。おずおずと顔を上げた鷹央は、目の前に立つ道子と視線が合って、露骨に体を震わせた。

「あの……、えっと、このたびは、ごしゅうそ……ごしゅうそうそ……」

緊張のせいか呂律《ろれつ》が回らない鷹央が、助けを求めるような眼差しを向けてくる。僕が助け舟を出そうとしたとき、機先を制するかのように道子が礼をした。

「天久先生と皆様には、本当にお世話になりました。ありがとうございました」

「いや、私は結局、なにもできなかったし……」

鷹央が視線を彷徨《さまよ》わせると、道子は首を横に振った。

「そんなことはありません。おかしくなった原因を先生がつきとめ、そのうえ墨田先生を連れてきてくださったおかげで、主人は入院して治療を受けることができました。私たちと最期の時間を過ごすことができたんです。本当に感謝しております」

再び頭を下げた道子は、息子と葵に付き添われて病室から出て行った。入れ替わるように、看護師が入ってきて、碇の遺体から管を抜き、体を丁寧に拭いていく。

「鷹央先生、お疲れ様でした。屋上に戻りましょう」

僕が声をかけると、鷹央は口を固く結んだまま、かすかに頷いた。

屋上にある鷹央の〝家〟に戻ってきてから三十分以上経っている。時刻はすでに午後八時を回っていた。

もう特に仕事はないのだが、僕は帰宅できずにいた。横目でそっと、ソファーに座る鷹央に視線を向ける。この三十分、鷹央は彫像のように固まったまま、床から無数に生える〝本の樹《き》〟を凝視し続けていた。さすがに、こんな状態の彼女を一人で残しておくことはできない。

碇の最期を見届けたことで、なにか思うところがあったのだろう。しかし、その鬼気迫る様子に、声をかけるタイミングが分からない。

「……小鳥」

気を抜けば聞き逃すほどの囁きが、闇《やみ》を含んだ部屋の空気を揺らす。

「はい、なんでしょう？」

「救えなかったな……、しっかり診断をしたのに碇を救うことができなかった……」

「しかたがないですよ。精一杯やっても全員の患者を救えるわけじゃありません」

「私は精一杯やったのかな？」鷹央は天井を仰ぐ。

「なに言っているんですか。先生は精一杯やれることをやりましたよ。『陰陽師《おんみょうじ》の呪《のろ》い』の正体を突き止めたうえ、入院させて治療を受けさせることに成功したんですから」

「私はな、最初に碇の家に行った時点で、真菌性髄膜炎の可能性があることに気づいていたんだ。室田の話と、碇の症状からな。そして、予想が正しければすぐに治療しないと助からないことも分かっていた」

僕がただ『陰陽師の呪い』に怯えていたあのとき、この人はすでに真相を摑《つか》んでいたのか。相変わらずの診断能力に僕は内心舌を巻く。

「だから、その日のうちに炎蔵の墓に行ってクリプトコッカスを確認したうえ、墨田先生を叩《たた》き起こして医療保護入院させたんでしょ。あれ以上早く、碇さんを入院させることはできませんでしたよ」

「本当にそうか？」

鷹央が縋りつくような視線を向けてくる。薄暗い部屋の中、その瞳が間接照明の光を反射した。

「最初に家に行った時点で、強引に碇を入院させるべきじゃなかったのか？」

「いや、でもそれは法律的に……」

「たしかに法的には許されない行為だ。けれど、患者の命を救うためなら、そんなこと気にするべきじゃなかったんじゃないか？　もしあのときに入院させて治療を開始すれば、碇は死なずに済んだかもしれない。私は保身のために治療を遅らせて、その結果、碇を殺してしまったんじゃ……」

声を上ずらせる鷹央のセリフを、僕は「鷹央先生！」と手を突き出して遮る。

「よく聞いてください。先生は何一つ間違ったことをしていません。物事にはルールというものがあります。それは個人が自分だけの価値観、自分だけの正義で暴走することを止めるためのものです。先生はそのルールの中で最善を尽くしました」

「けれど、碇は助からなかった……」

「残念ですけど、医療は完璧《かんぺき》ではありません。最善を尽くしても助からない人はいます。健太《けんた》君のときもそうだったでしょ」

数ヶ月前に白血病で命を落とした少年の名前を聞いて、鷹央は口を真一文字に結んだ。

「僕たちが最初に家に訪ねた時点で、碇さんは髄液だけじゃなく、全身の臓器が真菌に冒された状態だったんですよ。残念ですけど、すでに手遅れだったんです。数時間、治療開始が早まったところで、救命は難しかったはずです」

それくらいのこと、僕などと比較できないほどの診断能力のある鷹央なら、分かっているはずだ。しかし、純粋な彼女は、それでも自分を責めている。

「じゃあ、私がやったことは無駄だったのか……」

鷹央は力なくうなだれる。椅子《いす》から腰を上げた僕は、立ち並ぶ〝本の樹〟の間を縫ってソファーに近づくと、鷹央の華奢《きゃしゃ》な肩に手を置いた。

「何を言っているんですか、そんなことありませんよ。先生がいなければ、碇さんは自分の部屋で錯乱したまま、孤独に亡《な》くなっていたはずです。最期に家族に見守られて逝《ゆ》くことができたのは、先生が頑張ったおかげですよ」

「本当にそう思うか？」

鷹央は上目遣いに僕を見る。僕は大きく首を縦に振った。

「もちろんです。だからこそ、道子さんも先生に感謝していたんですよ。それに、クリプトコッカスが原因だって判明したおかげで、少なくとも室田さんの肺炎は治療できた。先生がしたことは無駄なんかじゃなかったんです」

こわばっていた表情を緩めた鷹央は、気怠《けだる》そうに髪を掻《か》き上げる。

「なかなか思い通りにはいかないものだな、医療は」

「ええ、そうですね。けれど、そのことを呑《の》み込んだうえで、患者のために全力を尽くすことしか僕たちにはできないんですよ」

「小鳥のくせに、なかなかいいこと言うじゃないか」

「……『くせに』ってどういう意味ですか？　まあ、なんにしろこれで『陰陽師の呪い』も一件落着ですね」

「ああ、そうだな」

鷹央はどこか哀《かな》しげに微笑《ほほえ》んだ。その横顔を照らす淡い明かりが、炎のように揺れていた。

2

しとしとと雨が降る夜、石畳が敷かれた敷地内に入った僕は白いテントの下に設置されている記帳台へと近づいていく。

碇が亡くなった二日後、日曜の夜、僕は西東京市《にしとうきょう》にある葬儀場で行われている通夜《つや》にやって来ていた。首元に手を当てて、黒いネクタイをわずかに緩める。普段はほとんどスーツ姿になることがないので、久しぶりに着た喪服は窮屈に感じた。

患者の通夜や葬式に、医師が参加することなど基本的にはないのだが、碇は単なる担当患者ではない。こちらから家に押しかけ、診断をして強制入院させたのだ。僕だけでも通夜ぐらい参加した方がいいと思い、やって来た。

鷹央には声をかけていない。人混みが病的に苦手なうえ、聴覚過敏である彼女はかつて、葬式に参加してパニック状態になったことがあるらしい。いくら通夜とはいえ、参加するのは負担が大きすぎる。

他の弔問客を、部外者の僕が邪魔したくはなかったので、通夜が終わるぎりぎりの時間を見計らって来ている。そのため、受付中の弔問客の姿は見えなかった。

傘を畳んで受付に近づくと、記帳台の奥の女性が「あら」と声を上げた。見ると、黒いスーツに身を包んだ葵が立っていた。落ち着いた雰囲気が、私服のときとギャップがあったので気が付かなかった。

「小鳥遊《たかなし》君、来てくれたんだ」

葵は微笑を浮かべる。炎蔵の墓に入っていたときの活力にあふれる姿も魅力的だったが、スーツ姿も艶《つや》っぽくて思わず頬の辺りが熱くなってしまう。

「葵さんは通夜のお手伝いを？」

僕が懐から香典袋を取り出す。葵は恭《うやうや》しくそれを受け取った。

「そう、研究室のメンバーでお手伝いしているの。……みんな、碇先生にはお世話になっていたから」

葵は懐かしそうに目を細めた。きっと、師との思い出を振り返っているのだろう。

「あ、ごめんね、ぼーっとしちゃって。それでは記帳をお願いします」

居ずまいをただした葵に促され、僕は筆ペンを手に取った。

「鷹央先生も連れてきたかったんですけど、あの人、こういう場が苦手で……」

「気にしないで。小鳥遊君が来てくれただけでも嬉《うれ》しいから。落ち着いたら、今回のことのお礼も兼ねて、鷹央ちゃんに会いに病院に行ってもいい？」

「ええ、もちろんです。いつでもいらしてください」

思わず声が明るくなってしまう。

「楽しみ。それじゃあ、行くときは連絡を……」

突然、葵の表情が強張《こわば》った。怪訝《けげん》に思い振り返った僕は、うめき声を漏らす。髑髏《どくろ》が描かれたTシャツの上に革ジャンという、通夜にはあり得ない服装をした男が、敷地内に入ってきていた。蘆屋雄太《あしやゆうた》、炎蔵の墓を調べに行った際、葵ともめた男だ。雨の中、傘を差すこともせず、雄太は肩で風を切って近づいてくる。

「よう、久しぶり」僕を押しのけた雄太は、記帳台に肘を置いた。

「……なにしに来たの？」葵の声はどこまでも硬かった。

「なにしにって決まってるだろ。今日、ここで通夜があるって聞いたから、わざわざ車飛ばして、あの教授先生にお別れを言いに来たんだよ」

雄太はへらへらとした笑みを浮かべる。葵の頬が引きつった。

「ふざけないで！」

「ふざけてなんかねえって。本当に一言だけ伝えたいんだよ。俺の警告を無視したから炎蔵に呪い殺されたんだ。全部自業自得《じごうじとく》だよ、馬鹿《ばか》野郎ってな」

雄太は小馬鹿にするように鼻を鳴らした。葵の顔がみるみる紅潮していく。

「呪いなんかじゃなかったよ」

トラブルの予感をおぼえた僕は、慌てて二人の間に体をこじ入れる。

「……あんた、この女と一緒に炎蔵の墓に入っていった男だな」

「ああ、そうだよ。炎蔵の墓を調べて分かったんだ。碇さんと室田さんが体調を崩した原因は、あの中に大量に漂っていたカビの一種だってね」

「カビ？」雄太はあごを突き出すように聞き返す。

「そう、免疫力《めんえきりょく》が落ちている人はそのカビに感染して重症になることがある。それが『陰陽師の呪い』の正体だったんだ」

説明をした僕の顔をまじまじと凝視したあと、雄太は小さく吹き出した。

「あんた、なんにも分かってねえな。炎蔵の呪いはそんなちゃちなもんじゃねえよ」

「けれど、検査ではっきりと原因が判明しているんだよ」

「この前、炎蔵の墓を暴《あば》いた奴《やつ》が一人、火事で死んでいるんだろ？　それはどうなるんだよ。それもカビが原因だったとでも言うつもりか？」

雄太は首を大きく傾けると、下方から僕を睨《ね》め上げた。

「それは単なる偶然で……」

「偶然？　違うね。あれこそが炎蔵の呪いだ。聞いているんだろ、炎蔵に呪われた人間がどうなるか。全員苦しんだ末に焼き殺されるんだよ」

嘲笑《ちょうしょう》するように声を張り上げた雄太は、醜悪な笑みを浮かべて葵を見る。

「まあ、あんたのところの先生は、焼かれる前に死んじまったらしいけどな」

葵の高い鼻の付け根にしわが寄った。

「いますぐここから出て行きなさい！」

「お前らがうちに来たとき、俺も同じことを言ったぞ。それなのに、お前らは無視して入り込んできただろうが！」

「私たちは、責任者であるあなたのお母さまに許可を得て、炎蔵の墓を調べたのよ」

「なるほど責任者ねえ……」

唇を歪《ゆが》めた雄太は、横目で通夜が行われている葬儀場の建物を見る。

「それじゃあ、俺もこの通夜の責任者である喪主にあって、入っていいかどうか訊《き》いてくるとするよ。あと、ついでに『ざまあみろ』って伝えないとな」

会場に向かおうとした雄太に、葵が慌てて「待ちなさい」と叫ぶ。しかし、雄太の足が止まることはなかった。

まったく……。僕はため息をつくと。地面を蹴《け》って雄太の前に回り込む。

「……なんだよ？」雄太の唇が歪んだ。

「もう、これくらいでいいだろ。故人には最低限の敬意を払わないと」

「故人に敬意だぁ？　炎蔵の墓を荒らしたお前らが、どの口で言ってるんだ」

まあ、たしかに炎蔵の皮膚をメスで削り取ったりしちゃったしな……。

痛いところを突かれた僕がこめかみを掻いていると、雄太は「どけって言っているんだよ」と拳《こぶし》を振るってきた。しかし、その予備動作は大きく、拳のスピードは遅い。最近稽古《けいこ》不足ぎみだといっても、医学生時代の六年間、空手部で鍛えこまれた僕に、そんなテレフォンパンチが当たるわけもなかった。

ほとんど無意識のうちに、空手の基本である回し受けを行い、顔に向かって飛んできた突きを前腕で捌《さば》く。パンチを流され、バランスを崩した雄太の手が僕の腰辺りに触れる。その首元に、僕は寸止めで手刀を打ち込んだ。雄太は「ひっ」と小さく悲鳴を上げると、腰が抜けたのかその場で尻餅《しりもち》をつく。

「とりあえず、今日の所は帰ってくれないかな」

握りしめた拳を引いていつでも突きを出せる体勢を作りながら、僕は説得（という名の脅し）を試みる。十数秒、歯茎が剝《む》き出しになるほどに唇を歪めた雄太は、立ち上がって逃げるように離れていった。

「分かってくれてありがとう」

背中に声をかけると、雄太は振り返り、憎悪《ぞうお》の炎が燃える瞳で僕を睨みつけた。

「お前も絶対に炎蔵に呪い殺される。絶対にだ！　そのとき後悔するなよ！」

物騒な捨て台詞《ぜりふ》を残して雄太は去っていく。

だから、『呪い』なんかないんだって。呆れていると、記帳台の向こう側から出てきた葵が駆け寄ってきて、僕の手を握る。その柔らかさに心臓が大きく跳ねた。

「ありがとうね、助かった」

「いえ、そんな……」

「けど、小鳥遊君って強いんだね。格好良かったよ。ちょっと、ドキッとしちゃった」

悪戯《いたずら》っぽい流し目に、心臓の鼓動が加速していく。そのとき、見覚えのある若い男が敷地に入ってきた。最初に室田の家で話を聞いたとき同席した翠明《すいめい》大学日本史学科の助手、加賀谷正志《かがやまさし》だった。

「あ、倉本《くらもと》先生に小鳥遊先生、こんばんは。あの、いま出てきた男って、もしかして蘆屋家の……」

「そう、蘆屋雄太。通夜に乱入しようとしたけど、小鳥遊君が追い払ってくれたんだ」

葵は僕の手を放した。加賀谷は「はぁ……」と気の抜けた声を出す。

「加賀谷君もお通夜に来てくれたんだね。それじゃあ、こっちで記帳して」

葵は加賀谷を記帳台へと連れていった。せっかくいい雰囲気だったのに邪魔されちゃったな。僕は苦笑する。

加賀谷が記帳を終えると、僕は彼とともに碇の通夜が行われている会場へと向かった。扉をくぐって入った会場内では、木製の壁に読経《どきょう》の声がこだましていた。もうすぐ終了の時間だけあって四十脚ほどの椅子には、数人の弔問客しか座っていなかった。正面には棺が置かれ、遺族席には泣きはらした顔の碇道子と、その息子が座っている。加賀谷とともに後方の席に腰掛けた僕は、焼香の順番を待ちながら弔問客たちを見回す。彼らの表情には深い哀しみが満ちていた。生前の碇はかなり人望のある人物だったのだろう。

なんとか救うことができていたなら。無力感に苛《さいな》まれながら、僕は加賀谷に小声で話しかける。

「ところで、室田さんの体調はどうかな?」

室田が真菌性肺炎の治療を受け、退院したことまでは聞いているが、それ以上の情報は貰《もら》っていなかった。

「息苦しさが消えたって喜んでいました。酸素も使わないで済むようになっています」

「それは良かった」

胸を撫《な》でおろす。碇を救うことはできなかったが、鷹央が『呪い』の正体を解き明かしたおかげで、少なくとも室田を助けることができた。そのことが嬉しかった。

「まだ体調は完璧じゃないとは言っていましたけど、病み上がりですし、もともと色々と持病を持っていますからね。何にしろ、最初にご相談したときに比べれば、かなり元気になっています。研究室にも普通に来られるようになりました」

「それじゃあ、室田さんも今夜弔問に来るのかな？　それとも明日の葬式に？」

「いえ……。教授は今日も明日もいらっしゃいません」加賀谷の表情が渋くなる。

「え？　でも体調はだいぶ良くなったんだよね」

「はい、なので沖縄に行っています」

「はあ？」

思わず声が大きくなってしまう。前に座る弔問客が振り返って、咎《とが》めるような眼差しを向けてきた。僕は首をすくめるようにして頭を下げると、加賀谷に向き直る。

「沖縄って、どういうこと？」

「今日から沖縄のリゾート地で学会があるんです。前から参加が決まっていたということで、今朝から二泊三日でそちらに行っているんです」

「でも、まだ体調も万全じゃないんだろ。それなのに沖縄に行くなんて……」

「体調にかんしては、娘の春香《はるか》さんが同行するから大丈夫だって言っていました。学会もホテル内でやる小さなものだから、負担がかからないって」

加賀谷の口調からすると、学会よりもリゾートがメインの目的のようだ。

「けれど、碇さんは共同研究者だったんだよね？」

思わず、咎めるような口調になってしまう。

加賀谷は「そうなんですが……」と申し訳なさそうに目を伏せた。あまりにも薄情な室田の行動に呆れていると、いつの間にか焼香の順番が回ってくる。通路を通って正面へと向かった僕は、遺族席にいる道子たちに頭を下げた。

「このたびはご愁傷さまでした」

「小鳥遊先生。わざわざありがとうございます。生前は主人がお世話になりました」

泣きはらした目を向けてきながら、道子は気丈に言った。僕はもう一度礼をすると、棺の前へと進む。棺の小窓から碇の顔が見えた。その表情は穏やかで、まるでただ眠っているかのようだった。

力が及ばず、残念です。胸の中で語りかけながら、焼香を行っていた僕の鼓膜を、かすかにカチカチという規則正しい音が揺らした。

時計？　腕時計に視線を落とすが、音は明らかに棺の方から響いていた。軽く身を乗り出して、もう一度棺を見るが、小窓からは碇の顔が見えるだけだった。

気のせいかな？　軽く首を捻《ひね》りつつ、焼香を終えた僕はその場から離れようとする。

そのとき、爆発音が響き渡った。何が起こったか分からなかった。棺の蓋《ふた》が天井あたりまで吹き飛ぶ光景を、僕はただ呆然《ぼうぜん》と眺める。

そして、炎の柱が現れた。

棺から紅蓮の炎が立ち上り、天井にまで達する。全身に熱が叩きつけられる。反射的に片手を顔の前に持ってきた僕は、後ずさりをしながら目の前で起こっていることを必死に理解しようとする。

「か、火事だ！　逃げろ！」

背後で弔問客の誰かが声を上げた。それを皮切りに、悲鳴と椅子の倒れる音が重なり合う。部屋にいた全員が、一気に後方の出口に殺到した。

弔問客の数が少なかったおかげで、将棋倒しが起こることもなく人々は部屋から逃げだしていく。そばで読経を行っていた住職も、這《は》うように出口へと向かった。

僕も逃げなくては。そう思ったとき、アラームが鳴り響き、天井に取り付けられているスプリンクラーから放水がはじまる。しかし、炎の勢いに対してその水量は十分とはいえなかった。炎の柱はいまも天井を焼き、黒い煙が辺りに充満しはじめている。

「母さん、逃げよう！」

声が聞こえた方を見ると、座り込んだ碇道子を、息子が必死に立たせようとしていた。僕の後ろで焼香の順番を待っていた加賀谷がそれを手伝っている。煙を吸わないように身を低くしながら、僕もそちらに向かう。

「そこに非常口があります。そこから出ましょう」

三人に近づいた僕は、すぐわきにある非常扉を指さす。しかし、道子は床に座り込んだまま、棺が置かれていた方へ手を伸ばしていた。

「あの人が……、あの人が燃えてる……」

振り返ると、紅蓮に燃え盛る炎の中にぼんやりと、碇の遺体と思われる黒い人影が浮かび上がっていた。

「炎蔵の……呪い……」

加賀谷の口から零《こぼ》れたつぶやきが、やけに大きく鼓膜を揺らした。

3

「院内携帯、見つかりました！」

碇の通夜の翌日、月曜の午後五時前、僕は鷹央の〝家〟の扉を開けた。ソファーに横たわって雑誌を読んでいた鷹央がこちらを見る。薄暗い部屋の中、目を凝らすと『美少女フィギュアの世界』というタイトルが見えた。またわけが分からないものを……。

「大切なものなんだから、失《な》くしたりするなよな。ちゃんと管理しておけよ」

鷹央が呆れ声で言う。

「いえ、普段はちゃんとポケットに入れているんですけど、いつ落としたかなぁ」

今日の午後、病棟で仕事をしていると「なんで院内携帯鳴らしているのに返事しないんだ！」と不機嫌な鷹央がやってきた。そこではじめて、院内携帯を持っていないことに気づいたのだ。どこで落としたのか分からず困っていると、数分前に一階の総合受付から内線電話で「小鳥遊先生のポケベルが届いています」と連絡があったので、いま取りに行ってきたところだった。

「院外にも院内携帯を持って行っているのか？　デスクにでも置いておけよ。外で失くしたら出てこないぞ」

鷹央がそう言ったときノックの音が響き、玄関扉が勢いよく開かれる。大柄な男が室内に入ってきた。

「どうも、お邪魔しますよ。しかし、相変わらず気味の悪い部屋ですね」

田無《たなし》署刑事課の刑事である成瀬《なるせ》隆哉《りゅうや》は、いつも通りの仏頂面《ぶっちょうづら》で言った。

「おう、よく来たな」

鷹央は『美少女フィギュアの世界』を脇に置き、手招きをする。

「べつに来たくて来たわけじゃありません。そもそも、今日はあなたには用はないのに、なんでここに呼び出されなくちゃいけないんですか？」

「小鳥に話を聞きたいんだろ。部下を訊問《じんもん》するっていうなら、やっぱり上司が立ち会わないとな。それに話を聞く場所まで提供してやったんだ。感謝しろよ」

鷹央は唇の端を上げた。

昨日、葬儀場で起きた火災は、発生から十数分で消防隊によって消し止められた。少し煙を吸いこんだ者はいたが重傷者はおらず、火事は会場の一部を焦《こ》がすにとどまった。しかし、炎が上がった棺は完膚なきまでに焼き尽くされ、その中に入っていた碇の遺体も、残ったのは黒い骨だけだった。

僕をはじめとする参列者たちは、消防隊員と少し遅れて駆けつけた刑事に夜遅くまでいろいろと事情を聞かれたあと、連絡先を伝えて解放された。

今日、僕が通夜で起こったことについて説明すると、鷹央は驚きの表情を浮かべたあと、いつになく真剣に耳を傾けた。しかし、話を聞き終えた鷹央は、事件について特にコメントすることもせず、ただ「そうか……」とつぶやいただけだった。

なぜ調査に乗り出そうとしないのだろう。普段なら、思いっきり前のめりになって、事件の真相を暴こうとするはずなのに。疑問に思いつつ、昼休み、この〝家〟で鷹央と昼食を取っていると、僕のスマートフォンに成瀬から「昨日の火災について、ちょっと話をうかがいたいのですが」と連絡があった。人並外れた聴力で僕と成瀬の通話内容を聞き取った鷹央は、レトルトカレーを食べていたスプーンを振り回し（白衣にカレーの雫《しずく》がついて洗濯に出すはめになった）、「夕方、ここに来るように言え！」と興奮気味に指示してきたのだった。

「それで成瀬さん。話ってなんでしょうか？　駆けつけた刑事さんに、一応説明はしたんですけど」

〝本の樹〟を避けながら近づいてくる成瀬に、僕は訊ねる。一人掛けのソファーに腰掛けた成瀬は、探るような眼差しを向けてきた。

「昨日は鎮火直後であわただしかったんで、全員から軽く話を聞くのがやっとだったんですよ。それらをまとめたところ、炎が上がった際、ちょうど焼香を終えたあなたが棺の前に立っていたらしい。だから、もっと詳しく証言を取る必要が出てきたんです。で、先生なら知り合いの私が話を聞けばいいだろうって、刑事課長に指名されたんですよ」

露骨に迷惑そうに、成瀬はかぶりを振る。

「その刑事課長、僕の名前が出てすぐに成瀬さんの知り合いだって分かったんですね」

「先生のお名前は珍しいですからね。それに、あなた方は去年からいくつもの事件に首を突っ込んでは、それを解決に導いている。天久先生と小鳥遊先生のお二人の名は、うちの刑事課にとどまらず、警視庁捜査一課内にまで轟《とどろ》き渡っていますよ」

成瀬が皮肉っぽく唇を歪める。鷹央は「そうだろう、そうだろう」と自慢げに薄い胸を張るが、成瀬の態度からすると、轟き渡っているのは間違いなく『悪名』だろう。

「鷹央先生はともかく、僕はたんなる凡人じゃないですか。なんで僕まで有名になっているんですか？」

僕の抗議を受けた成瀬の目が、すっと細くなる。

「自覚がないんですか、自分が危険人物だって」

「き、危険人物⁉」

「小鳥遊先生、あなたこれまでに、何人の犯罪者を叩きのめしてきました？」

成瀬の眼差しはどこまでも冷たかった。僕は言葉に詰まってしまう。たしかに、去年この病院に赴任してすぐのときに巻き込まれた事件で、襲ってきた新興宗教の信者を叩きのめして以来、何度も立ち回りを演じてきた。

「けれど、ほとんど相手が襲い掛かってきたからで……。歴《れっき》とした正当防衛じゃ……」

「まあ、たしかにそうですね。じゃなきゃ、いまごろ逮捕していますよ」

両手に手錠をかけられ、腰縄でくくられた自分の姿を想像し、背筋が冷たくなる。

「なんにしろ、あなた方は二人一組で要注意人物とされているんです。ちなみに、うちの刑事課の中でお二人は、『タカタカペア』とか呼ばれていますよ」

「変なコンビ名つけないでください！」

目を剝いて抗議するが、成瀬は「つけたのは俺じゃないですから」と首筋を掻《か》く。

「そういうわけで、小鳥遊先生に詳しい話を聞きたいんですよ。まずは……」

「ちょっと待て」

自らが危険人物扱いされている（まあ、実際そうなのだが）にもかかわらず、どこ吹く風で黙っていた鷹央が、成瀬のセリフを遮る。

「なんですか、天久先生。今日は、あなたに用事はないんですが」

「これからもう一人来る予定なんだ。話はそいつが来てからにしてくれ」

「もう一人？」

眉《まゆ》をひそめた成瀬は僕に視線を向ける。しかし、僕もそんなことは初耳だった。いったい、これから誰が来るというのだろう。

首を捻っていると、ノックの音が響いた。鷹央が「お、来たな」と手を合わせる。

玄関扉がゆっくり開いていった。

「お邪魔しまーす……って、暗っ。え？　本当にここでいいの？」

室内の暗さに目が慣れていないのか、不安げに立ち尽くしている人物を見て、僕は「あっ」と声を上げる。

「いいんだ。入ってくれ」

鷹央はその人物、帝都《ていと》大学日本史学講座准教授《じゅんきょうじゅ》である倉本葵に声をかける。

「ああ、良かった。あんまり暗いから間違えたかと思っちゃった。けど、すごい部屋だね。なんていうか……〝本の森〟って感じ」

葵は興味深そうに部屋を見回しながら進んでいく。

「なんで葵さんが？」

僕が呆然とつぶやくと、葵はこちらを見て手を上げる。

「あっ、小鳥遊君、こんにちは。鷹央ちゃんにお呼ばれしたからお邪魔したの。けど、本当に病院の屋上に住んでいるんだね」

ソファーに近づいた葵は、鷹央の隣のスペースに腰をおろした。

「天久先生、これは？」

訝《いぶか》しげに成瀬が訊ねると鷹央は、「倉本葵だ」と葵を指さした。

「名前を訊いたわけじゃなく、なんでこちらの方を呼んだのか訊いているんですが……。これから小鳥遊先生のお話をうかがうので、部外者の方は遠慮して頂けませんかね」

「倉本は部外者なんかじゃないぞ」

「あら、鷹央ちゃん、水くさい。苗字《みょうじ》じゃなくて、名前で『葵』って呼んで。もしくは『葵お姉ちゃん』とかでもいいかも」

葵が言うと、鷹央は「お前は私の姉ちゃんじゃないだろ」と首を傾《かし》げた。

「話を進めていただけませんか。部外者じゃないっていうのは、どういう意味です？」

成瀬が苛立《いらだ》たしげに言うと、鷹央は鼻を鳴らした。

「葵は帝都大日本史学講座の准教授だ。つまり、碇の下について研究をしていたということだ。ちなみに、火事があった通夜の場にもいて、受付をやっていたぞ」

「……それは本当ですか」成瀬は探るような目つきを葵に向ける。

「ええ、碇先生には生前とてもお世話になっていましたので、通夜のお手伝いをしていました。火事があったときは受付をしていたので、現場は見ていませんでしたけど」

「なるほど、たしかに部外者というわけではないようですね。けれど天久先生、えっと……倉本さんでしたっけ。こちらの方をなぜ呼ばれたんですか？」

「通夜の手伝いをしたということは、事件が起こる前から現場にいたということだろ。いろいろと情報を持っているはずだ。火災の発生を目撃している小鳥、そして通夜の関係者としての情報を持っている葵、この二人の話を同時に聞くことで、一体なにが起こったのか解明する手掛かりを得ることができる」

　鷹央は両手を広げた。なるほど、これまで詳しい話を聞こうとしなかったのは、証言者を集めてから情報を得た方が効率的だと考えたわけだ。

「つまり私が情報を得やすいように、こちらの方を呼んでくださったというわけですか。あなたにしては気が利《き》きますね。たしかに、いま手分けして碇さんの関係者にも話を聞いているところです。いつも俺たちに迷惑をかけているお詫《わ》びのつもりですか？」

成瀬が嫌味っぽく言うと、鷹央は小首をかしげた。

「なに言っているんだ。お前も話す側だよ」

「俺も話す側？　どういう意味です？」

「そのままの意味だ。すでに警察にはいろいろと情報が集まっているだろう。それを教えてもらおうか」

鷹央は小悪魔的と表現するには、あまりにも邪気の濃すぎる笑みを浮かべた。

「……俺がそんなこと話すと思っているんですか？　何度も言っているでしょうが。素人《しろうと》に捜査情報を流すわけにはいかないって」

「おいおい、いまさらだな。これまでどれだけ私たちに情報を流してきたと思っているんだ。そのおかげで犯人が逮捕できて、お前は何回もおこぼれを頂戴《ちょうだい》しているだろ」

鷹央の揶揄《やゆ》に成瀬の表情が歪んだ。

「今日は小鳥遊先生から話を聞くために来たんです。情報を喋《しゃべ》る気はありません」

苛立たしげに言う成瀬を、鷹央はあごを引いて上目遣いに見る。

「喋らなくても色々と分かることはあるんだよ。まず、警察は今回の件が放火だとほぼ断定しているな」

「なんでそれを……」

　成瀬の表情に警戒が走る。僕と葵も目を大きくした。

「お前がわざわざここに来たことが何よりの証拠だ。火災があった場合は、鎮火後に原因を探るため、火災調査員が警察立ち会いのもとで現場検証を行う。そしてそこで失火、または放火の疑いがあった場合は事件となり、警察が捜査に動くことになる。つまり、お前みたいな刑事が捜査をしている時点で、昨日の火災が『事故』ではなく、『事件』になっていることが分かる」

　成瀬は無言だが、引きつった表情が鷹央の説明が正しいことを如実《にょじつ》に物語っていた。

「けれど、失火でも事件になるんですよね。なんで放火だって言い切れるんですか？」

　僕が訊ねると、鷹央は左手の人差し指を立てた。

「失火だった場合、主に聞き取り調査は火災現場の関係者に行われる。出火した瞬間を目撃しているお前に話を聞くならまだ分かるが、碇の関係者にまで話を聞きに行く必要はないはずだ。しかし、さっき成瀬は『大学の関係者にも話を聞いている』と言った。そのことにより、今回の件が明らかな放火で、警察は碇の遺体を燃やす動機をもつ者を探しているということだ。そうだよな？」

　成瀬の顔に動揺が走る。どうやら図星のようだ。

「しかも、お前が小鳥に連絡をしてきたタイミングでも色々と分かることがある。夜に起きた火災の現場検証は、通常翌日の午前中に行われる。今日の昼すぎに連絡をしてきたということは、現場検証ですぐに放火だと断定できるような証拠があり、捜査がはじまったことを示している。炎が上がる前に小鳥が時計の針のような音を聞いたことと併せて考えると、おそらく棺の中から放火の証拠が見つかったんだろうな」

得意げに話し続ける鷹央を見ながら、成瀬は歯を食いしばる。

「と、こんな感じで、ちょっとしたことから様々な真実が導き出せるんだよ。お前たち警察が集めてきただけで活用できていない情報も、私なら有効に使うことができる。だからお前らが知ってることを教えろ」

居丈高に言う鷹央から視線を外すと、成瀬は心を落ち着かせるためか深呼吸を繰り返す。しかし、その顔は紅潮して、額には血管が浮かんでいた。

「あらためまして小鳥遊先生、火事が起きたときの状況を教えていただけますか」

感情を排した機械的な口調で成瀬は言う。どうやら、鷹央は無視して、僕からの情報収集に集中することにしたらしい。鷹央はつまらなそうに鼻を鳴らすと、ソファーの背もたれに体重を預けた。

「いや、状況といわれても、火事のあと説明したのと一緒ですよ。焼香が終わったらいきなり棺の蓋が吹っ飛んで、炎の柱が上がったんです」

「小鳥が聞いたっていう時計の針のような音、他にも聞いた弔問客はいたのか？」

鷹央は口を挟んでくるが、成瀬は聞こえないふりを決め込んで質問を続ける。

「炎が上がった際、棺に近づいている者はいなかったですか？　または怪しい動きをしている人物などは？」

「いえ、気づきませんでしたけど」

僕が答えると、鷹央は腕を組んで頷いた。

「そうだとすると、もともと棺の中になにか自動発火装置みたいなものが仕掛けてあったのかもな。時限式か、それとも遠隔操作で作動するような器具が。その残骸《ざんがい》が発見されたから簡単に放火と断定できたんじゃないか？」

「いまは俺が質問しているんです！　少し黙っていてもらえませんかね！」

無視も限界にきたのか、成瀬は声を荒らげる。その様子を見るに、おそらく鷹央の予想が正しいのだろう。

「……で、小鳥遊先生、そのあとはどうなりましたか？」

胸に手を当てて再び深呼吸をしたあと、成瀬が訊ねてくる。

「どうって、完全にパニックですよ。弔問客は後ろの扉に殺到したと思います」

「あなたは何をしていたんですか？　消火活動などは？」

「無茶言わないでください。通夜に参加していたら、いきなり目の前に炎の柱が立ち上ったんですよ。頭が真っ白になって、火を消す余裕なんてありませんでしたよ。遺族の方々と一緒に、脇にあった非常出口から脱出しました」

「なるほど、そうですか……」成瀬は取り出した手帳にメモをしていった。

「小鳥、通夜の最中、棺はずっと正面に置かれていたんだよな。焼香をする際に、気づかれずに自動発火装置を棺の中に仕掛けることはできないか？」

　こりもせず、鷹央が質問してくる。メモの手を止めた成瀬は、鷹央を睨みつけるが、特に文句は言わなかった。おそらく、彼自身も訊ねたかったことなのだろう。

「いやあ、その『自動発火装置』ってやつがどれくらいの大きさか分かりませんが、無理だと思いますよ。常に遺族や弔問客の目がありますからね。棺には碇さんの顔が見えるように小窓はありましたけど、そこにはアクリル板が嵌《は》め込まれていました。中に何か仕掛けるとしたら、蓋ごと持ち上げる必要があります。さすがに衆人環視の中、そんなことはできませんよ」

「となると、通夜がはじまる前から仕掛けられていたと考えるのが自然だな。……葵」

「なあに、鷹央ちゃん？」声を掛けられた葵は小首をかしげる。

「通夜の前、棺は常に監視されていたか？　誰かが見つからずに細工をすることは可能だったか？」

「そうね……」葵は細いあごに指を添える。「たしか式の前、棺は葬儀場が管理する部屋に置かれていたはず。ご遺族の皆さんは、いろいろ打ち合わせがあったんで、ずっとそこにいたわけじゃないと思う」

「その部屋に忍び込んで、自動発火装置を仕込むことは可能だったってことだな」

「多分できたんじゃないかな。棺になにかするなんて、誰も想定していないからそんなに難しいことじゃなかったと思う」

鷹央は「そうか」と満足そうにうなずいた。

「倉本さんでしたっけ、ちょっと伺いたいのですが」

鷹央に主導権を握られていることが悔しいのか、成瀬が早口で言う。

「通夜がはじまる前、部外者が混じっていたら皆さんは気が付きましたか？」

葵は再び数秒考え込んだあと、首を横に振った。

「いえ、難しかったと思います。あの葬儀場では教授以外の方の葬儀も行われていました。知らない人がいても、そちらの関係者だと思ったはずです」

「それでは、誰か碇先生を恨んでいた人に心当たりなどはありませんか」

「それは……」

葵が答えかけたとき、唐突に鷹央が立ち上がった。

「いや、心当たりなんてないぞ！」

「……俺は天久先生ではなく、倉本さんにうかがっているんですけど」

「葵も心当たりなんかないよな。なあ」

鷹央は葵にぐいっと顔を近づける。その勢いに圧倒された葵は、「え、ええ……」と肯定なのか、それとも単に戸惑っているだけなのか分からない声を漏らした。

「天久先生……、なにを企《たくら》んでいるんですか？」成瀬の声が低くなる。

「企んでいる？　なんのことだ？」

鷹央はしらばっくれるが、その演技は相変わらず大根で、傍目にもなにか隠しているのがバレバレだった。

「どういうつもりです？　捜査の邪魔をする気ですか？」

「そもそも、なんの捜査なんだ？　碇を恨んでいた人物を探しているということは、やっぱりあの火災が放火だったたって認めるっていうことだな？」

「……そうは言っていません」

苦虫を嚙み潰《つぶ》したような表情の成瀬の前で、鷹央はシニカルに唇の端を上げる。

「ほら、お前は情報をまったく渡さない気だろ。それなのに、こっちからだけ情報を搾《しぼ》り取ろうとするなんてフェアじゃない」

「そういう問題じゃないでしょ！　事件解決への協力は市民の義務ですよ」

「だから、情報を渡してさえくれれば、その義務に従って、事件解決のために私の頭脳をかしてやろうと言っているんだ。それを拒否しているのはそっちだろ。お前さえ情報を提供してくれるなら、こっちも知っていることを教えよう。ギブアンドテイクだ」

「素人は引っ込んでいてください！　何度言ったら分かるんですか⁉」

「お前こそ何度事件を解決してやれば分かるんだ？　お前らは情報を集める能力が高くても、それを活《い》かすことについては私より遥《はる》かに劣っているんだ。事件の真相を知りたいなら、私に情報を寄越せ」

成瀬の表情筋が細かく蠕動《ぜんどう》しだすのを見て、僕は片手で顔を覆《おお》う。そんな上から目線の説得があるか。たしかに正論なのかもしれないが、そんなことを言えば、せっかく去年からの付き合いで、ほんの少しは開いている成瀬の心の扉が固く閉じてしまう。

「たしかに何回か、しかたなくあなたの力をほんの少しだけ借りることもありましたよ。けれど、今回の放火はこれまでの事件のような、オカルトじみたものじゃない。俺たちだけでホシを挙げられます！」

興奮した成瀬は、もはや今回の火事が放火であるということを隠すことすら忘れているようだ。彼のセリフを聞いて、僕はあることに気づく。まだ警察は……。

「まだ警察は、今回の件が一つの単純な放火事件にすぎないと思っているんだな」

僕の思考を読んだかのように、鷹央が声を上げた。成瀬は「どういう意味です？」と眉根を寄せる。

「碇の遺体に火がつけられた件は、大きな事件の一部でしかないんだよ。お前のいう『オカルトじみた事件』のな」

「……天久先生、あなたは一体どんな情報を持っているんですか？」

成瀬の声が低くなる。鷹央は若草色の手術着に包まれた胸を反らした。

「いろいろと知っているぞ。今回に関しては、情報量でも私の方が警察に勝っているな。たんに遺体が燃やされただけの話じゃない。もしかしたら、他にも犠牲者が出ているのかもしれないぞ。……殺人事件のな」

「殺人⁉」成瀬の声が裏返る。

「ああ、そうだ。単なる事故で処理されていた事件が、実は殺人だったかもしれないんだよ。なあ、成瀬」

鷹央はソファーから立ち上がると、成瀬に近づく。

「今回の事件、捜査本部は立っていないんだろ？」

「……ええ、人が死んだわけではありませんし、負傷者も数人が軽く煙を吸い込んだ程度だ。捜査本部なんか立ちません」

「今回の件の全容が明らかになっていったら、間違いなく捜査本部が立つ事態になる。私と協力すれば、そんな大事件を所轄《しょかつ》の一刑事に過ぎないお前が解決できるかもしれないんだ。しかも、捜査本部が立つ前にだ。かなりの大手柄じゃないか？」

成瀬の表情に、今日はじめて迷いが走った。

「なあ、警察はよくマスコミに捜査情報をリークするだろ。そうやって恩を売っておいて、なにかのときに捜査に協力してもらったりする。それと同じだと思えばいいんだよ。私が知りたいことをちょっと教えてくれるだけで、その何倍も価値のある情報を得ることができるんだ。ウィンウィンの関係じゃないか。ほら、何を迷うことがあるんだ。全部吐けば楽になるぞ」

成瀬の顔が歪む。心の中では、職業倫理と手柄への欲求が激しい戦いを繰り広げているのだろう。

「早く言えって。そうしたら、お前が欲しがっている情報を全部教えてやるから」

成瀬の耳元で囁く鷹央の姿は、もはや魂を売るように迫る悪魔にしか見えなかった。

数十秒後、成瀬は何かを振り払うかのように激しく頭を振った。

「だから、今日はあなたの相手をしに来たんじゃない！　小鳥遊先生に話を聞きに来ただけなんだ！　天久先生は黙っていてください」

「くそっ、もう少しで堕《お》ちそうだったのに……」

鷹央は大きく舌を鳴らした。やはり、完全に悪魔のセリフだ。

「そ、それじゃあ小鳥遊先生。知っていることを全部話して頂きましょうか」

息を乱しつつ、成瀬は僕を見る。その視線を遮るように、鷹央は体を割り込ませた。

「情報をくれないなら、こっちから教えることはなにもない。さっさと帰れ」

「俺は小鳥遊先生と話しているんです！」成瀬が声を荒らげる。

「小鳥は私の部下だ。私が許可しなければ、なにも話さないぞ」

「いや、部下だからってそんなことは……」

僕がおずおずと訂正しようとすると、振り返った鷹央が睨んできた。

「なにも話さない、そうだよな」

「……はい、その通りです」

僕はうなだれて小声で言う。内科学の指導、日々の勤務内容、さらにはボーナス査定まで握られている鷹央に逆らうほどの反骨心は、持ち合わせていなかった。それに、これまで様々な不可思議な事件を、鷹央が解決するところを目《ま》の当たりにしている。鷹央に情報を与えるのが、事件の真相を暴く最善の方法だと確信もしていた。

あと、この人の機嫌を損ねると、いろいろと面倒くさいし……。

「というわけで、お前に話すことはもうない。これはあくまで任意の協力でしかないんだから、これ以上協力する義理はないだろ。分かったら、さっさと帰れ」

鷹央は虫でも追い払うように手を振った。薄暗い部屋の中でも、成瀬の顔が紅潮しているのが見て取れる。勢いよく立ち上がった成瀬は、大股《おおまた》に玄関へと向かった。

「気が変わったらいつでも来てくれ。待っているぞ」

鷹央に声を掛けられた成瀬は無言のまま外へと消えた。扉が勢いよく閉められる。

「よかったの、鷹央ちゃん？　あの刑事さん、かなり怒っていたけど……」

葵が心配そうに言うと、鷹央はひらひらと手を振った。

「ああ、気にしなくていい。あいつはいつも怒っているんだ」

あなたがいつも怒らせているんでしょ。僕は内心でつっこみを入れる。

「しかし、惜しかったな。あとちょっとで情報を絞り出せそうだったのに。まあ、まだチャンスはあるだろ。あらためて私たちに話を聞こうとするだろうからな」

「そうですか？」僕は首をひねる。「こっちが持っていて、警察がまだ知らない情報って、蘆屋炎蔵の件ですよね。碇さんの関係者に話を聞いていったら、警察にもそのことが伝わるんじゃないですか？」

「そうだが、あくまでちょっとした噂程度だろう。実際に炎蔵の墓に直接入り、碇と室田が体調を崩した原因を突き止めたのは私たちだ。情報の重みも精度も全然違う」

「そうかもしれませんね」

僕が頷くと、あごに手を当てていた葵が口を開いた。

「ねえ、さっき鷹央ちゃんが『殺人事件かもしれない』って言っていたのは、翠明大学の内村《うちむら》准教授が自宅で焼死した事件のこと？」

「そうだ。その内村っていう男は、最初に炎蔵の墓を探索したメンバーの一人だったんだろ。これまでは事故として扱われてきたが、探索メンバーのもう一人である碇の遺体が放火されたとなると、状況は大きく変わってくる」

「……内村准教授は放火で殺されたって意味？」葵は声を押し殺す。

「その可能性も否定できないってことだ。ただ、いまいちしっくりこないんだよな」

「しっくりこない？」僕は反射的に聞き返す。

「さっき説明したように、全《すべ》ての火災は鎮火後に専門家による調査が行われるんだ。そこではもちろん、放火の可能性は徹底的に調べられる。それなのに、事故として処理されているところを見ると、少なくとも放火を疑わせる所見は見つからなかったはずだ」

「まさか先生、本当に『炎蔵の呪い』で炎が起きたとは言いませんよね」

炎蔵の墓に入ったもののうち、一人が焼死し、そしてもう一人の遺体から炎が上がった。脳裏に炎蔵のミイラ化した遺体が蘇《よみがえ》り、背筋に冷たい震えが走る。

「そういうものが実在したら、面白いとは思っているぞ」

「面白くありません！」

「ただなあ……」鷹央は鼻の頭を掻く。「碇の通夜でお前が時計の針のような音を聞いていることを考えると、棺に発火装置が仕掛けられていたんだろう。つまり、それは千年以上前に死んだ陰陽師の呪いではなく、明らかに生きた人間の手による『犯罪』だ」

「犯罪……、つまり犯人がいるということですね」

「少なくとも、碇の件についてはな。けれど、誰がなんのためにそんなことをしたのか、それを解明するための情報が絶対的に不足している」

「じゃあ、さっき鷹央ちゃんが刑事さんから聞き出そうとしていたのは、通夜で起こった事件の詳細だったの？」

葵が口を挟んでくる。

「一つはそうだ。発火装置がどのような物だったのか。関係者がどんな証言をしているのかなどだな。ただ、それより私が聞きたかったのは、内村という男の件だ」

「でも、あの刑事さん、内村さんについては何も言っていなかったわよ。あの人が焼死したことも知らないいんじゃないの？」

葵は小首をかしげた。

「いまはそうだろう。けれど、刑事ならその事件の火災調査報告書を見ることができる。内村という男が死んだとき、どんな状況だったか、詳細な情報にアクセスすることができるんだ。私はそれを知りたいんだ。炎蔵の墓に侵入した男が、放火とは思えない状況で焼死した。そこに、なにか大きなヒントがある気がするんだ」

難しい表情で数秒考え込んだあと、鷹央は「まあ、いっか」とつぶやいた。

「いっかって、どういうことですか？　今回の件は警察に任せるってことですか？」

「なに言っているんだ。そんなわけないだろ。どうせ、成瀬がまたやって来るから、そのときに色々と詳しい状況を聞き出して、それをもとに考えればいいってことだよ」

「けれど、今日みたいになにも喋ってくれないかもしれませんよ」

「大丈夫さ」鷹央の顔にいやらしい笑みが浮かぶ。「成瀬はこれまで、何度か警官としてのルールを破って、私たちに情報提供している。一度でもそういうことをした奴は、次に同じことをする際の抵抗が薄くなるんだ。げんに今日だって、あと一歩だったろ」

「たしかにそうですね……」

「あれに似ているな」鷹央は左手の人差し指を立てた。「よく聞くだろ。一度放火をした奴は、二度目以降はあまり罪悪感を抱くことなく火を放つようになるってやつ」

情報提供と放火を同列に扱うのはどうかと思うのだが。

「そういうわけで、いまは新しい情報待ちだな。どうせ数日以内に、成瀬が情報持ってやって来るさ」

なんか『鴨《かも》がネギ背負ってやって来る』みたいな扱いだな……。内心で成瀬に少し同情しつつ、僕は席を立った。

「それじゃあ、今日はこれでお開きですかね」

「ああ、そうだな。もう帰ってもいいぞ」

鷹央は近くにある〝本の樹〟の中から、いまから読む書物を見繕いはじめる。

「あら、せっかく来たのにもうおしまい？　それなら、これからどこかに飲みにでも行かない？　夕食まででしょ」

葵の提案に、鷹央は目をしばたたかせる。

「私は、夕食は基本的にここでカレーを食べるんだ。それに外で酒を飲むのはあまり好きじゃない」

うわばみでアルコールに目がない鷹央だが、居酒屋などに行くことはまずない。聴覚過敏の彼女の場合、酔った大勢の人間が大声で話をしている場所は耐えられない。そして、落ち着いたバーではアルコール類が出てくるまでに時間がかかって、浴びるように飲む鷹央には満足できないのだ。

「あ、ここで飲むんだ。雰囲気あって面白そう。それなら、これからおつまみ買ってくるから、一緒に飲まない？」

葵は存在感のあるバストの前で両手を合わせた。

「いや……、葵さん。それはやめた方が……。鷹央先生めちゃくちゃ酒に強くて……」

　これまで何度も潰され、トイレで便器と語り合いながら夜を過ごしたトラウマが蘇る。

「え？　なんで？　大丈夫、私こう見えても結構お酒に強いんだよ。みんなで飲み比べしてみる？　そうすれば、嫌なこととか忘れられるし」

はしゃいだ声で葵は言う。その様子は、どこか無理をしているように見えた。まだ碇の死のショックから、完全に立ち直ってはいないのだろう。たしかに、アルコールは落ち込んだ気持ちを一時的に癒《いや》してくれる。けれど、鷹央との飲み比べはあまりにも危険だ。

「いや、ぜひ飲みたいんだけどな……」

　酒好きの鷹央はてっきり喜んで受けるかと思っていたのだが、なぜか渋い表情でもじもじとしだした。

「あれ？　今日は都合悪い？」

「いや、実は今月いっぱい酒は飲めないんだ。姉ちゃんの命令で……」

　鷹央は首をすくめるようにして言う。

　そう言えばこの前、僕を潰しているのを真鶴《まづる》さんに見つかって大目玉を食らっていたっけ。潰れていてよく聞こえていなかったけど、あのとき禁酒を言い渡されていたのか。

鷹央の姉であり、この天医会総合病院の事務長を務める天久真鶴は、鷹央がこの世で唯一《ゆいいつ》恐れ、頭が上がらない相手だった。

「そっか、今月は飲めないのか。それじゃあ、来月以降に祝杯をあげましょ」

「祝杯？」鷹央が目をしばたたかせる。

「だって鷹央ちゃん、誰が碇先生の遺体を燃やしたのか、解き明かしてくれるんでしょ。あんなひどいことをした犯人を捕まえたお祝いよ」

葵が艶っぽくウインクすると、鷹央は唇の端を上げた。

「ああ、もちろんだ。そのときは浴びるほど飲もうな！」

その際には、僕も参加しないといけないのだろうか……。怯えていると、葵はソファーから立ち上がり玄関へ向かう。

「楽しみにしてるね。じゃあ、今日はおいとましようかな。またね、鷹央ちゃん」

軽く手をあげた葵は玄関から出ていった。

「僕も帰りますね。お疲れ様でした」

鷹央は「おう、お疲れさん」とソファーに横になると、また本を見繕いだす。

〝家〟から出ると、葵が風で膨らむ髪を押さえながら、景色を眺めていた。

「今日は呼び出してすみませんでした」

近づいて声をかけると、葵は軽く手を振った。

「ううん、そんなことないよ。鷹央ちゃんから連絡あったときはちょっと驚いたけど、嬉しかった。あんなことがあって、落ち込んでいたからさ。家に一人でこもっている
より、鷹央ちゃんと小鳥遊君に会えて気分転換になった」

「それなら良かったです。大学の研究室はどんな感じですか？」

「もうぐちゃぐちゃ」葵は肩をすくめる。「教授が亡くなっただけでも大変なのに、通夜であれでしょ。所属している学生たちもかなり動揺して、落ち込んでいる」

「そうですか……」

「けど、いつまでも私がうじうじしているわけにはいかないよね。やらないといけないことがたくさんあるし」

「やらないといけないことですか？」

「そう。こう見えても私は准教授だから、研究室の体制を立て直さないと。それに、炎蔵についての論文もまとめないといけないし」

葵は髪を掻き上げる。

「あ、葵さんがまとめるんですね」

「うん、本当は手伝いだけのつもりだったけど、碇先生と内村さんは亡くなっちゃったし、室田教授はもう炎蔵についてかかわりたくないみたいだから。やっぱり『炎蔵の呪い』が怖いんだろうね」

「炎蔵の呪い……」僕はその言葉をくり返す。

クリプトコッカスによる感染症。それこそが『呪い』の正体だと思った。しかし、碇の遺体が燃やされたことで、事態は再び混迷してきた。焼死した准教授と、燃やされた碇の遺体。いったい、なにが起こっているというのだろう。

「ここって、風が気持ちいいね。なんかやる気が出てきた」

葵は目を細めて遠くを眺める。その憂《うれ》いを含んだ横顔に見惚《みと》れてしまう。

夜の屋上に二人っきり。もしかしてこれは、なかなかいいシチュエーションなのではないか。この病院に来てからチャンスのたびに『邪魔者』が入って、艶っぽい話にはご無沙汰《ぶさた》になっている。この機会を逃す手はない。

「あ、あの、葵さん」

声をかけると、葵は微笑みながら横目で僕を見た。それだけで心臓の鼓動が加速していく。いくら相手が美人だとはいえ情けない。僕は乾燥した唇を軽く舐《な》める。

「よかったら、このあとお食事でも……」

「こんばんはー！」

意を決して口にしたセリフが、背後から上がったやけに明るい声にかき消される。

僕は勢いよく振り返って、笑顔で手を上げているボーイッシュな女性研修医を睨みつけた。

「またお前か！」

「え？　なんのことですか？」

研修医用のユニフォーム姿の『ザ・邪魔者』こと鴻ノ池舞《こうのいけまい》は、目をしばたたかせる。

「……なんでもない」

僕はふて腐れて言う。こいつがいては、艶っぽい話など進められるわけがない。

「あれ、小鳥先生。こちらの方は？」葵に気づいた鴻ノ池が首を捻った。

「帝都大学日本史学講座の准教授、倉本葵さんだ。また鷹央先生が首を突っ込んでいる事件の関係者だよ」

僕が紹介すると、葵は鴻ノ池を見て微笑んだ。

「初めまして、鷹央ちゃんとは違ったベクトルで可愛《かわい》らしい先生ね」

「どうも、初めまして！」鴻ノ池は元気よく挨拶《あいさつ》をする。

「葵さん、これは二年目の研修医の鴻ノ池舞です」

葵に紹介しつつ、内心で「僕の天敵です」と付け加える。

「『これ』ってどういうことですか」鴻ノ池は唇を尖《とが》らせた。

「それより、なんの用だよ？」

「あっ、いま回っている科で、治療法について鷹央先生に相談したい患者さんがいるんですよ。鷹央先生は〝家〟にいますか」

「ああ、いるよ。さっさと行けって」僕はひらひらと手を振る。

「なんですか、その虫を追い払うようなの。あ、そういえば小鳥先生、明日の夜、救急当直でしたよね？」

「それがどうかしたか？」

　僕は毎週金曜日、猫の手も借りたいほど忙しい救急部に、『レンタル猫の手』として鷹央の命令で勤務している。さらに、週に一度は救急当直も引き受けていた。

「私も明日、当直なんですよ。よろしくお願いしますね」

「……誰かに代わってもらう」

「ちょっと、なんですかそれ？　私と熱い夜を過ごすのがそんなに不満なんですか⁉」

「誤解されるようなことを言うな！　不満に決まっているだろ。ただでさえ忙しい救急当直なのに、お前にからかわれ続けたら心身がもたない」

「またまたぁ。あれですね。『嫌よ嫌よも好きのうち』ってやつですね」

「勝手にいいように解釈するんじゃない！」

「まあ、そう言わずに。一晩かけて色々聞き出しますから覚悟しといてくださいね。鷹央先生との関係とか、鷹央先生との関係とか……」

「頼むから勘弁してくれよ」

いつものように鴻ノ池のペースに巻き込まれて頭痛をおぼえていると、葵がくすくす笑いながら軽く手を振った。

「鷹央ちゃんのまわりはいつも賑《にぎ》やかでいいね。それじゃあ、私はそろそろ帰ろうかな。小鳥遊君、またね」

「……ええ、また」

離れていくスタイルのいい後姿を見送りながら、僕は力なく言う。久しぶりのチャンスだったというのに、『ザ・邪魔者』が出現したせいで台無しになってしまった。

肩を落としていると、階段室の扉の前で不意に葵が振り返って悪戯っぽく微笑んだ。

「今度、よかったら二人でお食事でもいきましょ。通夜で助けてもらったお礼がしたいし、いろいろとお話ししたいこともあるしね」

葵は僕の返答を聞く前に、「じゃあね」と扉を開ける。その姿が階段室の中に消えるのを、僕は呆然と眺めていた。

久しぶりに訪れそうな春の予感に、体温がじわじわと高くなっていく。

「……あの人とお食事行くんですか？」

せっかくの幸せな気分に、『ザ・邪魔者』が水を差す。

「お前には関係ないだろ」

「関係ありますよ。ダメですよ、恋人がいるのにデートなんて。浮気ですよ」

「断じて僕に恋人なんかいない！」思わず情けないセリフを口走ってしまう。

「いるじゃないですか、そこに！」

鴻ノ池は、赤レンガ造りのファンシーな〝家〟を指さした。

「だから、鷹央先生とはそう言うんじゃないって、何回言わせれば気が済むんだ！」

「だから、私が絶対、鷹央先生と小鳥先生をそういう関係にするって、何回言わせれば気が済むんですか！」

ただでさえ疲れているのに、こいつの相手をしたらさらに消耗してしまう。見切りをつけた僕は、鴻ノ池の背中を押しはじめる。

「ほら、鷹央先生に用事があるんだろ。さっさと行けって」

抵抗する鴻ノ池を〝家〟の玄関前まで押し込んだ僕は、扉を開ける。

「あっ、まだ話は終わっていませんよ。ちょっと、押さないでくださいって」

鴻ノ池の抗議を黙殺した僕は、「じゃあな」とダメ押しをして、鴻ノ池を室内に入れると、素早く扉を閉める。

「逃げるんですか？　分かりました。明日の当直のとき、詳しく聞かせてもらいますからね。覚悟しておいてくださいよ」

鴻ノ池が開けようとしてくる扉に背中で体重をかけながら、絶対誰かに当直を代わってもらおうと、僕は心に誓ったのだった。

「代わってもらえなかった……」

救急医控室のソファーで僕はうなだれる。

「どうしたんですか、小鳥先生？　なんか『あしたのジョー』の最終回みたいになっていますけど」

鴻ノ池が声をかけてくるが、僕は答えることなく頭を垂れ続ける。

成瀬の訪問の翌日、僕は予定通り鴻ノ池とともに救急当直をするはめになっていた。何人かの医師に今日の当直を代わってくれるようにお願い（というか懇願）したのだが、その全員がどうしても都合がつかず、結局予定通りとなってしまった。

4

時刻はすでに午後十時を回っている。引継ぎをうけた午後六時からひっきりなしに救急患者が搬送され息をつく間もなかったが、ようやく患者が途切れ、一息つくことができていた。

「とりあえず、これまで搬送されてきた患者さん、全員のカルテは書き終えました。ほとんどの患者さんの病棟への引継ぎも終わっています」

鴻ノ池は淀《よど》みない口調で報告する。

「了解。お疲れさんだったな」

「いえ、これくらい軽いっスよ」鴻ノ池はおどけて力こぶを作った。

この天医会総合病院ではどの科を回っていようが、研修医は週に一回、救急医の指導のもとに救急当直をすることになっている。そのため、これまでほとんどの研修医と当直をしているが、鴻ノ池が下についたときが一番、仕事がスムーズに進む。フットワークが極めて軽いし、手技もそつなくこなす。検査や処方のオーダーを見ても、よく勉強しているのが見て取れる。それに、医療スタッフたちとのコミュニケーションも良好だ。

本当にかなり優秀で、文句のつけようのない研修医なんだよな。

「で、ようやく患者さんもはけましたし、そろそろ聞かせてもらいましょうか。昨日、屋上にいた、美人のお姉さんのことについて」

「……これさえなければな」

僕がため息をつくと、鴻ノ池はずいっと顔を近づけてくる。

「なんの話ですか？　誤魔化そうとしてもだめですからね。なんであのお姉さんにお食事行こうなんて誘われているんですか？」

「べつにいいだろ、ちょっと飯食いに行くぐらい。情報交換したいだけだよ」

肩をすくめると、鴻ノ池の目付きが鋭くなる。

「いえ、絶対にそれだけじゃないですね。だって、あのお姉さん、小鳥先生のタイプど真ん中ストライクでしょ」

図星を突かれ「うっ」とうめき声を漏らすと、鴻ノ池はシニカルに唇の端を上げる。

「ちゃんと分かっているんですよ、小鳥先生の好みは。ああいう大人びた美人のお姉さんタイプが好きなんですよね。真鶴さんみたいな」

「真鶴さんは関係ないだろ！」

過去の失恋をあげつらわれ、思わず声が大きくなる。

「たしかに綺麗な人ですけど、小鳥先生には合いませんよ。ああいうタイプの人って、付き合ったら男性を優しく甘やかすことが多いんですよ」

「最高じゃないか」

想像して思わず頬を緩ませた僕に、鴻ノ池は冷たい視線を注ぐ。

「小鳥先生は甘やかされたらダメになるタイプです。だって、お人好《ひとよ》しで流され易《やす》いから。そういう人は、ちょっと尻に敷かれた方がいいんです。で、鷹央先生ならしっかり尻に敷いてくれるはずです」

「尻に敷かれるというより、足で踏まれるって感じだけど……」

「いつのまに、そんなマニアックなプレイを⁉」

「違う！　そういう意味じゃない！」

絶対、分かっていて僕をからかっているだろ、こいつ。

「けれど、ひどい扱いを受けていても、鷹央先生のこと嫌いになったりはしていないでしょ。というか、お互いのことを理解しあった理想のパートナーになっていますよ。それに、なんだかんだいって、鷹央先生も小鳥先生のこと大切にしていますしね」

鴻ノ池の顔に、にやーっといやらしい笑みが広がっていく。

たしかに、ともに日々の仕事をこなし、いくつもの不可思議な謎《なぞ》を解決していくうちに、鷹央との間に絆《きずな》が生まれていることは気づいている。普段の扱いがあれでも、鷹央なりに大切にしてくれていることも理解しているし、理解者として彼女を支えているという自覚もある。ただ、それは……。

「それは、あくまで仕事上のパートナーだろ」

「そうですけど、せっかくここまで距離が近づいているんですから、もう一歩踏み込んでプライベートでもパートナーになっちゃいましょうよ」

鴻ノ池にテンション高く言われ、疲労感が増してくる。

「話が飛躍しすぎだ」

「そんなことないですよ。っていうか、あんなに気が合っているのに、鷹央先生のなにが不満なんですか？　外見ですか？　鷹央先生、そういうのに無頓着《むとんちゃく》だから全然化粧とかしないし、髪もぼさぼさだし、服もほとんど手術着しか着ませんけど、いい素質持っていると思うんですよ。なんなら、今度私がお化粧して、しっかりコーディネートしますよ。そうしたら、絶対に美少女に変身しますって！」

「美少女って……、鷹央先生、童顔だけど、アラサーだぞ」

呆れ声でつぶやくと、鴻ノ池の目がすっと細くなった。

「あー、そんなこと言うんだー。今度、鷹央先生に告げ口しちゃお」

「あ、マジでやめて！　あの人、実は年齢のこと気にしているから！」

以前、それで逆鱗《げきりん》に触れて、恐ろしい目に遭ったことがある。僕が鴻ノ池に向かって両手を合わせていると、白衣のポケットから電子音が響いてきた。

反射的に院内携帯を取り出した僕は、その液晶画面を見て頰を引きつらせる。

「どこからのコールですか？」

「……〝家〟、たぶん鷹央先生だ」

「え？　もしかしていまの会話聞かれていたんですかね」

鴻ノ池はきょろきょろと辺りを見回す。

「まさか！　いくら耳がよくても、一階の会話が屋上まで聞こえるはずないだろ」

そう思いながらも、鷹央ならもしかしてという思いがぬぐい切れない。僕はおずおずと『通話』のボタンを押した。

『小鳥か？』すぐに鷹央の声が聞こえてくる。

「あ、あの、年齢のことはそういう意味ではなくて……、口が滑ったというか……」

『年齢？　なに言っているんだ、お前？』

どうやら、その話ではないらしい。僕は胸を撫でおろす。

「いえ、なんでもないです。それで、なにかありましたか？」

『いま、室田から電話があった』

鷹央の声が低くなる。深刻な雰囲気を感じ取り、僕は姿勢を正した。

「室田教授がどうしたんですか？」

『体調がおかしくなったらしい。苦しくて、動けなくなったと連絡してきた』

「え⁉　でも、クリプトコッカスの肺炎は治ったんじゃ……」

『今回は呼吸苦じゃないらしい。おそらくは全く違う原因だ。数時間前から嘔吐《おうと》や下血が続いているらしい。かなり全身状態が悪化しているのか、呂律も回っていなかった。おそらく意識障害も併発している』

「そんな、なんで……」

『診てみないことには私にも分からない。だから、すぐに来るように言った』

「うちの病院を受診するんですか？」

『ああ、あの男がかかっている病院はかなり離れているからな。それに……』

受話器から聞こえてくる鷹央の声が低くなる。

『これは単なる持病の悪化だとは思えない。私が直接診て、原因を探る必要がある』

脳裏をかすめた『炎蔵の呪い』という言葉を、僕は頭を振って必死に消し去ろうとする。

『すぐに救急車で搬送されてくるはずだ。お前は受け入れの準備をしていてくれ。私もそっちに向かう』

ガチャリという音とともに回線が切れる。気の抜けた電子音が聞こえてくる受話器を手にしたまま、僕は呆然と立ち尽くした。

「やっぱりその患者さん、うちを受診したことないみたいですね。カルテ自体がありません。すぐに事務に作ってもらわないと」

電子カルテの前に座った鴻ノ池が、マウスを操作する。鷹央からの連絡を受けてすぐ、僕と鴻ノ池は救急処置室へと向かい、看護師たちとともに室田の受け入れ準備をはじめていた。すでに救急隊からも一報が入り、あと数分で到着するということだった。

「たしか、娘さんはうちを受診したことがあるはずだ。室田春香さんだ」

滅菌ガウンを羽織りながら僕は言う。鴻ノ池は「むろたはるか、むろたはるかっと……」とつぶやきながら、キーボードを叩いた。

「あっ、カルテありますね。けれど、怪我《けが》で整形外科に受診しただけか。あと、お母さんのカルテもある。あー、けどこっちも整形外科だ。骨折で入院した記録があるだけです。あんまり、今回の件とは関係なさそうですね」

「そうだな。そろそろ運ばれてくるぞ。救急隊からの情報じゃ、全身状態がかなり悪いらしい。すぐに治療に入れるように、お前も準備しておけ」

鴻ノ池は「ラジャーです！」と立ち上がって、素早くマスクと滅菌ガウンを身につけると、こちらが指示する前に点滴ラインや採血の準備を整えていく。

やはり優秀だ。これで、普段の言動さえなければ……。そんなことを考えていると、出入り口の扉が勢いよく開き、息を切らせた鷹央が飛び込んできた。

「室田は……もう……到着した……か……？」

フルマラソンでも走り終えたかのように、鷹央の息は乱れていた。階段を駆け下りてきただけなのに、さすがに体力がなさすぎではないだろうか？

「まだ搬送されてきていませんよ」

僕が答えると、鷹央は倒れこむように椅子に座りこみ、わきに置かれていた患者用の酸素ボンベにチューブとマスクを接続して酸素を貪《むさぼ》りはじめた。

「……いいですけど、室田さんが運ばれてくるまでに呼吸整えておいてくださいね」

遠くから救急車のサイレン音が響いて来た。その音がどんどんと大きくなってくる。

「行くぞ」

僕はあごをしゃくると、鴻ノ池とともに患者搬送口の自動ドアを開けて外に出る。赤色灯を灯した救急車が病院の敷地内に入ってきた。

目の前で停車した救急車の後部ドアが開く。飛び降りてきた救急隊員が、室田宗春《むねはる》が乗せられたストレッチャーを引き出す。折りたたまれていた車輪付きの脚が伸び、室田の体ごとストレッチャーは車外へと引き出された。室田の一人娘である春香も、不安そうな表情で救急車から降りてくる。ストレッチャーに横たわる室田はなぜかポロシャツの上にダウンジャケットを羽織っていた。その顔を見て、僕は思わず「うっ」と声を漏らす。

先日会ったときも不健康そうだったが、それと比較にならないほど現在の状態はひどかった。酸素マスクに覆われた半開きの口からは涎《よだれ》が垂れ、喘《あえ》ぐような息遣いが聞こえる。粘度の高そうな汗が滲む肌は濁った茶色になっていて、まったく生気が感じられない。目の焦点は合っておらず、意識が混濁しているのが一目で見て取れた。

「室田さん！　室田さん、分かりますか？」

肩を叩きながら訊ねるが、室田は「寒い、寒い……」とうわ言を漏らしながら、全身をがたがたと震わせるだけだった。

「体調不良により救急要請があり、現場に到着したところ現在のような状態となっていました。血圧七十八の四十六、脈拍百十二、酸素十リットル投与で血中酸素飽和度は九十六パーセント、意識レベルはＪＣＳで……」

救急隊員は僕たちとともにストレッチャーを移動させながら、素早く状況を説明していく。処置室に運び込まれたストレッチャーは、処置用のベッドに横づけされる。

「体を移します。一、二の三！」

僕の合図で、室田がベッドへと移された。看護師たちが心電図の電極を室田の体につけていき、鴻ノ池が採血の準備をしていく。

「昼から急に調子が悪くなって、トイレで吐き出したんです。それからずっと……」

ストレッチャーを追って処置室に入ってきた室田春香が弱々しい声で言う。

「分かりました。あと、なんでこの時期にダウンジャケットを？」

「『寒くて耐えられない』って、自分で羽織ったんです。それから、おかしなことを口走りはじめて……」

「おかしなこと？」

ペンライトで室田の瞳孔《どうこう》反射を調べていた僕は、思わず聞き返した。心電図の電極をとりつけ終えた看護師が、震え続ける室田の体に保温用の電気毛布をかける。

「はい、『陰陽師』だとか……、『呪い』だとか……」

「呪い……」

僕がかすれ声でつぶやくと、酸素吸入によってようやく呼吸が整った鷹央が近づいてくる。ちらりと室田の様子をうかがった彼女の表情が歪んだ。一見しただけで厳しい状態だと把握したのだろう。

「……小鳥、まずは全身状態を安定させてくれ。そのうえで、私が診察を行う」

鷹央は硬い声で言う。人並外れて不器用な鷹央は、あらゆる手技を苦手としている。様々な処置が必要となる救急業務において、戦力にならないことを彼女自身がよくわかっていた。

「はい、まかせてください！」

気合を入れて返事をすると。鷹央はベッドから離れて春香に近づいていく。春香から情報を集めるつもりらしい。僕は鴻ノ池や看護師に指示を出していく。

看護師が室田の口に当てられていた救急隊の酸素マスクを、病院のものに交換した。僕は聴診器を耳にはめると、電気毛布を取ってわきに置き、室田が着ている厚手のポロシャツを捲《まく》る。数年前に受けたという、心臓手術の手術痕が見える。しかし、それよりもはるかに目を引いたのは、体幹に広がる紫色のあざだった。腹や胸に大量の細かい皮下出血が見られる。これは物理的な衝撃で出来るものではない。おそらく血液の凝固能に異常をきたし、いたるところで出血が起こっているのだろう。

なんでこんな状態に？　困惑しつつ胸に集音部を当て、僕は聴診を開始した。肺気《はいき》腫《しゅ》瘍患者特有の、チリチリとした呼吸音が鼓膜を揺らす。浅く早い呼吸だが、一応最低限の換気はできている。聴診を終えた僕が手を引っ込めると、突然視界が明るくなった。

僕は呆然と立ち尽くす。目の前の光景の意味が理解できなかった。

室田の胸が燃えていた。ボロシャツの胸元から小さな炎が上がっていた。

「なんだよ……、これ……」

かすれ声が口から零れる。

鴻ノ池も看護師たちも動きを止め、僕と同じように口を半開きにして固まっていた。

絶叫が上がる。それまで呼びかけにも反応せず、力なくベッドに横たわっていた室田が、悲鳴を上げながら胸を掻きむしっていた。しかし、炎は消えるどころかじわじわとシャツの上を広がっていく。

「しょ、消火器を！」我に返った僕は振り返って消火器を取りに行こうとする。

「馬鹿！　それよりまず酸素マスクを外せ！」

離れた位置に立っていた鷹央が張り上げた声を聞いて、僕は体を硬直させる。そうだ、いま室田には大量の酸素が投与されている。その酸素が炎に供給されたりしたら……。

僕は床を蹴ってベッドに飛びかかる。しかし、わずかに遅かった。室田のシャツを這い上がっていった炎の蛇が、酸素という栄養に食らいつく。その瞬間、目の前に巨大な火柱が出現した。

一瞬で膨れ上がった深紅の炎は、室田の着ていたダウンジャケット、ベッドのマット、その周囲にあるカーテンにまで燃え移り、天井にまで達する。

熱の壁に押し戻され、僕は数歩後ずさった。炎の中に人影が見える。碇の通夜での記憶がフラッシュバックする。しかし、一点だけあのときと異なることがあった。

炎の中に見える人影が動いていること……。

その人影はまるで踊るかのように四肢を激しく動かし、大きく口を開けた。しかし、断末魔の絶叫が発せられる前にその口腔《こうこう》内に炎が勢いよく侵入していく。

「お父さん！」

甲高い悲鳴が上がり、部屋の隅にいた春香が走り出そうとする。その前に、鷹央が慌てて立ち塞《ふさ》がる。

「危険だ！　近づくな！」

押しのけてベッドに近づこうとする春香を、鷹央は必死に押しとどめる。

「小鳥先生、下がってください！」

固まっていた僕の腕を鴻ノ池が両手で抱えた。

「で、でも室田さんが……」

「もう無理です！　助けられません！　見てください！」

鴻ノ池は炎を指さす。その中の人影は、もはやピクリとも動かなくなっていた。

「私たちまで巻き込まれます。逃げますよ！」

鴻ノ池に引っ張られるままに、僕は後ずさっていく。そのとき、火災報知機がけたたましい警告音を発しはじめた。同時に、天井に設置されたスプリンクラーから大量の水が降り注ぐ。

冷たい水を浴びながら、僕は炎の柱が小さくなっていくのを見つめ続ける。

蛋白質《たんぱくしつ》が焼ける不快な匂《にお》いが、かすかに鼻先をかすめた。

5

「それじゃあ失礼します。お大事になさってくださいね」

僕が声をかけると、ベッドに横たわっている室田春香は蚊の鳴くような声で「はい……」と答えた。僕は鷹央とともに部屋を出る。

救急部に搬送されてきた室田宗春が焼死してから二日が経っていた。目の前で父親が死亡する姿を目撃した春香は、その場で失神し、精神的なダメージが大き過ぎるということで、ひとまず精神科病棟に入院となった。昨日今日と昼休みの時間を利用して見舞いに来ているのだが、いまだに心に深い傷を負っていることが見て取れる。

……当然か。僕はあの夜に起こったことを思い出す。室田の胸元からいきなり炎が上がり、あっという間に巨大な火柱となってその全身を吞み込んだ。生きたまま人間が焼かれるあの恐ろしい光景は、脳裏にべっとりとこびりつき、昨日も悪夢にうなされて目が覚めたほどだ。しかも、被害者が肉親となれば、想像を絶する衝撃だっただろう。

室田の体から上がった炎はスプリンクラーからの放水によってその勢いを止められ、救急処置室の三分の一ほどを焼いたところで駆けつけた消防隊によって消し止められた。炎で焼かれた室田の遺体は、黒い骨格しか残っていなかった。

その後、すぐに警察がやってきて辺りを封鎖して現場検証をはじめるとともに、目撃者の証言を集めはじめた。当然のように所轄署の刑事である成瀬もやってきて、「なんであなた方はいつも変な事件に巻き込まれるんですか？」と嫌味たっぷりに僕たちから状況を聞いた。

翌日には火災調査員が警察立ち会いのもと現場である救急部の火災調査を行い、その後、ようやく封鎖は解かれた。しかし、火事によって設備が大きく損傷しているため、いまだに天医会総合病院救急部は重症患者の受け入れを行えていなかった。

「これで、三人目か……」隣を歩く鷹央がぼそりとつぶやく。

「え？　なにか言いました？」

「炎蔵の墓に入った人物の中で、燃やされた人数だよ。まあ、碇が燃やされたのは死後だけれどな」

　事件の目撃者でもあり、さらにはこの病院の副院長でもある鷹央は、昨日いっぱい（真鶴に命令されて）様々な手続きに追われていた。そのため、これまで事件のことについて詳しく話す余裕がなかった。

「まさか、本当に『炎蔵の呪い』だなんて言いませんよね」

　僕はくだらないオカルト話など笑いとばそうと、つとめて軽い口調で言う。しかし、何故《なぜ》か声がかすれてしまった。鷹央は足を止める。

「この前言ったように、警察の反応から見て、碇の遺体が燃やされた際に自動発火装置のようなものが使われたのは間違いない。だから、今回の件に超常的な力が働いているとは思わなかった。しかし、室田の身に起こったことは……」

　言葉を切った鷹央は、横目で僕に視線を送る。

「小鳥、炎が上がったとき、一番近くにいたのはお前だ。室田の体になにか発火装置のようなものが仕掛けられていた形跡はなかったか？」

「発火装置……」数十秒、記憶をたどったあと、僕は答える。「ありませんでした」

「間違いないのか？　室田は寒気をおぼえていたから、冬物のダウンジャケットを羽織っていた。そのポケットなどに仕込まれていたってことはないか？　ダウンジャケットはボリュームがあるから、小型の発火装置が仕込まれていても一見分からないかもしれない。それに、中に入っている羽毛はかなり燃えやすいはずだ」

「いや、違うはずです」僕は首を横に振った。「炎が上がったのはダウンジャケットからじゃありません。ポロシャツを着ている胸元からでした。薄いポロシャツになにか機械が仕込まれていたら、さすがに分かるはずです」

そう、あんなところから火が上がるはずがないのだ。それなのになぜ……？

「こうなると、気になってくるのは最初の犠牲者である内村という男の件だな」

「自宅で焼死した翠明大学の准教授ですね」

「そうだ。たんなる失火として扱われているところを見ると、少なくとも火災調査では自動発火装置などの放火を疑わせる所見は見つからなかったんだろう。けれど、今回の室田の件も考えると、とくに機械的な仕掛けを使わないでも狙《ねら》った人物を焼死させる方法があって、内村もそれによって殺されたのかもしれない。または、本当に『炎蔵の呪い』によって炎が上がっているのか……」

「いや、そんな『呪い』なんて……」

手を振る僕を、鷹央はじろりと睨んできた。

「炎蔵の墓に入った四人のうち、少なくとも二人が原因不明の焼死をしているんだぞ」

「そ、そうですよね……。僕たちも炎蔵の墓に入りましたしね」

もし本当に『炎蔵の呪い』が存在するなら、僕たちまで呪われていることになる。しかも、炎蔵の遺体の表面をメスで削《そ》ぎ落した僕なんて、いの一番に呪い殺されるだろう。そんなことあり得ないと思いつつも、頬の辺りが痙攣《けいれん》してしまう。

「それだけじゃない」鷹央はかぶりを振る。

「それだけじゃないといいますと？」

「今回の事件が本当に『呪い』によるものでも、そうでなかったとしても、私たちが追い詰められているのは変わらないんだよ」

「え？　どういうことです？」

聞き返すと、鷹央は僕を置いて歩き出した。

「あっ、ちょっと待ってくださいよ」

なんでこんなに不機嫌なのだろうか？　昨日一日、事務手続きで奔走させられたのがよっぽど気に食わなかったのだろうか？　病棟を抜け、エレベーターホールにたどり着くと、エレベーターから見覚えのある若い男が降りてきた。

「あっ、加賀谷君」

声をかけると、翠明大学日本史学科の助手である加賀谷正志は会釈をする。

「どうも、天久先生と小鳥遊先生」

「今日は春香さんのお見舞いかな？」

小さな花束を握る加賀谷は、暗い表情で頷いた。

「はい、教授があんなことになって、すごくショックを受けているだろうから、少しでも元気づけられたらと。ただ、昨日も来たんですけど、誰かと話す気分じゃないって追い返されました……」

「室田さんが亡くなって、大学の方も大変でしょう」

「はい、研究室は完全にパニックです。教授になにかあったときは、准教授が代理を務めることになっているんですけど、准教授だった内村先生も先日火事で……あんなことになっていますから」

深いため息をつく加賀谷の手を、突然鷹央が摑んで引きずりはじめた。

「ちょっとお前、こっちにこい」

「え？　天久先生、なんでしょうか？」

戸惑いつつも、加賀谷は手を引かれて歩いていく。「いいからこっちに来いって」と、病棟の隅まで加賀谷を連れてきた鷹央は、『病状説明室』と記された扉を開く。

そこは文字通り、患者やその家族に病状についての説明をするための部屋だった。四畳半ほどの狭いスペースに、電子カルテの置かれた机と、パイプ椅子が数脚だけ置かれている。

「あの、なにか僕にご用でしょうか？」

部屋に入って椅子に腰掛けた加賀谷は、不安げに室内を見回す。

「情報が欲しいんだ」加賀谷の対面の席に座った鷹央は、肘を机に置いた。

なんか、刑事ドラマで見る取調室みたいだな。そんなことを考えつつ、僕は鷹央の隣に腰をおろす。

「情報といいますと……？」

「今回の事件について、お前が知っていること全てだ。お前と室田が私たちを今回の件に巻き込んだんだから、それくらい当然だろ」

「僕は室田教授に付き添っていただけで、別に巻き込んだわけじゃ……」

「ごちゃごちゃ言っていないで、私の質問に答えろ！」

鷹央は拳で机をたたく。加賀谷の体がびくりと震えた。やはり、今日の鷹央は機嫌が悪い。怯える加賀谷に、僕は慌てて声をかける。

「そんなに緊張しないで大丈夫だよ。ちょっと質問させてもらうだけなんで」

こういうのも、刑事ドラマでよく見るな。『怖い刑事』と『優しい刑事』で役割分担して、容疑者を自白させる方法だ。

そんなことを思いながら、僕は横目で鷹央を見る。彼女は厳しい表情のまま、軽く身を乗り出した。

「お前のところの内村っていう准教授が死んだ件について、なにか知っているか？　なにが原因で火事になったかとか」

「詳しい話は知りませんが、煙草《たばこ》の消し忘れが原因だったっていう噂です。内村先生は、かなりのヘヴィスモーカーでしたから」

「その火事になにか怪しい点などはなかったのか？」

鷹央は間髪いれずに質問をしていく。

「いえ、そういう話は聞いていませんけど……。ただ、先日、碇先生のお通夜でも火事がありましたし、室田教授もこんなことになって……。教室の関係者たちはみんな混乱して怯えています」

関係者とはいえ一般人にまで詳しい情報は伝わっていないらしい。やはり、内村という准教授の事件の詳細を知るためには、捜査関係者から情報を引き出す必要がありそうだ。

「そうか……。そういえば最初に話を聞いたとき、研究室でボヤがあったって言っていたな。それはいつだったんだ？」

「あれはたしか……」加賀谷は口元に手を当てる。「内村先生が亡くなって三日ほど後でした。室田教授のデスクに置かれていたコピー用紙がちょっと燃えたんです。小さな火だったんで、気づいた僕が近くにあった雑誌で叩いたらすぐに消えました」

「大したことなかったとはいえ、火が上がったんだろ。早く気づかなければ大火事になった可能性もある。原因は調べなかったのか？」

「しっかりとは……。みんな、煙草の不始末だと思っていましたから。実は、前にも同じようなことが二、三回あったんですよ」

「火事が二、三回も⁉」驚いた僕は思わず声を上げる。

「火事っていうほどじゃないです。それも資料とかがちょっと燃えた程度でした。うちの研究室の場合、教授と准教授が二人ともヘヴィスモーカーだったもので、いたるところに灰皿があるうえ、資料やら専門雑誌やらが散乱しているので、そういうことが起きやすいんです。だから、この前のボヤもそうだろうと思って、詳しく調べたりはしませんでした。まさか、そのあとこんなことになるなんて思っていませんでしたから……」

　力なくうなだれる加賀谷を、鷹央は首を少し曲げて凝視する。

「なあ、お前たちの教室、これからどうなるんだ？」

「どうなると言いますと？」加賀谷はゆるゆると顔を上げた。

「准教授、教授と相次いで命を落とした。そうなると、今度は誰が教室を率いていくんだ？　今度は誰が教授になる？」

「……もしかして、誰かが教室を乗っ取るために二人を殺したとか考えていますか？」

「今回の事件は、誰かが人為的に二人を焼き殺した可能性も出てきた。教授と准教授の二人が殺されたとなれば、教室を乗っ取るためという動機は考慮すべきだろ。もしかして、お前が次の教授候補だったりするのか」

オブラートに包むことなく発せられる鷹央の問いに、加賀谷の表情が歪む。

「僕はまだ二十七歳ですよ。教授なんかになれるわけがないでしょ！」

「年齢と教授になれないことになんの関係があるんだ？　学問の世界では優秀であることが年齢より遥かに重要だろ」

「そ、そうですけど……。なんにしろ、僕が教授になるなんてあり得ません。そもそも、教室自体が潰れちゃうかもしれないんです。いまのメンバーの中に、教授を務められるような人はいませんから。もしそうなったら、僕もまたどこか新しい研究室に入れてもらわないといけないんですけど、それも可能かどうか……」

「だとすると、教室を乗っ取るためというのは考えにくいな……。そうだ、炎蔵についての論文は誰が発表することになるんだ？　あれは、けっこう大きな発見だろ」

「分かりません。少なくとも、うちの教室のメンバーにはそんな余裕はないです。そうでなくても、今回の一件で炎蔵については、名前を口に出すことも憚《はばか》られるような雰囲気になっていますから」

加賀谷は目を覆い、弱々しく首を振る。

「それは『炎蔵の呪い』によって二人が死んだと思っているということか？」

「そんなこと常識的にあり得ないって分かっているんです。こんな現代で『呪い』なんて……。けれど、こんな異常な状況では、その『常識』ってやつが曖昧《あいまい》になってきちゃって、もうなにがなんだか……」

加賀谷は痛々しいまでに自虐《じぎゃく》的な笑みを浮かべると席を立った。

「もういいですか？　春香さんのお見舞いに行きたいんですよ。去年、お母様を亡くして、春香さんにとって家族は室田教授だけになっていたんです。そんな唯一の家族を目の前で亡くされるなんて……、あんまりですよ」

「その母親はなんで死んだんだ？」

出口に向かう加賀谷に、鷹央はさらに質問をする。加賀谷の眉間《みけん》にしわが寄った。

「階段から落ちて頭を打ったとか……。ただ、もともと色々と持病があって、春香さんと同じようにいくつも病院にかかっていたらしいですから、事故死というよりは病気で亡くなって階段から落ちたのかもしれないということでした。もういいですか？」

「いや、まだ聞きたいことが……」

鷹央はそこまで言ったとき、僕の白衣のポケットから電子音が響いた。取り出した院内携帯の液晶画面を見ると、一階にある総合受付の内線番号が表示されていた。

「ちょっと、すみません。受付から呼び出されました」

話の腰を折られて膨れている鷹央に一声かけて、僕は携帯を顔の横に当てる。その隙に、加賀谷は逃げるように部屋から出ていった。鷹央が「あっ⁉」と、声を上げる。

「統括診断部の小鳥遊です。いま、コールされたんですが」

口元に手を当てて小声で話すと、受付嬢の声が聞こえてくる。その話を聞いていくうちに、自然と表情がこわばっていった。話を終えた僕は、携帯をポケットに戻す。

「鷹央先生、ちょっと……」

「なんだよ、まだ訊きたいことが残っていたのに。なんの用だったんだ」

唇を尖らせる鷹央に、僕はゆっくりと告げた。

「警視庁捜査一課の刑事が来ています。室田さんの件で話を聞きたいらしいです」

6

扉が開き、スーツ姿の中年男が二人入ってくる。一人は身長はそれほど高くないものの固太りした厚みのある体つきをしていた。典型的な刑事といった様子だ。それに対し、もう一人の男はやり手のビジネスマンという雰囲気だった。中肉中背で、銀縁のファッショナブルな眼鏡を掛けている。スーツの着こなしも洗練されていた。

刑事が来ているとの連絡を受けた僕たちは、十階にある統括診断部の外来診察室に彼らを呼んでいた。

ビジネスマン風の男は革靴を鳴らしながら近づいてくると、慇懃《いんぎん》に頭を下げた。

「警視庁捜査一課の日野《ひの》と申します。こちらは小平《こだいら》署の前川《まえかわ》刑事です。本日はお忙しい中、突然お伺いしたにもかかわらず、こうして時間を取っていただき、本当にありがとうございます」

丁寧に挨拶するが、眼鏡の奥の目は獲物を狙うような肉食獣の鋭さを含んでいる。

「あっ、どうも。とりあえずおかけください」

僕が促すと、二人は患者用の椅子に腰掛ける。

「で、なんの用なんだ？」

僕の隣の席で足を組んでいる鷹央が、どこか攻撃的な口調で言う。日野は笑みを崩さなかったが、前川は鼻の付け根にしわを寄せた。

「先日、こちらの病院で起こった火災について調べております。お二人は現場にいらっしゃったということですので、詳しいお話を伺えればと思いまして」

丁寧な口調を崩すことなく日野が言うと、鷹央は乱暴な仕草で手を振った。

「それなら、当日所轄署の刑事に詳しく話した」

「それは分かっていますが、時間が経って落ち着いたいま、あらためて思い出したこともあるんじゃないかと」

「ない」

鷹央は一言で切り捨てる。その口調の強さに、日野は軽く目を見張った。

「お前たち、ここに来る前に、私の噂ぐらい聞いて来ただろ。私は映像記憶の能力を持っている。過去に見た光景を、写真を見直すように頭の中で再生して観察することができるんだ。だから私に限って、『改めて思い出す』なんてことはあり得ない」

「なるほど。それは素晴らしい能力ですね」

淡々と言いながら、日野はあごを引いて鷹央を見る。それは、爬虫類《はちゅうるい》が獲物の弱点を探っているかのようだった。部屋の空気が急速に張り詰めてくる。

「い、いやあ、けれど警視庁捜査一課の刑事さんが来ていると聞いたときには、てっきり桜井《さくらい》さんだと思いましたよ。桜井さんはお元気にしていますか？」

重苦しい空気を払拭《ふっしょく》しようと、僕は顔見知りのコロンボまがいの刑事の名を出す。

「桜井が来るわけがないだろ」硬い声で答えたのは、日野ではなく鷹央だった。「警視庁捜査一課でも、あの偽《にせ》コロンボが所属しているのは殺人犯捜査係、通称『殺人班』だ。それに対して、こいつは火災犯捜査係、通称『火災班』の刑事だ」

「よくご存じですね」日野はシニカルな笑みを浮かべる。

「警視庁捜査一課火災班の刑事がやって来たということは、捜査本部が立ったということだ。つまり、警察は今回の件をたんなる事故による火事ではなく、放火殺人の可能性が高いと考えているということだな」

鷹央の発した『放火殺人』という単語に、心臓が跳ねた。

「なにも、私たちが捜査するのは放火殺人とは限りませんよ。失火でも建造物が消防法に違反していた場合など、業務上過失致死などが適用される場合がありますからね」

笑みを浮かべたまま日野が言う。

「うちの病院は消防法をしっかり守っている。だからこそ、あの程度の被害で済んだんだ。お前たちが捜査しているのは、間違いなく放火殺人を疑っているからだ」

「私たちはただ、一昨日この病院で起きた事件の真相を知りたいだけですよ。で、話は戻りますが、事件当時の状況につきまして、あらためて伺ってもよろしいでしょうか？」

「話は戻るが、私はあの事件のあと、見たことはすべて成瀬に話した。ここでお前に話すのは二度手間だ。聞き忘れたことがあるなら、成瀬を呼んで直接私に質問させろ」

どこまでも固い口調で言う鷹央の様子に、僕は首をひねる。普段の鷹央は（相手が逆鱗に触れる言動をしない限り）警察をそれほど敵対視していない。それどころか、うまく利用して情報を引き出そうとすることが多い。それなのに何故、この日野という刑事に対しては、最初からやけにケンカ腰なのだろう。

「申し訳ありませんが、成瀬刑事は今回の捜査本部には参加しておりません。なので、彼をここに呼ぶのは難しいんですよ」

日野が頬を掻くと、鷹央は猫を彷彿《ほうふつ》させる目を鋭くした。

「この地域の所轄署は、田無署のはずだ。そこに帳場が立ったっていうのに、田無署刑事課の成瀬が参加していないっていうのか？　そこの前川って奴を、わざわざ近隣の署から連れてくるぐらい人手が足りないのに？」

「……こちらにも色々と事情があるんですよ」日野の口調に警戒の色が滲む。

「なるほど、……事情がな」

鷹央は唇の片端を上げた。含みのある二人の会話の裏にあるものの正体がつかめず、僕はただ戸惑うことしかできなかった。

「なんにしろ、成瀬刑事をここに呼ぶことはできません。お話は私がうかがわせていただきます。それで、話していただけますか？　それとも拒否なさいますか？」

慇懃無礼な態度で日野が訊ねてくる。鷹央は鼻を鳴らすと、僕の背中を軽くたたいた。

「小鳥、説明してやれ」

「え、僕がですか？」

「お前が一番近くで事件を見ていただろ。私よりも詳しく話せるはずだ」

「はぁ……、それじゃあ」

僕は曖昧に返事をすると、日野たちに向き直って事件当時のことを説明していく。その間、鷹央は腕を組んで目を閉じていた。

「……というわけです」
二、三十分かけて、僕はあの夜にあった一通りのことを説明する。その間、日野は細かい質問をいくつかしてきたが、鷹央は一言も発することがなかった。
「小鳥遊先生、ありがとうございます。よくわかりました。天久先生、なにか付け足すことなどはございませんか？」

日野に水を向けられた鷹央は、腕を組んだまま薄目を開ける。

「ない。いま小鳥が言ったことがすべてだ」

にべもなく言われ、日野は鼻の頭を掻く。

「さようですか。それではちょっと話題を変えさせていただきます。先日、帝都大学の教授だった碇という人物の通夜で火災が起き、遺体が燃えたことはご存知ですね？」

「お前たちはこの病院で起きた火災について調査しに来たんだろ」

鷹央の表情に警戒の色が浮かぶ。

「ええ、もちろんそうです。ただ、調べたところ碇という教授は、この病院で焼死した室田教授の共同研究者だった。その二人がおかしな状況で全身を焼かれた。まあ、死後か生きたままかの違いはありますけどね」

日野は皮肉っぽく唇の端を上げた。

「そうなると、二つの事件に関連があると考えるのは当然でしょう。さらに、碇教授の奥さんに話を伺ったところ、彼はこの病院で亡くなっている。しかも、入院させたのは天久先生、あなただと聞いています。そこに間違いはないですね」

「……ああ、間違いない」鷹央は低い声で答える。

「先生、よろしければ教えていただけませんか？　碇教授はどんな病気で、どのように亡くなったんですか？」

日野はあごを引くと、眼鏡の奥から上目遣いに視線を送ってきた。

「答えられない」日野の視線を微動だにせず受け止めた鷹央は、はっきりと言った。

「答えられない？　それはなぜでしょう？」

「医師には守秘義務がある。診療上知りえた情報を他人に漏らすことは犯罪に当たる」

「公共の福祉のためなら、情報提供が許される場合もあるはずですが」

「今回のケースがそれにあたるのか、私には判断できない。もし、どうしてもというなら、裁判所から令状をもらってこい。そうすれば、カルテでもなんでも見せてやる」

鷹央が淡々と言うと、それまで日野の隣で黙っていた前川という刑事が「ちょっと、あんた」と怒りの表情で声をあげる。しかし、日野は素早く手を横に突き出して、彼を黙らせた。前川は悔しげな表情で鷹央を睨みつける。

「分かりました。それではまた少しだけ話題を変えましょう。碇、室田の両教授は数週間前から体調を崩していた。そして室田教授はそのことについてあなたに相談した。それを受けてあなたは、なにやら調査に乗り出したらしいですね」

日野は質問を重ねる。まだ事件が起こってから二日しか経っていないのに、そんなことまで調べ上げているのか。警察の情報収集能力に僕は舌を巻く。

「天久先生、その調査というのは具体的にはどのような内容だったのですか？　それなら、『診療』で知った情報ではないから、言うことができるでしょう」

「いや、だめだ」鷹央は首を横に振った。「私は医師として室田と碇の体調不良の原因について調べ、そのうえで診断を下したんだ。それは普段私がこの病院でやっていることと同じだ。つまりその『調査』は、広い意味で『診療』ともいえる」

強引な屁理屈《へりくつ》に、刑事たちは顔をしかめる。

「どうあっても私たちに情報を渡さない気ですか？」日野が眼鏡に指をかけた。

「お前たちが私に情報を渡すっていうなら考えてもいいぞ」

「情報？　どんな情報が欲しいと？」

「事件の翌日に行った火災調査の内容だ。具体的には、室田の遺体やその周辺から自動発火装置のようなものが見つかったのか。もしなかったとしたら、なぜ火があがったのか予想がついているのか。その情報をもらえれば、私も『調査』について話そう」

鷹央がくいっとあごをしゃくると、前川が椅子から腰を浮かした。

「そんな捜査情報を素人に教えられるわけがないだろ。調子に乗っていると……」

「前川君！」

日野に鋭い声で制され、前川は顔を真っ赤に紅潮させながら言葉を飲み込む。

「失礼しました」日野は軽く頭を下げる。「しかし、いま前川刑事が言ったとおりです。私たちは職務上、捜査情報を一般の方に漏らすわけにいかないんですよ」

「そうか、それなら私も医師としての職務上、お前たちにこれ以上の情報を渡すことはできない。お互いプロフェッショナルとしての判断を尊重する。あるべき姿だな。さて、もう話がないなら帰ってくれ。私たちはこれから午後の診療があるんだ」

鷹央は虫でも追い払うように手を振った。

「天久先生、あなたからお話しいただけなくても、関係者の聞き込みを行っていけば、自然と事件に関する情報は集まってくるんですよ」

　日野はゆっくりと席を立つ。

「なら、わざわざ私から話を聞き出そうとしなくてもいいだろ。さっさと、その『関係者』とやらにでも聞き込みに行け」

「分かりました。それでは失礼します。たぶん近いうちにまたお目にかかることになると思いますがね」

　日野は「行こう」と前川を促すと、部屋から出ていった。出口の扉が閉まると同時に、僕は鷹央に向き直る。

「よかったんですか、炎蔵の墓の話とかしなくて。たぶん今回の事件には、どういう形かはわかりませんけど、炎蔵の墓をあばいたことが関係しているでしょ。そのことを教えた方が、警察の捜査が進むんじゃないですか？」

「……警察の捜査を進ませるわけにはいかないんだよ。できるだけ奴らに時間を使わせて、その間に私たちで事件を解決する必要があるんだ」

　鷹央はどこまでも固い声で言う。

「え？　捜査を進ませるわけにはいかないって、どういうことですか？」

　僕の問いに答えることなく、鷹央は険しい表情で扉を睨み続けた。

7

空気が重い……。日野たちの訪問を受けた数時間後の夕方、僕は天医会総合病院の屋上に建つ鷹央の〝家〟の玄関近くに立っていた。首をすくめながら部屋の奥を見ると、そこでは鷹央が、彼女の叔父であり、さらにはこの病院の院長でもある天久大鷲《おおわし》と一メートルほどの距離で睨み合っていた。普段から反目しあう、というか、もはやお互いが不倶戴天《ふぐたいてん》の敵と化している二人の視線が空中で火花を散らす。

二、三分前、今日の診療を終えた僕と鷹央が〝家〟で一息ついていると、大鷲が「話がある」といきなりやってきたのだ。

大鷲が〝本の樹〟をよけながら近づいてくると、ソファーに横たわっていた鷹央は顔をしかめて立ち上がった。そして二人は無言のまま、至近距離で対峙《たいじ》をはじめた。二人の間に漂う、ともすれば空間が歪みそうなほどの緊張感に耐え切れず、僕は玄関近くにまで避難してしまっていた。

室温は少し寒いくらいだというのに額に汗が滲む。鷹央と大鷲、いったいどちらが先に動くのだろうか。僕が唾を飲み込んだとき、唐突に玄関扉が開いた。

「お疲れ様でーす」

陽気な声とともに飛び込んできたのは鴻ノ池だった。彼女は室内の状況を見て一瞬硬直すると、ゆっくりと踵《きびす》を返す。

「どうも失礼しましたー」

出ていこうとする鴻ノ池が羽織っている白衣の後ろ襟を、僕は素早くつかんだ。

「ちょっ、小鳥先生、離してくださいよ」

「せっかく来たんだから、お前も残ってろ」

「嫌ですよ。私、研修医なんですよ。こんな、院長と副院長がいまにも斬《き》り合いをはじめそうな空間にいたら心臓止まっちゃいますって」

「大丈夫だ。そのときは僕が蘇生《そせい》させてやるから」

僕が鴻ノ池との軽口で緊張をごまかしていると、大鷲がゆっくりと口を開いた。

「一昨日、救急部で起こった火事について訊きたいことがある」

それほど声量はないにもかかわらず、大鷲の声は腹の底に響いた。

ああ、やっぱりその話か。予想通りの話題に、僕は顔をしかめる。

「……なにを聞きたい？」鷹央は不機嫌を隠そうともしない態度で答えた。

「その男性はうちの患者ではなかったにもかかわらず、お前の指示で救急搬送されてきたらしいな」

「あの男は体調不良の原因を調べて欲しいと連絡してきた。私はそれの調査を行い、あの男がかかっていた疾患に診断をくだした。だからあの男は統括診断部の患者だった」

「いや、違うな」大鷲は鋭く言う。「統括診断部の患者というのは、正規の手続きを経て統括診断部の外来を受診した者か、入院して統括診断部が担当になった者だ。お前に個人的に連絡を取り、おかしな事件の解決を依頼してくる者たちは、『お前の患者』ではあったとしても、『統括診断部の患者』ひいては『天医会総合病院の患者』ではない」

ぐうの音もでない正論をぶつけられて桜色の唇を嚙む鷹央に向かって、大鷲はさらに追い打ちをかけていく。

「問題は、お前が個人的な患者をうちに搬送させたせいで火災が起こり、救急部が使えなくなっていることだ。完全な復旧までにあと数日はかかる。うちの病院はこの周囲の地域医療の要《かなめ》だ。うちの救急部が機能不全に陥っていることで、この地域の救急医療に障害が生じている。結果的に、そのしわ寄せを受けるのは患者たちだ」

患者への迷惑を指摘され、鷹央の表情が歪む。

「まあ、それについては周辺の病院に協力を頼むことでなんとか乗り切れるだろう。ただ、もう一つさらに問題がある」

「……なんの話だ?」暗い表情のまま、鷹央は声を絞り出した。

「なにやらおかしな状況で炎が上がったらしいな。そのことについて、マスコミが色々と探りを入れるような連絡が来ている」

「マスコミ⁉　なんで」

思わず声をあげてしまった僕を、大鷲は横目で見据える。その視線の圧力に、思わず背筋が伸びてしまう。

「おそらく警察から情報が漏れたんだろう。警察はなじみの記者にそういうことをする場合があると聞く」

事件関係者の僕たちには情報を流さないくせに、記者には教えるのかよ。僕が口の中で小さく舌を鳴らすと、大鷲は鷹央に視線を戻した。

「不可解な事件はマスコミの大好物だ。しかも被害者が大学教授ということで話題性もある。下手をすれば面白半分にワイドショーのネタにされ、大量の報道関係者が押し掛け、救急部の損傷以上にこの病院がダメージを受ける可能性がある」

背筋が冷たくなる。もしも、あの不可解な室田の焼死に加え、碇の通夜での火災や、炎蔵の墓のことまで知られたら、屍肉《しにく》に群がるハイエナのごとくマスコミが殺到するだろう。そうなれば、完全に病院機能は失われる。

「そうなった場合は私に責任を取らせる。そう言いたいわけか」

鷹央は気怠そうに軽くウェーブのかかった黒髪を掻き上げた。

「病院の経営状況に損害が生じた場合、誰かが責任を取る必要がある」

大鷲は抑揚なく言う。この場合の「責任を取る」という言葉の意味は、統括診断部の縮小を指しているのだろう。去年、鷹央が医療過誤で訴えられた際、各科の部長たちが集まってこの病院の方針を決める会議に、大鷲は統括診断部の縮小案を提出した。

大鷲は一歩、鷹央に近づく。距離が縮まった分、二人の間に充満している張り詰めた空気が濃縮されていった。

「それを避けたければ、鷹央、お前が一昨日うちの救急部であったことの真相を突き止めるんだ。おかしな『謎』があるから、マスコミは興味を持って近づいてくる。しかし、その現象が理論的に説明され、そこに『謎』が無くなれば、彼らはとたんに他の餌《えさ》を求めて散っていく」

今回の事件の真相を暴けなければ、『統括診断部』は縮小される。きっと、統括診断部の外来はなくなり、患者を入院させるための病床の枠も消滅するだろう。そうなれば、人員整理として僕は派遣元の大学病院へと戻るしかない。そして残された鷹央は担当患者を持つこともできず、他科からの依頼があったときに診断や治療にアドバイスをすることしかできなくなる。まさに飼い殺し状態だ。

たしかに室田をこの病院に搬送するように指示したのは鷹央だが、それは瀕死《ひんし》の重症患者を救おうとしたに過ぎない。その結果、あんなわけの分からないことが起こるなんて予想できるわけがない。いくらなんでも、そこまでの責任を求めるのは不条理だ。

僕が反論しようとすると、鷹央はどこか自虐的な含み笑いを漏らした。

「なんだよ、叔父貴。わざわざそんなことを言いにやって来たのか」

「なにがおかしい？」大鷲の眉間にしわが寄る。

「無駄な労力を使ったな。わざわざ警告する必要なんてないんだよ。もともと今回の事件を解決できなければ、統括診断部は崩壊する。わざわざお前が統括診断部の縮小案を部長会議に提出したりしなくてもな」

統括診断部が崩壊⁉　鷹央のセリフを聞いた僕は耳を疑う。すぐそばに立つ鴻ノ池も、驚きの表情を浮かべていた。

「……どういう意味だ」

大鷲が訝しげに訊ねると、鷹央は大きくかぶりを振った。

「叔父貴に細かく説明する必要なんてない。この事件を解決できなければ、お前の望み通り統括診断部は消え去る。それさえ分かっていれば十分だろ」

大鷲は思案顔で十数秒考え込んだあと、「ああ、それで十分だ」と頷いた。

「けれど、そううまくいくと思うなよ。私は絶対に真相を突き止めてやるからな」

鷹央が強い決意の籠《こも》った口調で言うと、大鷲は身を翻《ひるがえ》してこちらに向かってきた。

「そうなれば病院にマスコミが殺到することもない。悪くない結果だ」

大鷲が玄関に近づいてくる。僕と鴻ノ池が左右に分かれて道を開けると、大鷲は玄関から出ていった。扉が閉まった瞬間、僕と鴻ノ池は大きく息を吐く。

「ったく、意味のないことで時間を取らせやがって。小鳥、塩を撒《ま》いておけ。塩を」

苛立たしげに吐き捨てた鷹央は、倒れこむようにソファーに横たわる。

「そんなことより鷹央先生、事件が解決できなければ統括診断部が消滅するってどういうことなんですか？」

僕は慌てて〝本の樹〟の隙間を縫って鷹央に近づく。鴻ノ池も僕のあとについて来た。

「どういうことも、こういうこともない。文字通りの意味だ。どうして室田の体からいきなり炎が上がったのか、その原因を突き止めない限り、統括診断部はなくなる。叔父貴におかしな小細工される前にな」

「だから、なんでそうなるのか教えてください」

必死に訊ねると、鷹央はじっと僕の顔を凝視してきた。大きな瞳に自分の姿が映る。

「まだ分かんないのかよ。まったく、頭が空っぽっていうのは幸せだな」

「……頭が空っぽで悪かったですね」

さすがにカチンときたが、僕は怒りよりも不安をより強く感じていた。鷹央が毒を吐くのはいつものことだが、普段はもう少し冗談めかして言うことが多い。けれど、今日は焦りによる苛立ちが鷹央を毒舌にさせている気がした。

「成瀬だよ」鷹央は露骨に面倒くさそうに言う。

「成瀬刑事？　あの人がどうかしましたか？」

「なんであいつが今回の事件の捜査から外されていると思っているんだ」

捜査一課火災班の日野が訪ねてきたときも、そんなことを言っていたっけ。しかし、なぜ鷹央はそれほど成瀬にこだわるのか、僕には分からなかった。

僕が困惑していると、鷹央は大きく手を振る。

「そのことはどうでもいい。いま重要なのは、室田の件だ。なんであいつがいきなり燃え上がったのか。それを解明しないと大変なことになる」

鷹央が早口で言うと、鴻ノ池が僕を押しのけて前に出た。

「そうですよね。炎蔵とかいう陰陽師の件をマスコミに知られたら、大変なことになりますもんね」

一昨日の現場に、僕たちとともに居合わせたこともあって、鴻ノ池には炎蔵の件について軽く説明はしていた。

「それも別にどうでもいいんだ。一番良くない事態は、事件の原因が分からないまま時間だけが経つことだ。室田の発火が、誰かが意図的に起こしたものでも、なにかの偶然によって起こったものでも、『炎蔵の呪い』によるものでもいい。その原因さえはっきりすればな」

「待ってくださいよ。さすがに『呪い』が原因だっていうのはやばいでしょ」

僕が焦って声を上げる。もし室田の焼死が『呪い』によるものだとすると、次に黒焦げになるのは間違いなく炎蔵の遺体をメスで削った僕だ。

「本当に『呪い』が原因だとはっきりすれば、お祓《はら》いかなにか、それを解く方法を模索すればいいだろ」

「いや……、そういう問題じゃない気が……」

鷹央は一体なにをそんなに焦っているのだろうか？　事件の真相が分からないままになることで起こる、マスコミ殺到よりも避けるべき事態。それがよく分からなかった。

「ああ、もう！　情報が足りないんだよ。火災調査の結果も分からないし、室田や碇の周囲の人間関係の情報も不十分だ。情報さえあれば、きっと真相が見えてくるのに！」

鷹央が両手でわしゃわしゃと髪を掻き乱すと、鴻ノ池がおずおずと白衣のポケットから何かを取り出した。

「あの、鷹央先生。頼まれていたもの持ってきたんですけど……」

鷹央はがばっと顔を上げると、鴻ノ池が差し出したものをひっつかんだ。それはDVDのようだった。

「よくやった！」

鷹央はそれを持って部屋の奥に行き、そこの壁に取り付けられている（普段は映画鑑賞用に使っている）大型テレビの側面に差し込む。

DVDは滑らかに吸い込まれていき、画面に白黒の映像が映し出されはじめた。

「これって⁉」

僕が驚きの声を上げると、鷹央は振り返って笑顔で流し目をくれた。

「そうだ。事件当日の監視カメラの映像だ」

画面には斜め上方から撮影された救急部の映像が映し出されていた。画面の隅に、鷹央らしき後姿が映っている。

「なんでこれを？」僕は隣に立つ鴻ノ池を見る。

「昨日、鷹央先生に頼まれたんです。警察が映像のデータを持っていく前に、これをダビングしておいてくれって。監視カメラの映像は警備部が管理しているから、顔見知りの若い警備員に頼みました」

鴻ノ池は得意げに研修医用のユニフォームに包まれた胸を反らす。

「頼みましたって、お前。監視カメラの映像をダビングするなんて問題なんじゃ……。

しかも、こんな事件の映像を……」

「最初は渋っていましたけど、副院長である鷹央先生の名前を出して、今度その警備員が気になっているナースとの飲み会をセッティングするってことで交渉成立しました」

「お前、すごいな……」

鴻ノ池の顔の広さと交渉能力あってのことだろう。僕が感心と呆れがブレンドされた感情をいだいていると、鷹央が「来たぞ」と声を上げる。液晶画面を見ると、室田が乗せられているストレッチャーを僕と鴻ノ池が引いてくるところだった。室田の体が処置用のベッドに移される。

画像が白黒のうえ粗いので、細かいところまでは確認できないが、事件が起きる際の全体像が画面に映し出されていた。

僕と鴻ノ池、そしてナースたちが室田に対して処置をはじめる。見たところ、特に不審な点は見られなかった。すくなくとも、室田のシャツになにか発火装置のような機器が仕込まれているような様子はない。そのうち、ベッドわきに移動した僕が聴診をはじめた。室田の上半身が僕の体で死角になる。

「ああ、小鳥の頭が邪魔だ！　よく見えないじゃないか！」

鷹央が画面の中の僕を指さした。

「……すみません」

画面の中の僕は聴診を終えて、ベッドから一歩離れた。室田の体も見えるようになる。やはり画像が粗くてはっきりとはしないが、まだ明らかな異常は見えなかった。

これからだ。僕が目を凝らした瞬間、なんの変哲もなかった室田の胸元にいきなり炎が上がった。なにが起こるか知っていても、思わず目を疑ってしまう。鴻ノ池が「わっ⁉」と驚きの声を上げ、鷹央は口を真一文字に結んで映像を凝視している。

炎が這うように室田の体を広がっていき、やがて酸素という餌をえて一気に巨大化する。ベッドを中心に炎の柱が出現した。光量が上がったせいか、画面全体が白っぽく発光し、さらに画質が悪化する。炎の中に、室田が四肢をばたつかせてもがいているのがかすかに見て取れた。そして、映像が途切れる。

ブラックアウトした画面を眺めながら、僕たちは無言のまま立ち尽くした。実際に目の前で炎が上がったときは、ただ混乱していたが、こうしてあらためて事件を目の当たりにすると、その異常性と禍々《まがまが》しさが心を冒していく。

「……ここまでの映像しかありませんでした。すみません」

重苦しい空気に耐えかねたかのように鴻ノ池が言うと、鷹央は首を振った。

「いや、十分だ。この映像のおかげで、一昨日は見えていなかった炎が上がる瞬間を確認することができた。いろいろと分かったよ」

「なにか手がかりがあったんですか？」

僕が勢い込んで訊ねると、鷹央は左手の人差し指を立てた。

「炎はダウンジャケットからではなく、シャツに包まれた室田の胸部から上がっている。それにより自動発火装置のような機器を仕掛けたという可能性は低くなった」

「そうですね。画像は粗いけど、さすがにシャツの下に機械が入っているような膨らみがないことぐらいは分かりますからね」

僕が頷くと、鴻ノ池があごに手を当てる。

「体から直接、炎が上がったような感じでしたよね。なんというか……人体が自然に発火したよう……」

「あのなあ、鴻ノ池。そんなことあるわけないだろ」

「そんなことないぞ」鷹央が僕の顔を覗き込んでくる。「火の気がないにもかかわらず人の体から炎が上がる、一般的に『人体自然発火現象』と呼ばれる事例は、世界でいくつか報告されている」

「……人体自然発火現象？」

僕がその言葉を繰り返すと、鷹央は早口で喋りはじめる。

「そうだ。初めて報告された人体自然発火現象と言われているのは一七三一年にコーネリア・バンディ伯爵《はくしゃく》夫人が膝《ひざ》から下だけを残して、炭化した状態で見つかった事件だ。その後も、遺体だけが激しく燃え、その周囲にはほとんど火の形跡がない、すなわち人体から炎が上がったとしか思えない事例がいくつも報告されている。特徴としては、犠牲者の足先が残ることが多く、そして悪臭を放つ脂《あぶら》まみれの灰があとに残されることだな。二〇一〇年にアイルランドでマイケル・フェアティという男性が焼死体で見つかった事件では、周囲に焼けた痕跡《こんせき》が全く見つからず、検視官が正式に人体自然発火現象により死亡したと結論付けているぐらいだ。さらに……」

「鷹央先生、分かりました。分かりましたからそれくらいで」

僕は鷹央の解説を途中で遮る。そうしないと、このまま数時間は『人体自然発火現象』について、ありとあらゆる情報を浴びせかけられる羽目になりかねない。

気持ちよく知識を垂れ流していた鷹央は、「なんだよ」と不満げに僕を睨んできた。

「いまは時間がないんでしょ。で、その『人体自然発火現象』ですけど、原因は不明なんですか？　なにか科学的に説明がつくことなら、今回の室田さんのケースも解決できるかもしれないじゃないですか」

「いくつか仮説はある」鷹央は頬を膨らませながらも喋りはじめる。「一番有力なのは、アルコール発火説だな。被害者の多くに大量飲酒が認められていることから、体内に入った高濃度のアルコールが何らかのきっかけで発火したというものだ。あとはプラズマ説やら人体蠟化《ろうか》説なども挙げられているな。他には……」

「その中で、今回の件にあてはまりそうな仮説はないんですか？」

また鷹央が知識の垂れ流しをはじめそうだったので、僕は慌てて訊ねる。

「無茶言うな。私が情報として持っているのはいま見た映像だけだ。火災調査の結果を見て、現場に残った化学物質などを知ることができたら、もしかしたら当てはまりそうな仮説を見つけることができるかもしれないが、いまの時点では無理だ」

「ですよね」

僕は肩を落とすと、鴻ノ池が小さく手を上げた。

「あの、やっぱり自動発火装置が仕掛けられていた可能性はないですか？」

「なに言っているんだよ。最初に炎が上がった室田さんの胸元は平らだっただろ。シャツの下にそんなもの仕込まれていなかったよ」

「違います違います。私が言いたいのはシャツの下じゃなくて、体内です」

「体内⁉」予想外のセリフに、声が高くなる。

「炎は明らかに胸から上がっています。それなら、胸の中になにか仕掛けられていたんじゃないかなと思ったんです」

「胸の中って……、外観から分からないということは胸郭内ってことになるぞ」

人間の胸部は、肋骨《ろっこつ》により形作られた強固な胸郭が、心臓や肺などの重要な臓器を守る構造になっている。

「たしかに難しいですけど、不可能ではないと思うんですよ。開胸手術をすれば、小さな機器なら埋め込めるでしょ」

「本人に気づかれずに開胸手術なんてできるわけないだろ」

「でも、室田さんを処置しているとき、私見ましたよ。開胸術の手術痕があったの」

「ああ、そういえば、数年前に受けたっていう弁膜症の手術痕があったな」

　僕は記憶をたどっていく。

「だから、そのときにこっそり発火装置を仕込んでいたんですよ。それが一昨日、遠隔操作かなにかで作動したのかも」

「ちょっと落ち着けって。開胸手術っていうのは普通、十人近い医療スタッフで行うもんだぞ。その中で気づかれずにそんな装置を埋め込めるわけないだろ。万が一そんなことができたとしても、術後に定期的にレントゲンやエコーをはじめとした画像検査が行われる。おかしな装置なんか胸郭内に仕込まれていたら、そこで気づくだろ」

「分かりませんよ。術後の検査をすっぽかす人もいるし、もしかしたらX線には映らない材料で作られた装置だったのかも。可能性はありますよね、鷹央先生」

　鴻ノ池は黙って僕たちのやり取りを聞いていた鷹央に話を振る。

「そうだな……」鷹央はあご先を撫でる。「難しいのは間違いないが、絶対に出来ないとも言い切れないな。少なくとも、何らかの方法で体内に発火装置が仕込まれていたという説は検討する必要があるな」

鴻ノ池は得意げに僕に視線を送ってくる。勝ち誇ったようなその表情にイラッとしていると、鷹央が大きくかぶりを振った。

「炎が体内から上がったのか、それとも体外で発火したのか、火災調査で調べ上げられているはずだ。警察はその情報を持っている。やっぱり、まずは情報収集が必要だ」

「でも、あの日野っていう刑事から話を聞き出すのは難しいと思いますよ」

態度こそ慇懃だが、あの男がこちらと協力する気は微塵《みじん》もないのは明らかだ。

鷹央は難しい表情を浮かべて十数秒黙り込んだあと、口を開いた。

「……警察の方はなんとかなる。あとは、室田と碇の交友関係だな。加賀谷っていう助手からは話をもう聞いたし、室田春香はまだ詳しい話ができる状態じゃないし……」

言葉を切った鷹央が意味ありげな視線を向けてくる。

「な、なんですか？」悪い予感に僕は一歩後ずさった。

「お前、倉本葵に今度飲みに行こうって誘われたんだよな」

「なんでそのことを⁉」

僕は目を見張る。まさか、先日の会話を聞かれていたのか？　けれど、あのとき僕と葵は、屋上の端で会話をしていた。いくら聴覚が鋭いとはいえ、〝家〟の中にいた鷹央に聞こえるわけが……。

そこまで考えたところで、あのとき、もう一人の人物がいたことを思い出し、僕は横を見る。そこでは密告者こと、鴻ノ池舞が小さく舌を出していた。

「お前、いつもいつも人のプライベートをべらべらと喋りやがって！」

僕が捕まえようと伸ばした手をさっと払うと、鴻ノ池はすり足で素早く距離を取った。明らかに武道の心得のある動き。

そういえば、こいつ合気道を習っていたとか言っていたっけ。

「当然じゃないですか、小鳥先生が浮気しようとしているんですから！」

鴻ノ池は両手を胸の前で構えて、警戒しながら言う。

「なんで浮気になるんだ！　僕はフリーだ！」

僕が半歩間合いを詰めると、鴻ノ池も同じだけ後ずさる。

「いつまでそんなこと言っているんですか。そろそろ諦《あきら》めて、正式にくっついちゃってくださいよ。お二人は絶対理想のパートナーになりますって。恋のキューピッドであるこの鴻ノ池舞ちゃんが言っているんですから間違いないです」

「なにがキューピッドだ。おかしな噂を病院中に広めたり、ありとあらゆる手段を使って僕の恋愛を邪魔してきた悪魔のくせに」

僕が再び手を伸ばす。鴻ノ池は構えていた手を滑らかに回旋させて、搦《から》めとるようにして僕の手を摑むと、もう一方の手を肘に当てる。肘関節が軽く極《き》まり、僕は前のめりになった。

強引に手を引きぬいた僕は、後ろに飛びすさる。鴻ノ池はすぐに、僕が後退した分だけ間合いを詰めてきた。

油断していたとはいえ、これだけの体格差があるのに関節を極めて倒されかけた。『心得がある』とかいうレベルじゃない。ちょっとした達人の域だ。

そういえばこの前、逃げようとしていた女詐欺師《さぎし》をいとも簡単に捕まえていたっけ。

僕が頰を引きつらせていると、鴻ノ池は小悪魔的な笑みを浮かべて顔を突き出す。

「心外ですね。すぐ近くにいる理想の相手に目を向けさせるために、私は涙を吞んで行動していたのに」

「その割には、僕が失恋するといつも楽しそうだったな」

僕が数センチ間合いを詰め、鴻ノ池が同じだけ後ろに下がる。

「まあ、それはそれ、これはこれということで」

高レベルな間合いのやりとりと、低レベルな会話の応酬は、鷹央によって破られた。

間合いの中に割って入った鷹央は、僕と鴻ノ池を順番に睨む。

「うるさい！　なにわけの分からないことを言っているんだ」

叱《しか》られた僕たちは首をすくめ、「すみません」と声をそろえた。

「ったく、いまはそんな場合じゃないっていうのに。おい、小鳥」

声をかけられた僕は「はい」と背筋を伸ばす。

「できるだけ早く、葵と飲みに行け」

「はぁ？」

僕と鴻ノ池の声が、再び重なった。

「だから、あの女と二人で飲みに行って、話を聞いてこい。碇が死んだあとの教室の様子とか、炎蔵の墓の件とかをあらためて詳しくな。室田が死んだこともきっと耳に入っているだろうから、その辺りのことについても情報を搾り取ってこい」

「ダメですよ！」

僕が答える前に、鴻ノ池が声を上げた。鷹央は「何がだ？」と首を傾ける。

「この前、小鳥先生とあの女の人、なんかやけにいい雰囲気で話していたんですよ。しかもあの人、小鳥先生のタイプにどストライクだし。そんな人と二人っきりで飲みにいかせたりしたら、なにが起こるか分かったもんじゃありませんよ！」

「具体的にはどんなことが起こり得るって言うんだ？」

行間を理解することが苦手な鷹央に訝しげに問われ、鴻ノ池の顔に動揺が浮かんだ。

「えっとですね、その、なんといいますか。そのまま大人の関係といいますか……、男女の関係といいますか……」

「小鳥も葵も二十歳を過ぎているから、法律上はれっきとした大人の男女だ。その二人の関係性は、当然『大人の男女の関係』なんじゃないか？」

本気で意味が分かっていない鷹央は小首をかしげる。

「ですから、食事をしたあと小鳥先生とあの女の人が、性行為をするかもしれないって言っているんです！」

なかばやけになった鴻ノ池が、頬をかすかに赤らめながら声を張り上げる。

「ああ、なるほど。そういうことか」鷹央は胸の前で両手を合わせる。

「そういうことかって、鷹央先生はそうなってもかまわないんですか⁉」

鴻ノ池が甲高い声を上げると、鷹央は手をひらひらと振った。

「大丈夫だ、そんなことにはならないから」

「それって、小鳥先生にホテルに連れ込んだりするような勇気がないってことですか。たしかに、いつもの小鳥先生を見たらそう思うかもしれませんけど、どんな大人しそうな男性も、羊の皮を脱いだらオオカミになるんですよ。それに、もしあの女の人の方から誘惑してきたらどうするんですか？　いくら優柔不断な小鳥先生でも、きっと尻尾《しっぽ》を振ってついて行っちゃいますよ」

なんか、ありとあらゆる点で失礼なことを言われている気がするんだが……。

僕が顔をしかめていると、鷹央は「心配するなって」と鴻ノ池の肩を叩いた。

やっぱり僕は女性を誘うこともできない男だと思われているのだろうか？　それとも、誘っても相手がこたえてくれる魅力がないと？　または、別に僕と葵がどうなろうが、そんなことに関心がないのか……？

もやもやとした気持ちが胸に広がっていく。

鴻ノ池が唇を尖らせながらも黙ったのを見て、鷹央は僕に向き直った。

「というわけで、さっさと葵を食事に誘うんだ。できるだけ早くな」

「……分かりましたよ」

口から乾燥した声が零れた。

8

「乾杯」

シャンパングラスがぶつかり風鈴が鳴るような、心地よい音を立てる。

翌日、金曜日の午後八時過ぎ、僕は葵と西麻布《にしあざぶ》にある小洒落《こじゃれ》たダイニングバーにいた。U字型のシートになっている席の入り口には薄いカーテンが降りて、半個室になっている。ほどよく暗い照明とかすかなジャズの音が、ロマンチックな雰囲気を醸《かも》し出していた。

昨日、鷹央に指示された僕は（まだぶつぶつ言っている鴻ノ池を無視して）、スマートフォンのメッセージアプリで葵を食事に誘った。するとすぐに『明日の夜なら空いてるけど、どうかな？』というメッセージが返ってきた、そうして僕は、今夜この店で食事をする約束を取り付けたのだった。

金曜の今日は、一日救急部での勤務に当たっていたのだが、夜から久しぶりのデートで、しかも相手は目の覚めるような美人ということで、勤務中もどうにも落ち着かなかった。ただ、先日の火事の影響で救急部は軽症患者しか受け入れておらず、その状態でも仕事に支障をきたすことはなかった。午後六時に救急部での勤務を終えた僕は、屋上にある自分のデスクが置かれた小さなプレハブ小屋で私服に着替えて病院を出た。朝から鷹央と顔を合わせてはいなかったが、帰り際に〝家〟に寄って挨拶をすることもしなかった。

今日はアルコールが入る予定だったので、愛車のRX－8は病院の駐車場に置いたままにして、電車で六本木《ろっぽんぎ》に向かい。六本木ヒルズにある巨大な蜘蛛《くも》のオブジェの下で葵と待ち合わせて、この店へとやって来ていた。

「けれど、今日誘ってもらえるとは思わなかったな」

シャンパンを美味《おい》しそうに飲んだ葵は、グラスを口元に掲げたまま艶っぽく微笑む。

「え、何でですか？」

「だって、いろいろと大変なんじゃない。室田先生の件とか」

「……やっぱり知っていたんですね」

緩んでいた頬の筋肉が元の硬度を取り戻す。

「そりゃそうよ。狭い世界だもん。というか私には直接、パニック状態の加賀谷君から連絡があったの」

葵はシャンパングラスをテーブルに戻すと、警戒するようにあたりを見回す。

「室田先生は小鳥遊君たちが勤めている病院で亡くなったって。しかも、……いきなり体から炎が上がって焼死した。それって本当なの？」

「ええ、本当です。僕は目の前で見ていました」

声をひそめて答えると、葵は痛みに耐えるような表情を浮かべる。

「そうなんだ……。加賀谷君から話を聞いても信じられなかった。ニュースでも、火事で患者が死んだとしか出ていないし」

「葵さんのところには刑事が来たりしていないんですか？」

「実は、明日刑事が話を聞きにくるみたい。碇先生の通夜での火事について聞かれるだけかと思っていたけど、もしかしたら炎蔵についても聞かれるのかもね」

おそらくはそうだろう。室田の件を調べれば、すぐに共同研究者である碇の遺体が燃やされた件と、准教授の内村という男が焼死した件にたどり着くはずだ。そして、加賀谷にでも話を聞けば、炎蔵の墓を調べたという三人の共通点にたどり着く。

葵はグラスに残っているシャンパンを一気に飲み干した。

「室田先生の体が急に燃え上がったって、火が付くような仕掛けがされていたの？」

「分かりません。僕は炎が上がる直前に室田さんを診察しましたけど、明らかにそうとわかる装置は見つかりませんでした」

「そっかぁ……」

葵は物憂《ものう》げにつぶやくと、近くを通ったウェイターに白ワインのボトルを頼んだ。

「なんか、今日は飲みたい気分なんだ。小鳥遊君、付き合ってくれるよね」

「ええ、もちろん」

ウェイターはすぐにボトルを持ってくると、葵の前に置いたグラスに透明なワインを少量注ぐ。葵は慣れた様子でテイスティングをした。

前菜のカルパッチョが運ばれてきて、やや辛口の白ワインとともに、何気ない会話を交わしながらそれを味わっていると、葵が思い出したように話題を戻した。

「碇先生の遺体が燃えたあと、話を聞きに来た刑事たちの言葉の端々から、棺に発火装置が仕掛けられていたことが臭《にお》っていたんだよね。『棺に近づいたとき、時計のような音が聞こえてこなかったか？』とか『ガソリンの匂いはしなかったか？』とかさ。

つまり、通夜での火事は、誰かがそういう装置をしかけた痕跡があったんだと思う」

それは鷹央も言っていたな。先日、成瀬が訪ねてきたときのやり取りを思い出しながら僕は頷く。

「だから、私てっきり室田先生の事件でも、なにか機械的な仕掛けが見つかっているんだと思っていたんだ。けれど、違ったのか……」

「いや、違ったとは言いきれませんよ。しっかり調べたら、なにか見つかるかも」

「だといいけど」葵はワイングラスを手に取る。「そうじゃないと、本当に『炎蔵の呪い』で燃え上がったってことになるからさ。もし本当に『呪い』なら、次に死ぬのはきっと私よね。最初に炎蔵の墓に入った四人のうち、もう三人が死んでるんだから」

「そんな……、『呪い』なんてあるわけないですよ」

僕が言うと、葵はグラスをくいっと傾け、喉《のど》を鳴らしてワインを飲んだ。

「私もそんな非科学的なもの信じていなかった。平安時代、炎蔵が実際にたくさんの人を呪詛《じゅそ》で殺していたという記録も、簡単に説明がつくと思っていたしね」

「説明？　人を呪い殺していたことにですか？」

僕は空になった葵のグラスにワインを注ぎながら、目をしばたたかせる。

「単純なからくりよ。炎蔵にはきっと部下がいたの。どんなことでもやる部下がね。

そいつらは、炎蔵が呪詛をかけた相手の家にいって火を放っていた。あの時代だから、放火かどうかの詳しい調査なんてできないからね。かくして、炎蔵は呪詛師としての名声を上げていき、権力者たちに取り入っていったのでした」

葵は芝居じみた口調で言うと、グラスを回す。ワインが間接照明の光を乱反射した。

「なるほど、ありそうな話ですね」

「室田先生が持っていた古文書の中に、そういうことを仄《ほの》めかす記載があったのよね。そのときは時間がなくて、しっかり解読できなかったけど、早いうちにもう一度そこを読ませてもらわないと。誰かの手に渡る前に」

「誰かの手に渡る？　娘の春香さんが相続するんじゃないんですか？」

僕が訊ねると、葵の表情が渋くなる。

「春香さんは相続放棄するんじゃないかな。室田先生には、財産以上に借金がたくさんあったから」

「借金？」はじめて聞く話に、僕は目を見開く。

「そう、私も碇先生からちょっと聞いただけだけど、室田さんは最近投資に失敗してかなりの借金を抱えたんだって。持っていた土地を切り売りしたりしていたみたい。たしか、いま住んでいる家と土地も抵当に入っていたはず」

「じゃあ、春香さんにはなにも残らないってことですか？」

「ええ、多分」

父親を亡くしたうえ、生家も他人の手に渡ってしまう。踏んだり蹴ったりだ。燃え上がる父親に向かって手を伸ばしていた春香の姿を思い出し、胸に痛みが走る。

「もし可能なら、室田さんの古文書だけでも大学の経費で購入できないかな。うまく、春香さんにお金が残るようにして。そうすれば、炎蔵の研究もしやすくなるだろうし」

葵はワイングラスを片手に考え込んだ。

「まだ炎蔵の研究をするんですか？」

「もちろん。唯一生き残っている私が発表しなきゃ、碇先生たちは無駄死にになっちゃうじゃない。意地でもちゃんと論文を書くよ。……私が呪い殺される前にね」

自虐的につぶやく葵の横顔を、僕は見つめる。

「室田さんの研究室は、もしかしたら無くなるかもしれないってききましたけど、葵さんの研究室は大丈夫なんですか？」

「ああ、うちは一応大丈夫かな。それなりに伝統があるからね。まあ、いつまでも教授不在ってわけにはいかないから、そのうち教授選があるだろうけど」

「葵さんもその選挙に？」

「どうだろ。まだそんな先のことまで分からないな。私もいつ、『炎蔵の呪い』で焼け死ぬか分からないんだからさ。まあ、当面の目標は論文の発表かな」

「けれど、『炎蔵の呪い』は、部下による放火だったんでしょ」

僕はちびちびとワインを飲みながら訊ねる。葵は天井あたりに視線を彷徨わせた。

「そうだと思っていたんだけど、室田先生の亡くなり方を聞いて分からなくなっちゃったんだよね。理性は『呪いなんてあるわけない』って言っているんだけど、感情がどうしても怯えちゃう。だって、いきなり人の体が燃え上がるなんて普通じゃないでしょ」

たしかにあれは普通じゃなかった。脳裏に、炎の柱の中で焼けていく室田の姿がフラッシュバックする。

僕が口元に力を込めていると、ウェイターが頼んでいた料理を数種類運んできた。葵はワインボトルをもつと、僕のグラスになみなみとワインを注いでいく。

「だから、小鳥遊君に誘われたときは嬉しかった。一人で家に籠っていると、悪い想像ばっかりしちゃうからね。ということで、暗い話はこれくらいにして楽しく飲もうよ」

葵はグラスに口をつけると、悪戯っぽい流し目をくれる。

「そうですね」

僕は微笑んでグラスを傾けた。口の中に葡萄《ぶどう》の芳醇《ほうじゅん》な香りが広がった。

「けれど、小鳥遊って苗字、珍しいよね。最初聞いたときは、『高い』に『果物の梨』の『高梨』だと思っちゃった」

「そっちの方が普通ですよね。僕のマンションにも、そっちの『高梨さん』がいるんですけど、あちらはたぶん、僕のことを『たかなし』だって思っていませんよ」

「普通に考えたら、絶対『たかなし』なんて読めないもんね」

事件についての話題を封印した僕と葵は、たわいもない会話を交わしつつ、次々に運ばれてくる料理に舌鼓《したつづみ》を打ち、杯を重ねていった。二本目に頼んだ赤ワインのボトルも、残りわずかになっている。

脳にこびりついている恐ろしい記憶をアルコールが一時的に消してくれ、久しぶりのデートを楽しむことができていた。僕はチーズをつまみに赤ワインを舐めている葵を見る。僕の視線に気づいた葵は、悪戯っぽく微笑むと顔を近づけてきた。

「ねえ、そろそろ、本当のこと教えてよ」

やや呂律が怪しい葵の頬は桜色に染まっていて、普段以上の色気を醸し出している。

「え、本当のこと？」

「またぁ、分かっているくせに。鷹央ちゃんとのことよ」

「……鷹央先生がなにか？」せっかくの酔いが少し醒《さ》めた気がした。

「だからさ、二人はどういう関係なの？　やっぱり恋人同士なんじゃないの？」

「違いますって。全然そういうのじゃありません」

僕は手を振る。最近、あまりにもこの手のことを訊ねられているので、辟易《へきえき》していた。

「そう、じゃあどんな関係なの？」

「どんなって、たんなる上司と部下ですよ」

「たんなる上司と部下ぁ？」葵は体を傾けると、顔を下から覗き込んできた。

「そうですよ。まあ、仕事以外でもあの人には色々と振り回されていますけどね。いつも、おかしな事件に首を突っ込んでは、僕を巻き込むんです。そのせいで危険な目にも遭ってきたんです。本当にいい加減にしてほしいですよ」

「それでも、鷹央ちゃんが事件にかかわったときは、ちゃんと一緒について行くんでしょ。この前、私と一緒に炎蔵の墓に入ったときみたいにさ」

「しかたがないんですよ。あの人、放っておけないですから」

「なんで放っておけないの？」

葵はアルコールで蕩《とろ》けている目を細める。虚を突かれ、僕は「え？」と声を漏らした。

「だってさ、たんなる仕事上の関係なら、病院外で鷹央ちゃんがなにしようが関係ないはずじゃない。上司のプライベートにつき合わされて、しかも危険な目に遭ってい るっていったら、普通ならパワハラに当たるんじゃない」

正論をぶつけられ僕は言葉に詰まる。

「けれど、パワハラになるのは相手が本気で嫌がっている場合だけよね。私が見たところ小鳥遊君は鷹央ちゃんに振り回されるのを嫌がってはいない。まあ、危険なことをしないで欲しいとは思っているみたいだけどね」

「それは……」僕は自分の胸の内を探っていく。「たしかに鷹央先生といろいろな調査をするのは嫌じゃありませんよ。突飛な行動についていけないときも多いですけど」

「その突飛な行動が鷹央ちゃんの魅力なんじゃないの。私が見たところ、小鳥遊君は鷹央ちゃんに振り回されて困惑しながらも、心の底ではそれを楽しんでいる気がしたな」

「楽しんでいる、ですか？」

これまで鷹央とともに解決してきた事件が、次々に頭をよぎっていく。たしかにその記憶は負の感情を伴ってはおらず、どちらかというと明るい煌《きら》めきをはらんでいた。

「一緒に炎蔵の墓で『冒険』したときから感じていたのよね、二人の『絆』に」

僕は「絆……」とつぶやくと、グラスに残っていた赤ワインを口に含む。

あの人と僕との絆か……。これまでいくつもの事件を解決していくなかで、何度か死線すら越えてきた。彼女に命を助けられたこともあるし、僕が彼女を助けたこともあった。そんな経験をすれば『絆』が生まれるのも当然だ。ただ、これまでそれを意識したことはほとんどなかった。

「ねえ、小鳥遊君。君さ、鷹央ちゃんのこと好きでしょ」

不意打ちに、食道を落ちていた赤ワインが気管に吸い込まれる。僕は体を折って激しくむせ返った。葵が「大丈夫？」と背中をさすってくれる。

「いきなり何を言い出すんですか⁉」

咳《せき》がおさまった僕が言うと、葵は形のいいあごに指を添えた。

「だって、あの病院の屋上にある鷹央ちゃんの〝家〟にお邪魔したとき、小鳥遊君すごくリラックスしているように見えたよ。よくあそこで鷹央ちゃんと二人で過ごしているんでしょ」

「あそこは統括診断部の医局も兼ねているんです。統括診断部には鷹央先生と僕しか所属していないから、しかたがないんですよ」

「けど、鷹央ちゃんと二人っきりでも嫌じゃないでしょ。居心地いいんじゃない？」

葵と視線が合う。心の底まで見透かしそうなその眼差し。

「……まあ、別に嫌じゃないですよ」

あの人が不機嫌なときは別だけど。僕は心の中で付け足す。

「嫌いな相手と二人っきりで同じ空間にいるのって、普通は苦痛なのよ。そう感じていないってことは、小鳥遊君は鷹央ちゃんのことが好きなの。逆に、きっと鷹央ちゃんも小鳥遊君のことが好き。問題が、その『好き』の種類ね」

「種類？」

「そう、仕事仲間として『好き』なのか、友人として『好き』なのか、家族みたいな『好き』なのか、それとも……異性としての『好き』なのか」

挑発的に言うと、葵は僕の頰に指を添わせた。

「僕は……」アルコールと葵の色気に酔った脳の中で思考が絡み合う。

「異性としてじゃなかったら、私が二人の間に割り込んでもかまわないのかな？」

「え、それって……」

僕が呆然とつぶやくと、葵はボトルに残っていた中身を、お互いのグラスに注いだ。

「ああ、そういえばちゃんと確認していなかったけど、小鳥遊君にも鷹央ちゃんにも、お互い以外の恋人はいないのよね？」

「お互い以外のっていうのが気になりますけど、いないですよ。そういう葵さんはどうなんですか？」

話題が微妙にずれたことに何故か安堵《あんど》した僕は、元の話に戻らないように質問をする。それに、葵の恋人の有無には、純粋に興味があった。

「いないいない、私の業界なんて全然出会いがないもん。タイプの相手が周りにいないんだよね」

葵は顔の前でパタパタと手を振る。

「どういう人がタイプなんですか？」

酔いのせいか、普段ならためらうような問いも自然と口をついた。

「そうねえ……、しいて言うなら可愛いタイプかな。つい守って甘やかしたくなっちゃうような」

テンションが少し落ちる。どう考えても僕は『可愛いタイプ』ではない。

「葵さんに甘やかされたら、相手はみんなダメ男になっちゃうんじゃないですか」

「そんなことないよ。少なくとも、ダメ男にはならなかったかな。そういう小鳥遊君の好みは、どんなタイプなの？」

「それは……」

ここは「葵さんみたいな女性です」と言ってもいい場面だろうか。想像以上にいい雰囲気になっている。男なら、ここはガツンといくべきじゃないか。

僕が口を開きかけたとき、入り口のカーテンを開けてウェイターが入ってきた。

「失礼ですが、間もなく閉店の時間となっております。お帰りの用意をお願いできますでしょうか」

「あれ？　もうそんな時間？」葵が腕時計に視線を落とす。「ああ、もうすぐ十一時半か。楽しかったから、時間が経つのが早かったね。それじゃあ、そろそろ帰ろうか？」

「……そうですね」

せっかくのチャンスをふいにされた僕は、恨みのこもった視線をウェイターに向けながら、財布を取り出したのだった。

「ごめんね、奢《おご》らせちゃって。今度飲みに行くときは、私に出させてね」

ややふらついた足取りで街灯に照らされた道を歩きながら、葵は上機嫌で言う。

「ええ、ぜひ」

口説くチャンスは逃してしまったが、また飲みに行く約束が出来ただけでもよしとするか。少し火照《ほて》った顔を夜風で冷ましながら、僕は微笑んだ。

「ところで、葵さんはここからどうやって帰るんですか？」

「もう遅いから、ここでタクシーを捕まえようかな。……帰るならね」

「え？　どういうことですか？」

僕が聞き返すと、葵は薄く紅を差した唇に妖艶《ようえん》な笑みを湛《たた》えた。

「私、このまま帰っちゃってもいいの？」

いくら最近は色事から縁遠くなっていたとはいえ、その言葉の意味が理解できないほど鈍感ではなかった。

「帰りたく……ないんですか？」

情けないことに声が震えてしまう。

「うーん、本当は帰って論文をまとめなくちゃいけないんだけどね。けれど、こんなに酔っちゃったら無理そう。だから、どうしようかなと思って」

「どこかで、ちょっと酔いを醒ましたいとか？」

「それもいいかな。久しぶりにこんなに飲んだから、自分でも決められないんだよね。だから、タクシーが来る前に小鳥遊君が決めてくれるなら、ついて行ってもいいよ」

葵は足を止めると僕に向き直る。真ん中で僕たちは至近距離で見つめ合った。激しく鼓動する心臓の音が耳にまで響いてくる。熱い血液が全身を駆け巡り体温が上昇していく。官能的で美しい葵の表情と、彼女からかすかに漂ってくる薔薇《ばら》の香りに眩暈《めまい》すらしてきた。

このどこまでも魅力的な女性を抱きしめよう。そして、二人で熱い夜を過ごすんだ。

男としての本能に駆り立てられた僕は、葵に向かって手を伸ばす。彼女に触れる寸前、手が止まった。

なぜか、鷹央の顔が頭に浮かんだ。僕は首を振ってそのイメージを消そうとするが、それは消えるどころかますます鮮明になっていく。昨日の〝家〟での記憶が蘇る。ギャーギャーと騒ぐ鴻ノ池に「大丈夫だ」と鷹央が言っている記憶が。

ああ……、そうか。

興奮が一気に凪《な》いでいく。ゆっくりと手を引く僕を、葵は微笑を浮かべたまま見つめていた。そのとき、強い光が僕たちを照らす。見ると、タクシーのヘッドライトが近づいてきていた。

「残念、時間切れみたい」

おどけた口調で言うと、葵は手を挙げる。タクシーが停車し、後部座席の扉が開いた。

「じゃあね、小鳥遊君。また会いましょ。事件についてなにか分かったら連絡してね」

手を振りながらタクシーに乗り込む葵に、僕は「ええ、また」と微笑んだ。後部扉が閉まり、タクシーが発車する。そのテールランプを見送った僕は、アルコール臭いため息を吐いて空を仰いだ。

上手《うま》くいかないもんだな。少し散歩でもして、酔いを醒ましてから帰るとするか。

僕はなんとなく近くの路地へと入っていった。はっきりした目的地もないままに歩いていたので、どんどんと道が狭くなっていく。二、三十分も経つと、自分がどこにいるのかまったく分からなくなった。辺りには閑静な住宅街が広がっている。深夜だけあって、ほとんど人の気配はない。

まあ、そのうち大通りに出るだろう。そこでタクシーを拾えばいいか。そんなことを考えていた僕は、ふと背後から足音が聞こえてくることに気づいた。

最初はべつに気にすることなく歩き続けていたが、何度道を曲がっても、その足音は同じ大きさでついてくる。

尾行されている？　僕は振り返ることなく眉根を寄せる。すぐに、背後にいる人物が誰なのか気づいた。

あいつ、そこまでするのかよ。頭痛をおぼえ、こめかみを押さえた僕は一度舌を鳴らすと、地面を蹴って走り出した。一瞬の間を置いて、足音も追ってくる。

数十メートル走った僕は、狭い路地へと飛び込むと、そこで足を止めた。足音が近づいて来るのを、僕は息をひそめながら待った。次の瞬間、人影が路地に飛び込んできた。僕はその人物の手首を摑む。

「つかまえたぞ、鴻ノ池！　まさか尾行までするなんて……」

そこまで言ったところで、僕は言葉を吞み込む。予想に反して、僕が捕まえたのは体格の良い男だった。

「あっ、すみません」

自分の勘違いに気づき、僕は慌てて手を放す。てっきり、葵と僕がうまくいくことを心配した鴻ノ池が、尾行してきているのだと思っていた。

「……あれ？」

目の前の男に見覚えがあることに気づき、声が漏れる。たしかこの人は……。

「もしかして、前川さん？」

男は無言で目を伏せる。間違いない。この前、捜査一課火災班の日野とともに話を聞きに来た、前川という名の刑事だ。

「なんであなたが……？」

つぶやくと、前川は身を翻して走り去っていった。僕は呆然とその背中を見送る。

「なんだったんだ、いまの？」

立ち尽くす僕の腰からジャズが響く。スマートフォンを取り出すと、さらに混乱が深くなる。液晶画面には『鴻ノ池舞』と表示されていた。

なんでこのタイミングで鴻ノ池が電話を？　やっぱり、いまの尾行には鴻ノ池が一枚嚙んでいるのか？　混乱したまま僕は『通話』のアイコンに触れる。

『小鳥先生、大変です！』

天敵の叫び声が、酔いが回った頭にガンガン響く。

「落ち着けよ。何なんだよ、こんな時間に。まさか、お前が刑事を使って僕を尾行させていたのか？」

『はぁ？　なんの話ですか？』

訝しげな声が返ってくる。しらを切っている様子でもなさそうだ。

「いや、こっちの話だよ。それでなんの用だ。葵さんとのことを探るつもりか？　それなら安心しろよ。もう解散して、いま家に帰るところだから」

『あっ、そうなんだ。やっぱりフラれたんですね。どうもご愁傷様です』

「うるさい！　べつにフラれてない！　用がないなら切るぞ」

『あっ、用ならあります。本当に大変なんですよ！』

早口になった鴻ノ池の口調に、本物の焦《あせ》りが滲んでいた。

「なにがあったんだ？」不安に駆られた僕は、両手でスマートフォンを握りしめた。

『私、病院の裏の寮に住んでいるじゃないですか。それで、さっき外が大騒ぎになっているから部屋を出たんです。そうしたら、病院で火事が……』

「火事⁉」

声が裏返る。頭を『炎蔵の呪い』という言葉がかすめた。いま病院にいて、『炎蔵の呪い』を受ける可能性のある人物といえば。

……鷹央先生。全身から血の気が引いていく。

「どこで火事があったんだ⁉　まだ燃えているのか⁉　被害は⁉」

息を乱しながら僕は叫ぶ。

『火はもう消防隊に消し止められています。ただ、被害は……』

鴻ノ池は言葉を濁す。不安で息が詰まり、僕はなにも言えないまま胸を押さえた。

『えっとですね、小鳥先生。気をしっかり持ってくださいね。残念なことに、先生の相棒が見るも無残に焼け焦げたというか……、お亡くなりになったというか……』

足元が消えた気がした。全身の筋肉から力が抜けていく。気づくと僕は地面に膝をつき、こうべを垂れていた。

思考がまとまらない。絶望の毒が血液に溶け込んで、全身の細胞を腐らせはじめる。激しい嘔気《はきけ》とめまいが襲い掛かってくる。両脇のブロック塀や地面が、まるで腸管の中にいるようにぐにゃぐにゃと、いびつに蠕動をはじめた。

「そんな……、鷹央先生が死ぬなんて……」

痛々しいほどにかすれた声が口から漏れる。そのとき、だらりと垂れ下がった手に持ったスマートフォンから声が響いた。

『えっ⁉　なに言っているんですか、違いますよ。鷹央先生は無事です』

無事⁉　急速に現実感が戻ってくる。僕は勢いよく顔を上げると、スマートフォンを両手で持って顔の横に持ってくる。

「鷹央先生は無事なのか⁉　生きているのか⁉　先生の〝家〟が燃えたんじゃ？」

『違いますよ。というか、いま鷹央先生の〝家〟から電話をしていて、隣に……』

　唐突に鴻ノ池の声が聞こえなくなり、代わりに聞き慣れた声が鼓膜を揺らした。

『なんで私が死ぬんだよ。無事に決まっているだろ』

　今度は安堵で全身の力が抜けていく。なぜか、街灯の光が滲んで見えた。

「良かった……。本当に良かった……。てっきり、『炎蔵の呪い』が鷹央先生に降りかかったかと……」

　感情が昂《たかぶ》ってうまく言葉が出ない。

『言っただろ、炎蔵に呪われるとしたら、私より先に、遺体をメスで削ったお前だって。残念ながらその通りになったぞ』

「え？　どういう意味ですか？」

　僕が首を捻ると、鷹央は憐《あわれ》みのこもった口調で言った。

『だから、燃え上がったんだよ。お前の〝相棒〟がな』

9

「僕の大切な相棒がぁー！」

頭を抱え、天を仰いだ僕の悲痛な叫び声が、夜空へと吸い込まれていく。鴻ノ池の連絡を受けた僕は、すぐにタクシーで天医会総合病院へと戻ってきた。そこで見たのは長年苦楽を共にしてきた『相棒』の、変わり果てた姿だった。

病院の裏手にある駐車場。消防と警察が張った規制線の中心に『それ』はあった。炎に蹂躙《じゅうりん》され、残骸と化した僕の愛車、RX－8が。

窓のガラスは溶けて崩れ落ち、漆黒の光沢を放っていたボディは茶色く焼け焦げてフレームしか残っていない。本革製のシートは金属の骨格がむき出しになっている。

「ああ、研修医時代の安い給料をやりくりしてローンを組んだのに……。色々と手間と費用をかけてチューンアップして、車検もこの前通したばかりだったのに……」

「いや小鳥先生……、マジでご愁傷様です。私も愛車があんなになったら、頭おかしくなっちゃいます」

珍しく、本気で同情した様子で、隣に立つ鴻ノ池が背中を撫でてくる。僕の前で、現場を眺めていた鷹央が振り返った。

「しかし、あの車が使えなくなったとなると不便だな。小鳥、早いうちに代わりの車を用意しておけよ。なにかあったとき、すぐに動けるように」

「僕のRX－8に代わりなんかいません！　そう簡単に、他の車に乗り換えられるわけないじゃないですか！」

「……なんか、恋人に捨てられた男みたいだな」

鷹央の呆れ声を聞きながら、僕は頭を抱える。

「なにがどうなっているんだよ……」

「聞いた話によると、夜勤の警備員が巡回中に火事に気づいたらしいですね。最初は消火器で消そうとしたけど、炎の勢いが強すぎるんで諦めて消防を呼んだらしいです」

鴻ノ池が説明すると、そばに立っていた鷹央が頷いた。

「適切な判断だな。車両火災では、タンクの中にあるガソリンに引火して、爆発が起こることがある。素人が対応したら危険だ」

「いや、そういうことじゃなくて、なんで僕の車が燃えるんですか？　火が上がるようなものは車内には置いてなかったんですよ」

「それは明日の火災検証である程度分かるだろう。誰かに放火されたのか、それとも……自然に火が出たのか」

鷹央の声が低くなる。

「自然にって、まさかこれも『炎蔵の呪い』による自然発火現象だっていうんですか？」

「分からんよ。言っただろ、まだ情報が足りないって。しかも、こっちが情報収集に苦労しているうちに、事態はどんどん進展している。このままじゃ、じり貧だな」

たしかにその通りだ。なにがなんだか分からないまま事件が起こっている。愛車を失ったショックからいくらか立ち直った僕は、鷹央に向き直る。

「鷹央先生、真鶴さんに言って、念のため屋上の入り口に警備員をつけてもらいましょう。次は〝家〟が狙《ねら》われる可能性もあります」

「そうだな。まあ、本当に『呪い』が原因なら警備員なんて意味はないだろうが……」

鷹央は途中で言葉を止めると、正面を見る。つられてそちらに視線を送ると、消防隊員の一人がカメラを持って写真を撮っていた。しかし、よく見るとレンズは無残に焼け焦げた僕の愛車ではなく、周囲に集まった野次馬たちに向いていた。

「あそこまで熱心に野次馬たちの写真を撮っているところを見ると、どうやら放火の痕跡があるみたいだな」

鷹央がつぶやくと、鴻ノ池がまばたきをくり返した。

「え？　どういうことですか？」

「放火犯はかなりの可能性で現場に戻ってくるんだよ。自分がつけた火がどこまで被害を与えたかを確認しにくることもあるし、純粋に炎の美しさに取りつかれている奴も少なくない。なんにしろ、放火事件ではまず現場にいる人物を疑うのが定石だ」

「なるほど……」僕は唸《うな》るように言う。「放火が強く疑われるからこそ、消防隊員が気合をいれて野次馬の写真を撮っているってことですね。『呪い』なんかじゃなく、実際に誰かが僕の車に火を放ったっていうわけですね。僕の大切な愛車に……」

「あ、あの、小鳥先生。目が据わってますよ。ちょっと怖いんですけど」

引きつった表情で鴻ノ池が身を引く。そのとき、スーツ姿の男数人が、野次馬を掻き分けて規制線内に入っていった。その中に、一人知った顔があった。

「あれって、日野刑事ですよね。この前、僕たちに話を聞きにきた」

僕は耳打ちすると、鷹央は頷く。

「ああ、そうだな。あいつがやって来るっていうことは、警察も今回の車両火災と室田の焼死が一つの事件だと疑っているってことだな」

消防隊員と話しながらRX－8の残骸を眺めていた日野は、こちらに気づいたのか顔を上げる。僕たちに向けられるその目付きは鋭く、警戒心に満ち溢れていた。

「なんか失礼な人ですね。こっちをじろじろと見て」

唇を尖らせる鴻ノ池の声を聞いた僕は「あっ」と声を上げた。鷹央が「どうかしたか？」と横目で僕を見る。

「ショックで忘れていたけど、鴻ノ池から連絡を受ける直前に、前川刑事と西麻布で顔を合わせているんですよ。ほら、日野さんとペアを組んでいる刑事です」

「それって、偶然会ったってことですか？」鴻ノ池が小首をかしげた。

「いや、違うな。あれは間違いなく僕を尾行していた。最初は葵さんといい雰囲気にならないようにお前が監視しているんだと思ったんだけどな」

「私がそんなことするとでも⁉」

「しないとでも？」

間髪いれずに返すと、鴻ノ池は斜め上に視線を向けて考えるそぶりを見せる。

「必要とあればするかもしれませんね。けれど、今回の件には私はかかわっていませんよ。なんで刑事が小鳥先生を尾行するんですか？」

「それが分からないから困っているんだろ」

僕が肩をすくめると、鷹央が深いため息を吐いた。

「まだ気づいていないのかよ」

「え？　鷹央先生は分かっているんですか？　僕が尾行された理由を」

「当り前だ。だからこそ、ここに成瀬がやって来ていないんだ。この件から、あいつは徹底的に排除されているからな」

「成瀬さん？　なんで成瀬さんが出てくるんですか」

聞き返した僕の目を鷹央はまっすぐに見つめてくる。

「いつも言っているだろ、診断学で重要なのは先入観にとらわれることなく、診察や検査で得られた情報を客観的に、そして俯瞰《ふかん》的にみることだって。事件の調査だって同じことだ。これまで、私はお前にそのセオリーを教えこんできた。それを駆使して、いまの状況に『診断』をくだしてみろ」

「診断を……」

つぶやきながら僕は額に手を当てる。僕が尾行される理由……。炎蔵の墓、焼かれた碇の遺体、『このままだと統括診断部が無くなる』という鷹央の言葉、何故か捜査から外されている成瀬、僕を尾行する刑事、そして人体自然発火現象としか思えない状況で焼死した室田。様々な情報が頭の中で有機的につながっていく。

もう少しだ。もう少しでなにかに気づきそうな気がする。考え込む僕の頭に、監視カメラで撮影された室田焼死事件の映像が蘇る。まさに事件を客観的に、そして俯瞰的に映した映像。

聴診を終えた僕が位置を変えると、死角になっていた室田の胸から炎が……。

「ああっ！」声を上げた僕は口を半開きにしたまま立ち尽くす。

「気づいたみたいだな」

鷹央がつぶやくと、鴻ノ池は「どういうことですか？」と訊ねてくる。

「放火事件では、まず現場にいる人物を疑う」

僕はさっき鷹央が口にしたセリフを口にする。

「そうだ。そして、碇の通夜と室田の焼死現場、どちらでも炎が上がったとき、一番近くにいた人物がいる」

あごを引いた鷹央を見ながら、僕は震え声で回答を口にする。

「警察は僕を放火殺人犯だと疑っている……」

第三章　炎の終幕

1

「失礼します。本当にありがとうございました！」

快活に礼を言いながら、中年女性が診察室を出て行く。僕は閉まった扉に「お大事に……」と力なく声をかけた。葵《あおい》とのデートの夜から三日後の月曜の昼前、僕は統括診断部の診察室で外来業務にいそしんでいた。

あの日、病院へ戻って愛車の最期《さいご》を看取《みと》った僕は、そのまま病院の当直室に泊まった。翌日の土曜は、朝から火災調査員による火災調査があったが、燃え上がった車の持ち主である僕は立ち会うこともできず、調査が終わったあとやってきた調査員に「詳しい調査結果が出たらご連絡します」と、説明になっていない説明を受けただけだった。

露骨なまでに情報を隠す彼らの態度が、放火殺人犯と疑われていることを僕に思いしらせた。

そうして昨日は、RX－8を（泣く泣く）廃車にする手続きや、保険の担当者から提示された保険金のあまりの少なさに愕然《がくぜん》とし、掛け金を渋った過去の自分を恨んだりしているうちに一日が過ぎてしまった。

今日は、朝から通常の診療業務を行い、電子カルテに、いま診た患者の情報を打ち込んでいる。数ヶ月前から喉《のど》のつかえを訴えていた女性で、耳鼻科や消化器内科で様々な検査をして異常なしと診断されるも、それに納得いかず、さらなる検査を求めていた。一通り話を聞き、これまでの検査結果を見た僕が、女性によくみられるストレスや自律神経の乱れからくる心因性の喉のつかえ感だろうと予想し、その症状に効果的な漢方薬をその場で渡して内服させたところ、数分で著効し、処方箋《しょほうせん》をもらい喜んで帰宅していった。

「終わりましたよ」

電子カルテへの入力を終えた僕は、奥に向かって声をかける。

「おお、ご苦労さん」

キャスター付きの椅子《いす》に座った鷹央《たかお》が、衝立《ついたて》の陰から姿を現した。

統括診断部の外来は、各科ではなんの疾患か診断がつかなかった患者を、時間をかけて診察し、正しい診断をくだすという名目のもと、完全予約制で一人当たり四十分という診察時間を取っている。しかし、この外来に送られてくる患者の多くは、診断ではなく『扱いが難しい患者』だった。

各科の外来で理不尽なクレームを入れたり、診療と関係ない話を延々とくり返すような患者を押し付けられるのだ。この外来での僕の主な仕事は、患者のクレームや思い出話をひたすら聞き流し続けることだった。その間、部長である鷹央は何をしているかと言うと、衝立の奥で本を読んだりして自由に過ごしている。そして、本当に『診断が難しい患者』がやって来たときだけ姿を現すのだ。

「しかし、いまの患者の診察は早く終わったな」

鷹央は掛け時計を見る。診察開始から三十分ほどで患者が帰ったので、次の患者の診察開始まで休憩時間も入れて十五分ほどある。

「心因性の喉のつかえの患者さんはかなり診てきましたからね。薬が効いて良かったです。ところで……」

僕は乾燥した唇を舐《な》める。

「少し時間があるから、事件のことについて話しませんか」

この二日、あまりにもバタバタしていたし、鷹央も忙しそうにどこかを動き回ったり、難しい顔で考え込んだりしていたので、あまり話をする余裕がなかった。

「ああ、いいぞ。なにから話す」

鷹央は座ったまま床を蹴《け》り、椅子ごと滑って近づいてくる。

「まずは、あらためて状況を確認させてください。警察は僕を放火犯として疑っているんですよね。碇《いかり》さんの遺体を燃やし、室田《むろた》さんを焼き殺した犯人だと」

あらためて言葉にすると、不安で息苦しくなってくる。

「ああ、そうだ。お前が焼香しているとき、目の前にあった碇の棺が燃えだした。そして、お前がシャツの中に手を入れて聴診を終えて少しして、室田の胸から炎が上がった。客観的に見て、お前が疑われるのはしかたがない。おそらく、内村《うちむら》とかいう准《じゅん》教授《きょうじゅ》が死んだ火事にかんしても疑われているだろうな」

「……このままだと、僕は逮捕されますか？」僕は喉を鳴らして唾《つば》を呑《の》み込んだ。

「すぐに逮捕ということはないだろう。あくまで疑わしいだけで、直接的な証拠があるわけではないし、そもそもお前には動機がない。それに今回の事件は、三人が死亡し、さらに三つの火災が起こっている複雑な事件だ。捜査本部も情報を集めて状況を整理するのにかなり時間がかかるはずだ。けれど、捜査が進んで、他に有力な容疑者が見つからなければ、本格的に攻めてくる。まずは重要参考人として任意で取り調べをしていき、なんとか逮捕・起訴できるだけの証拠を集めようとしてくるだろう」

おそろしい未来予想に、僕は身を震わせる。

「そんなことになれば、僕が所属している統括診断部の責任問題になる。先生が『このままだと、放っておいても統括診断部は潰《つぶ》れる』って言ったのは、そういうことだったんですね。だから、警察にはなにも情報を与えず、少しでも時間を稼ごうとした」

「ああ、そうだな。しかも、お前の車が燃えたことでさらに事態は悪くなっている」

鷹央は長い髪を掻《か》き上げた。

「え？　そんなことはないでしょ。だって、RX－8の件に関しては僕にはアリバイがありますよ。西麻布《にしあざぶ》で前川《まえかわ》刑事に尾行されていたんですから。もしかして、警察は僕が疑いをそらすために、時限発火装置でも使ったと思っているんですか？」

「いや、奴《やつ》らはもっと単純に考えているさ。車が燃えた時間、病院には誰がいた？」

鷹央は皮肉っぽく唇の端を上げる。

「病院に……？」俯《うつむ》いた僕ははっと顔を上げ、鷹央を見る。「まさか⁉」

「そうだ。私が車を燃やし、お前のアリバイを作ろうとした。それが捜査本部の考えているシナリオさ。私とお前が共犯だと思っているんだよ」

鷹央はケラケラと笑い声を上げた。

「まあ、これで分かりやすくなったじゃないか。私とお前、両方とも逮捕されたりすれば、統括診断部に医者が一人もいなくなる。叔父貴に規模を縮小されてゆっくりと消えていくより遥《はる》かにシンプルだ」

「笑い事じゃありませんよ！」

　声を大きくすると、鷹央の表情が引き締まった。

「ああ、たしかに笑い事じゃないな。今回の件は放火殺人だ。しかも、内村とかいう准教授の焼死も殺人だとすれば、二人も殺されていることになる。万が一起訴されて有罪になったりすれば、無期懲役、場合によっては死刑もありうる」

　部屋の温度が一気に氷点下まで下がった気がした。

「ど、どうすればいいんですか？　僕たちにかかった容疑を晴らすためには」

「一連の事件で、最も重要なのは室田の焼死だ。監視カメラの映像では、たしかにお前が聴診すると見せかけて室田のシャツの中に何らかの細工をして、火を起こしたようにしか見えない。あの事件がお前以外の人間にもできる可能性を示せば、私たちへの容疑は一気に薄まるはずだ」

「室田さんの焼死……」

　なんの前触れもなく、室田の胸から炎が上がった光景が脳裏に蘇《よみがえ》る。

「そうだ。監視カメラの映像では、たしかにあれは『人体自然発火現象』にしか見えない。あのトリックを解き明かすのが何よりも重要だ」

「トリックということは、さすがに先生も、『呪い』みたいな超常的な現象なんかないって分かってくれたんですね」

僕が確認すると、鷹央は首筋を掻いた。

「べつに『呪い』が絶対にないと確信しているわけじゃないぞ。けれど、今回の一連の事件については、警察の動きを見る限り犯人がいる可能性が極めて高い。平安時代に死んだ陰陽師《おんみょうじ》なんかじゃなく、生身の人間の犯人がな」

「警察の動き？」

「そうだ。日野《ひの》たちは最初から明らかに事故ではなく、放火の線で捜査を進めている。つまり、奴らは摑《つか》んでいるんだよ、放火の証拠をな」

「それって、やっぱり碇さんの通夜《つや》の火事でですか？」

「ああ、そうだ。前から予想している通り、棺の中に自動発火装置の残骸《ざんがい》でも残っていたんだろう。だから、そのすぐあとに起きた、共同研究者である室田の焼死も同じ犯人による放火殺人と判断したんだ。そしてさかのぼって、事故とされていた内村の焼死も調べはじめた。三日前の車両火災でも、放火の痕跡《こんせき》を見つけているかもな」

「室田さんの事件でも、なにか放火の痕跡を見つけているってことはないですかね？」

「いや、多分それはないな」鷹央は首を横に振る。「もし、そんな痕跡を見つけていたとしたら、警察はすでにお前の自宅を家宅捜索して、放火の証拠を探しているはずだ」

「家宅捜索……」

「証拠を処分される前に押さえるのが奴らの基本だからな。まだそれをしていないということは、警察もなぜ室田の胸から突然炎が上がったのか解き明かせずにいるのさ。だからこそ、なにを捜索すべきか分からず、家宅捜索に踏み切れない」

「なら、一安心ですかね」

鷹央ですら苦戦している『人体自然発火現象』の謎《なぞ》を、警察に解けるとは思えない。

「そうでもないぞ。ある程度時間が経《た》ったら、あいつらは強引に動いてくる。見つけるべき対象が決まっていなくても、とりあえずなにか放火の証拠になりそうなものがないかガサ入れをしてくるはずだ」

「そんな馬鹿《ばか》な！　そんなこと許されるんですか⁉」

思わず声が大きくなる。聴覚過敏気味の鷹央は顔をしかめて、両手を耳に当てた。

「でかい声出すなよな。仕方がないんだよ、いまのところお前以外に、室田に火をつけられたと思える奴がいないんだから。だから、早いところ『人体自然発火現象』のトリックを暴《あば》く必要があるんだ」

「でも、どうすればそんなことが……」

「情報だ。まずは謎を解くためのピースを集めないと、全体像が見えてこない。お前に葵と食事に行かせたのも、情報を集めてくるためだっただろ。まあ、お前は自分が容疑者になっていることにも気づかず、のんきに鼻の下を伸ばしていたけどな」

皮肉をぶつけられた僕は首をすくめる。

「いや、ちゃんと話はいろいろと聞いてきましたよ。けれど、一番必要な情報は火災調査の結果でしょ。それはどうするんですか?」

この前、鷹央は「なんとかなる」とか言っていたが……。

「手は打ってあるよ。それより、そろそろ次の患者を呼ぶ時間じゃないか?」

鷹央は胸の前で手を打った。

「え、まだ予約時間までは数分ありますよ」

「いいからさっさと呼び込めよ。待たせたら悪いだろ」

「はぁ、分かりました」

鷹央に促され、予約リストを電子カルテに表示させた僕は、ふと首を傾けた。先週に確認したときは、この枠は空いていた気がする。その後、誰かが予約を入れたのだろうか?

患者の電子カルテを開いた僕の首が、さらに傾いていく。なぜか、受診した記録が書かれていなかった。統括診断部の外来患者は、基本的に各科を受診したあと送り込まれてくるものなのだが。

「あの、この患者さん、なにか不自然な感じが……」

戸惑いながら振り返ると、鷹央は軽く手を振る。

「いいからさっさと呼べって」

僕は「はぁ」と生返事をすると、デスクに置かれているマイクのスイッチを入れ、電子カルテに記載されている名を呼ぶ。

「阿保野《あほの》さん、阿保野啓二《けいじ》さん。診察室にお入りください」

珍しい名前だなと思っていると、すぐに勢いよく扉が開いた。診察室に飛び込んできた人物を見て、僕は軽くのけぞる。

体格の良い男だった。ジャケットを着ていても、肩回りや腕の筋肉が盛り上がっているのが見て取れる。そして、その顔はマスクとサングラスで隠されていた。

銀行強盗のような格好の大男、しかもその全身からはなぜか怒気が立ち上っている。

「あ、阿保野さんですよね。統括診断部の小鳥遊《たかなし》といいます。どうぞおかけください」

圧倒されつつ椅子を勧めるが、男が腰掛けることはなかった。彼は大股《おおまた》に近づいてくると、顔からサングラスとマスクをむしり取る。その下から現れた顔を見て、僕は「あっ⁉」と声を上げた。

「誰が『アホの刑事』だ！」

田無署《たなし》の刑事である成瀬《なるせ》は、顔を真っ赤にして怒鳴り声を上げた。

「な、なんで成瀬さんがここに……」

僕が呆然《ぼうぜん》とつぶやくと、鷹央がはしゃいだ声を上げた。

「私が呼んだんだよ。こいつこそ、私が言っていた『心当たり』だ」

「え？　鷹央先生が？　じゃあ、この『阿保野』っていう電子カルテは……」

「カモフラージュ用に私が登録したものだ。外来リストに登録するためには、カルテが必要だったからな。実際にはそんなおかしな名前の男、存在しないよ」

得意げに言う鷹央を、成瀬はぎろりと睨《にら》みつける。

「やっぱりあなたでしたか。よくも人のことをアホ呼ばわりしてくれましたね」

犯罪者を震え上がらせてきたであろう低く押し殺した声で成瀬は言う。しかし、自分の倍以上は質量のある相手にすごまれても、鷹央はシニカルな笑みを唇に湛《たた》えていた。

「なに言っているんだ。どう考えてもお前はアホだろ。私たちに会うことのヤバさを理解したうえで、そんなおかしな変装をしてやって来たんだから。利口な奴なら、絶対にこんなことしないね」

反論できないのか、成瀬は大きく舌を鳴らすと、勢いよく患者用の椅子に腰掛けた。

「鷹央先生に呼ばれて来たんですか？　たしか成瀬さんって、うちで起きた事件の捜査には加わっていないんですよね」

まだ完全には状況が把握できていない僕がつぶやくと、成瀬は再び舌打ちをした。

「ええ、そうですよ。俺があなた方と顔見知りなのは、周りの人間に知られていますからね。容疑者の知り合いを捜査に加えるわけにはいかないってことで、自分の署に帳場が立っているにもかかわらず、俺は蚊帳《かや》の外ですよ」

「容疑者……」

疑われていることは理解していたが、こうして刑事の口から直接その言葉を聞くと、恐怖が増してくる。

「そう、あなたがたはれっきとした、放火殺人の容疑者ですよ。素人《しろうと》が興味本位で事件に首を突っ込むからこんなことになる。あまり同情する気にはなれませんね」

「そう思っているなら、なんで来たんですか？　僕たちと会っているのがばれたら問題になるんじゃ……」

「ええ、大問題ですよ。有力容疑者のあなたたちには二十四時間体制で監視がついている。だからこそこんな変装をして、患者としてやって来たんです。大量に出入りしている患者に紛れれば気づかれないだろうし、院内まではさすがに監視の目も届きませんからね。本当に面倒ですよ。けどまあ、義理を果たさないといけませんからね」

「義理？」

僕が聞き返すと、成瀬は乱暴に髪を掻く。

「不本意ながら、あなた方のおかげで解決できた事件が、これまで幾つかありました。その借りを返せって言われたら、断れませんよ」

「警察の情報を流してくれたら、これまでの貸しは全部チャラにしたうえで、今後も定期的に相談に乗ってやるっていうことで取引が成立したんだよ。なかなか商売上手だな」

鷹央は口角を上げる。

「容疑者に捜査情報を渡すリスクを考えたら安いもんでしょ。まあ、本当にあなた方が犯人だと思っていたら、さすがにこんな取引には乗りませんけどね」

成瀬の言葉に僕は軽く感動を覚える。

「ありがとうございます、そこまで信頼してくれて」

「ええ、信頼していますよ」成瀬は含みのある口調で言う。「天久《あめく》先生が人を殺すとしたらもっとうまくやるはずだ。こんな簡単に疑われるような手段を使うわけがない。だから、今回の件にかんしては、あなた方は濡《ぬ》れ衣《ぎぬ》だ」

そっちかよ……。僕が顔をしかめると、鷹央は楽しげに両手を広げた。

「よく分かっているじゃないか。さて、無駄話をしている時間はない。本題に入るぞ。まずは室田が焼死した事件だ。あれについて、警察はなにか証拠を摑んでいるのか?」

「いえ、なんの痕跡も見つかっていませんね。鑑識が徹底的に調べましたが、機械的な装置はまったく見つかっていないし、石油燃料のような燃焼推進剤も検出されていません。まあ、消火に使った水が大量にまき散らされたうえ、遺体は炭化するほどに燃えているんで、微量の証拠物質なんかはあったとしても見つからないでしょうね」

「司法解剖の結果はどうだった？　どこから炎が上がったのか分かっているのか？例えば、体内に何かが仕込まれていた可能性はないか？」

「体内から燃え上がったっていうんですか？　さあ、さすがにそこまでは知りませんねぇ。焼死には間違いないけど、炭化するまで焼けているんで、そこから分かることは少ないらしいですよ」

「現場検証でも司法解剖でも、警察もなんで炎が上がったか分かっていないってことだな。だからこそ、直前に室田の聴診をした小鳥《ことり》を疑っている。予想通りだな」

「映像を見たところ、小鳥遊先生が火を付けたとしか見えないようですね。けれど、どんな方法でやったかは分からないので、いまのところ参考人としての取り調べも、家宅捜索も行っていない。あくまで、『いまのところ』ですけどね」

成瀬の脅しに、顔の筋肉が引きつる。

「なんで炎が上がったか分からないにもかかわらず、室田の件が事故ではなく放火殺人だと断定されているのは、碇の通夜の火事が放火だと分かっているからだな？」

鷹央が訊《たず》ねると、成瀬は頷《うなず》いた。

「ええ、そうです。通夜の火事では、棺の中から自動発火装置の残骸が見つかっています。ペットボトルに入ったガソリンに遠隔操作で着火できるように作られたものですね。その辺りのコンビニで手に入るような材料で作られていて、そこから犯人を割り出すのは困難でした」

「それは特殊な知識や技量をもたない素人でも作れるものか？」

「ええ、ネット上にある素人でも作れる時限発火装置と同じつくりでした。その事件までは私も担当を外されていなかったので、詳しいことも把握していますよ」

自虐《じぎゃく》的に成瀬は言う。

「小鳥の車が燃えた件についてはどうだ？　あれも放火だと思われているのか？」

「碇のときのような装置は発見されませんでしたが、車内から燃焼促進剤の痕跡が検出されました。犯人は窓を割ったあと車内にガソリンを撒《ま》いて火を付けたんでしょう」

「誰が僕の愛車にそんなことを……」僕は奥歯を食いしばる。

「いま、監視カメラの映像を解析しているらしいですが、駐車場を直接映したものはないので、望み薄のようですね」

「成瀬、お前、捜査本部から外されているくせに結構詳しく知っているな」

鷹央が楽しげに言う。

「そりゃあ、同僚たちが捜査に参加していますからね。自然と耳に入ってきますよ。あなたから連絡があったあとは、何気なく聞き出したりもしましたし」

「ありがたい。期待以上だよ。それじゃあ次の質問だ。先月、内村という翠明《すいめい》大学の准教授が自宅の火事で死んだ事件、それについて捜査本部は把握しているのか？」

「天下の警視庁ですよ。当り前でしょう」

「その火事はどういう状況だったんだ？　最初は事故でかたづけられていたんだよな」

「この言葉は嫌いなんですが、いわゆる……密室だったそうです」

成瀬は鼻の付け根にしわを寄せた。鷹央は「密室？」と不思議そうにつぶやく。

「ええ、そうです。マンションの一階にある部屋で内村は焼け死んだんですが、扉には鍵《かぎ》がかかっていて、窓のクレセント錠も降りていたということです。駆けつけた消防隊は窓ガラスを割ってクレセント錠を外し、室内に入ったらしいですね」

「窓ガラスが割れたり、扉が燃えたりはしていなかったのか？」

「そこまで大規模な火災じゃなかったんですよ。部屋で燃えたのは火災発生当時、被害者が座っていたと思われるデスクの周りと移動した床の一部だけでした。主に燃え上がっていたのは……被害者本人です」

成瀬の声が低くなる。氷のように冷たい汗が頬を伝うのを覚えながら、僕はかすれ声を漏らす。

「人体自然発火現象……」

「それですよ」成瀬が僕を指さした。「その、『人体自然発火』とかいう超常現象です。もちろん、そんなオカルトじみた単語、報告書には書いてありませんでしたが、火災調査の結果は被害者の体から炎が上がったとしか思えないというものでした」

「けれど、その報告書ではあくまで事故だと結論付けられているんだな？」

鷹央が確認すると、成瀬はあごを引いた。

「現場には、発火装置や燃焼促進剤の痕跡はありませんでしたからね。炎が上がったとき部屋は密室だったし、内村という男はかなりのヘヴィスモーカーのうえ、ウイスキーを飲みながら仕事をしていた。酒瓶がデスクの上に倒れていたそうです」

「アルコール度数の高い酒を体にこぼし、それに煙草《たばこ》の火が引火した。そう結論づけられたわけか」

「ええ、そうでした。室田の事件が起きるまではね」

「じゃあ、いまは事故ではなかったと思っているんですね？」

口を挟んだ僕に、成瀬は冷たい視線を向けてくる。

「当然でしょう。同じ研究室の上司だった室田まで焼死したんですよ。しかも、一見したところ『人体自然発火現象』としか思えない状況で。そりゃあ、内村の焼死も同じ方法で、人為的に起こされたと考えるのが定石だ」

「けれど、『その同じ方法』に皆目見当がついていないんだな。天下の警視庁様が」

鷹央の嫌味に、成瀬は眉根《まゆね》を寄せる。

「そういう天久先生も、今回は苦戦しているようですね。それに捜査本部は、場合によっては自分たちでその方法を解明しなくてもいいと考えているはずですよ」

「状況証拠から小鳥と私を訊問《じんもん》したり、家宅捜索をして、どういう方法で『人体自然発火現象』を起こしたのか調べようっていうんだな。それくらい捜査本部は私たちを強く疑っているということか」

「ええ、そうですよ」あごを引いた成瀬は、上目遣いに僕たちを見る。「前にもいったでしょ、あなた方は『危険人物』と認識されているって。その危険人物が手を下したとしか思えない状況で人が殺された。そりゃあ、捜査本部が前のめりになりますって」

「『人体自然発火現象』の原因を解明できないことを棚に上げて、私たちを犯人扱いするとは、『天下の警視庁』とやらも情けないな。それで、あとどのくらいだ？　どのくらい経てば、警察はその強硬手段に出る」

「……数日ってところですかね」

成瀬は鼻の頭を掻いた。鷹央は「数日……か」と眉間《みけん》にしわを寄せる。

「まだ、科捜研からの報告書が出そろってはいません。もしかしたら、『人体自然発火現象』の手がかりになるような報告があるのではないかと、捜査本部は期待しています。しかし、そこでなにも収穫がないとなると……」

「なりふり構わず、私たちに牙《きば》を剝《む》いてくるということか」

鷹央は椅子の背もたれに体重を預けて天井を仰いだ。

あと数日、わずか数日後には警視庁が本気で僕たちを調べ上げに来る。口腔《こうこう》内から急速に水分が失われていく。

「まあ、そうは言っても確実な証拠が見つからなければ、逮捕はされないでしょう。裁判で勝てる見込みがないのに逮捕なんてしたら、検察からクレームがつきますからね」

成瀬の予想に僕がわずかに安堵《あんど》をおぼえると、鷹央が大きく手を振った。

「そういう問題じゃないんだよ。大学教授が病院で焼け死んで、そこの医者が容疑者なんてことマスコミに知られてみろ。ワイドショーの格好のネタだ。しかも、病院の屋上にある私の〝家〟に家宅捜索が入ったりしたら、絵面《えづら》的にも最高にセンセーショナルだ。すでに獲物の匂《にお》いを嗅《か》ぎつけて集まり始めているマスコミも、何十倍に膨れ上がるぞ。当然、容疑者の私たちが診療業務に携われるわけもなく、統括診断部は自然消滅する」

「それはお気の毒に」

成瀬はまったく気持ちのこもっていない口調で言う。

「そうならないためには、数日以内に事件の真相を突き止めるしかありませんねえ」

「他人事《ひとごと》だと思って簡単に言うなよ。あと聞きたいのは、蘆屋炎蔵《あしやえんぞう》についてだ。捜査本部は炎蔵についてはどう考えているんだ?」

成瀬は「えんぞう?」といぶかしげに聞き返す。

「死んだ三人が調べていた陰陽師だよ。その墓に入った奴らが次々に燃え上がっているんだ」

「ああ、陰陽師ね。一応、その話も出てはいるみたいですね」

「一応?」鷹央の片眉がピクリと上がる。

「一連の事件が『陰陽師の呪《のろ》い』とか言っている関係者もいるらしいですが、捜査本部では鼻で笑われて無視されていますね。まあ、無理もないでしょう、そんな超常現象」

「超常現象は置いとくとしても、被害者たちの共通点は炎蔵の墓を暴いたことだ。そして、私たちもその関係で奴らと接点を持った。一連の事件の動機を探るためにも、炎蔵とその墓を受け継いでいる子孫たちについて調べるべきじゃないか」

鷹央の声に苛立《いらだ》ちが混ざる。警察が調べた炎蔵についての情報を得られるという期待が、空振りに終わったせいだろう。

「もちろん、最低限の調査はしているとは思いますよ。けれど、今回は捜査を仕切る管理官の意向で、動機よりもまずは殺害方法を明らかにすることに重点が置かれているんです。まあ、有力な容疑者もいますし、妥当な判断だとは思いますね」

成瀬に皮肉っぽい目で見られ、僕は思わず顔を背けてしまう。

「さて、知っていることもあらかた話しましたし、私はそろそろお暇《いとま》しましょうかね。いくら捜査本部に参加していないとはいえ、所轄《しょかつ》刑事としての仕事はあるんでね、それなりに忙しいんですよ」

成瀬が腰を上げる。鷹央はそれ以上質問することなく、腕を組んで考え込みはじめた。とりあえず、必要な情報は集めたのだろう。

出口に向かった成瀬が、扉のノブを摑んだところで振り返った。

「できれば、さっさといつもみたいに『謎』を解いてくださいよ。俺を外した捜査本部の奴らが鼻をあかされるのを見たいんでね」

2

「仕事、一通り終わりました」

玄関扉を開けた僕は〝家〟に入る。中では、ソファーに腰掛けた鷹央が瞑想《めいそう》するように目を閉じていた。腕時計に視線を落とすと、時刻は午後六時を回っている。昼前に成瀬から話を聞いたあと〝家〟に戻ると、鷹央はいまと同じ姿勢になって目を閉じた。成瀬から得た情報を咀嚼《そしゃく》していることに気づいた僕は、声をかけることなく〝家〟を出て、午後の業務を一人で処理したのだった。

反応がないのを見て、邪魔せず今日はこのまま帰ろうかと迷っていると、鷹央がゆっくりと瞼《まぶた》を上げた。

「いま、何時だ？」

「午後六時すぎです」

「ああ、もうそんなに経ったのか。道理で腹が減るはずだ」

長時間同じ姿勢でいたせいで筋肉が固まったのか、鷹央はぎこちない動きで身を乗り出すと、ローテーブルに置かれていたチョコレートの箱に手を伸ばした。そばへと近づいた僕も箱に手を伸ばすと、チョコを頬張っていた鷹央が僕の手を叩《たた》いた。

「……一つぐらいいいじゃないですか。午後の仕事、全部僕がやったんですよ」

「脳を使うには糖分が必要なんだ。そして、お前より私の脳の方が高性能で役に立つ。だからこそ、このチョコは私に食べられるべきなんだ」

なにか屁理屈《へりくつ》を言っているが、ようはチョコを独り占めしたいということだ。僕は「はいはい」と鷹央の隣に腰掛ける。柔らかいソファーから、ばふっと音がした。

「それで、なにか分かりましたか？」

「……いや、ダメだな」鷹央はチョコをもう一つ口に放り込む。「成瀬はいろいろと教えてはくれたが、どうしてもあの『人体自然発火現象』を解き明かすための材料が不足している」

「火災調査や鑑識でも、なんの痕跡も見つからなかったってことでしたからね」

「痕跡が見つからないことも一つの重要な情報だ。けれど、それが炎や消火活動のせいで消えてしまったのか、それとも最初からなんの仕掛けもなかったのか……」

鷹央はあごに手を当ててつぶやく。

「なんの仕掛けもない？　そんなわけないでしょ？」

「分からないぞ、『人体自然発火現象』が本当に『炎蔵の呪い』によるものなら……」

「ちょ、ちょっと待ってくださいよ。碇さんの遺体と僕の車が燃えたのは、間違いなく放火だって分かっているんですよ。『呪い』なんかじゃなくて、ちゃんと犯人がいるって、さっき自分で言っていたじゃないですか」

「その二つについては犯人がいるけれど、室田と内村は『呪い』で焼き殺された可能性も……。そもそも、火が出た状況が全《すべ》てバラバラなのがおかしいんだよ。やっぱりまだ情報が足りない！　なんで警察はもっと炎蔵について調べないんだ！」

鷹央は両手でわしゃわしゃと髪を掻き乱す。

「ああ、鷹央先生、落ち着いて。ほら、チョコですよ」

僕はチョコを二、三個手に取ると、鷹央の口に押し込んだ。腕の動きを止めた鷹央は、無表情で咀嚼をはじめる。

「少し気分転換した方がいいですよ。なにか必要なものはありますか？」

「……時間と糖分」

「了解です。ちょっと待っていてください」

僕は一度〝家〟を出て、裏手にあるプレハブ小屋に行くと、そこに置いてある自分のデスクの中から（鷹央の機嫌を損ねたときのための解決策として）ストックしてある菓子を大量に抱え、また〝家〟に戻る。

「これ、全部食べていいですから、まずはしっかり糖分をとって落ち着いたあと、ゆっくり考えてください」

テーブルのうえに菓子を広げると、生気を失っていた鷹央の目に光が戻った。

「こんなにいいのか！？」

いうや否《いな》や、クッキー缶を抱え、中身を口に運びはじめる。

「いや、さすがに一気に食べたらお腹《なか》壊しますよ。どうせ、夜中まで頭を使うつもりでしょ。血糖値をキープするために、少しずつ食べていってくださいよ」

鷹央は頷きながら、もにゃもにゃとつぶやく。口いっぱいにクッキーを頬張っているのでよく聞き取れないが、とりあえず了解してくれたようだ。なんとかクッキーを飲み下した鷹央は、ほうと幸せそうに息を吐いた。その姿に、思わず苦笑してしまう。

「たしかにあんまり時間がありませんけど、根を詰めすぎないようにしてくださいよ。家宅捜索されたからって、すぐに統括診断部が終わるわけじゃないんですから」

「なに言ってるんだよ。昼に話しただろ、家宅捜索されたらマスコミが……」

「僕たちはなにも間違ったことをしていないんだから、堂々としていればいいんです。たしかに診療には支障が出るかもしれませんけど、そのあとすぐに濡れ衣を晴らせばなんとかなりますよ。だから、焦《あせ》る必要はありませんって」

気休めだと自覚しつつも僕は言う。なんとか、鷹央の焦りを希釈したかった。

「……甘いな」

鷹央のつぶやきを聞いて、僕は無力感をおぼえる。やはり、こんな詭弁《きべん》では鷹央の心を動かすことはできないのか。

「やっぱり甘いですかね……」

「ああ、甘いよ。このクッキーみたいに甘い」

鷹央は缶からとりだしたクッキーを口に放り込むと、口角を上げた。

「ただ、私は甘いものは嫌いじゃない」

「先生が甘党でよかったです」頬が緩んでしまう。

「私は甘いものも好きだが、辛いカレーも好きだ。要はバランスが大切なんだろうな、あまり悲観的にならずに、かといって現実を見ないといけない」

鷹央はクッキー缶の中身を探りながらつぶやいた。

「そうですね。焦りすぎず、出来ることをやっていきましょう。きっとうまくいきますよ、これまでみたいに」

「だと良いけどな。しかし、家宅捜索される可能性があるとなると、やばいものを処分しておかないといけないな」

鷹央は思案顔で腕を組んだ。

「またまた、冗談やめてくださいよ。『人体自然発火現象』の証拠品なんて、ここから見つかるわけないでしょ」

僕がぱたぱたと手を振ると、鷹央は真剣な眼差しを向けてくる。

「証拠品じゃなくても、警察にはあまり見られたくないものがあるだろ」

鷹央は床に膝《ひざ》をつくと、ソファーの下を探る。そこから次々に、なにやら危険な香りのするものが引き出されてきた。

「……なんですか、その物騒なものは？」

「スタンガンに手錠、催涙スプレーに変装用のウィッグ、あとは赤外線監視装置とか警棒とか……」

「……四次元ポケットですか、そのソファーの下は」

「小鳥もいまのうちに見られたくないものは処分しておけよ」

「そんなものありませんよ！」

「本当かぁ？」鷹央はどこかいやらしい笑みを浮かべる。「若い男なら隠し持っているもんじゃないか？　女の裸が載った雑誌とかDVDとかを」

「……忠告、感謝します」

僕が慇懃《いんぎん》に頭を下げると、鷹央はにやにやと笑ったまませわしなく手を動かしてクッキー缶の中身を食べ尽くし、ソファーに横になった。

「私もお前の忠告を聞いて、少し仮眠を取るよ。さすがに疲れたからな」

「僕は帰りますんで、ゆっくり休んでください」

「そうだよな。いろいろと処分しないといけないから、早く帰らないとな」

「ほっといてください！」

そうじゃない、とは言えないつらさを嚙《か》みしめながら、僕は玄関へ向かう。

「それじゃあ、鷹央先生、また明日」

「ああ、また明日な」

鷹央はソファーで目を閉じたまま、軽く手を上げた。部屋を出た僕の頬を夜風が撫《な》でていく。そのとき不意に、先日の葵との会話が耳に蘇った。

――鷹央ちゃんと二人っきりでも嫌じゃないでしょ。居心地いいんじゃない？

僕は振り返って〝家〟を見る。大学病院からの出向で統括診断部にやってきてから一年弱。その間に、確かに鷹央との間にある種の『絆《きずな》』が生まれた。彼女といるのが心地良いのか、（よくひどい目に遭わされていることもあって）自分でもよく分からないが、少なくとも統括診断部が僕にとって重要であることは間違いない。そして、鷹央にとって統括診断部は僕以上に重要な『唯一の居場所』なのだ。

　空気を読む能力がないため、他人と衝突しがちな鷹央のために設置された統括診断部。ここがあるからこそ、彼女は超人的な能力を、人を救うために発揮することができる。

　なにがあっても統括診断部は守らないといけない。そのためには、『人体自然発火現象』の謎をとき、僕と鷹央にかかっている濡れ衣を晴らす必要がある。

　けれど、僕にできることなどあるのだろうか？　不意に無力感に襲われる。

葵からある程度の情報を引き出すことができたが、『人体自然発火現象』を解き明かす手掛かりになるようなものとは思えない。これ以上、情報を集めてくる手段も僕には残されていない。かといって、鷹央ですら苦労している『謎』を、僕が解けるとも思えなかった。

統括診断部のため、そして鷹央のために何かしたい。しかし、出来ることはなにもない。その事実が背中に重くのしかかってくる。

重いため息が夜風に流されていった。

街灯に照らされた住宅街をとぼとぼと歩いていく。普段は自動車通勤なのだが、数年間苦楽をともにしたRX－8が亡《な》くなってしまったため、電車で通勤するはめになっていた。

新しい車を買わなくてはならないのだろうが、奨学金の返済もしているので貯金がこころもとないし、それ以前に今回の事件が解決しなければ購入する車を選ぶ余裕もない。

肩を落としながら夜道を進む僕は、ふと背後からかすかに足音が聞こえることに気付き、舌を鳴らす。おそらく、刑事に尾行されているのだろう。病院から駅へ向かうときにも、つけられている気配を感じていた。

『人体自然発火現象』のからくりを解明して疑惑を晴らさない限り、ずっとこうして監視され続けるのだろう。重い足取りで、僕は自宅マンションの敷地に入っていく。

人形町《にんぎょうちょう》駅から徒歩で十数分のところにある三階建てのマンション。初期研修を終えた六年前からずっとここに住んでいる。駅からも遠く、築三十年を超えているうえ、部屋はかなり狭い。ただ僕が所属している大学病院に比較的近く、家賃も格安だったので、病院に頻繁に呼び出され、給料も安い若手医師にとっては最適の物件だった。

いまは天医会《てんいかい》総合病院に出向中なので、大学病院に勤務していたころに比べると経済的に余裕もあり、夜間に患者の急変で呼び出されることもない（その代わり、まれに鷹央に呼びつけられるが）。なので、もう少し良い物件に移ろうかと思うことはあるのだが、六年間も住んだ部屋に愛着もあるし、さらに物件の契約や引っ越しの手間を考えると、踏み切れずにいた。

そもそも……。敷地に入った僕は空を見上げる。都会の明るい空に月が浮いていた。

そもそも、来年で天医会総合病院での勤務も終わるしな。

僕はあくまで大学の医局からの派遣として統括診断部で勤務している。予定では来年の三月いっぱいで出向を終え、大学病院に戻る予定になっていた。

僕がいなくなったあと統括診断部は、鷹央はやっていけるのだろうか。ガラス扉を開けてゆっくりとエントランスへ入る。

僕の前に何人か、大学病院から統括診断部へと医師が派遣されたらしいが、ことごとく鷹央とそりが合わず追い出されている。去年の七月に僕が出向してくるまで、統括診断部はまともに機能していなかったのだ。僕が出向期間を終えたら、新しい医師が派遣されてくるだろうが、その人物が鷹央とうまくやっていける可能性は極めて低い。

鷹央に欠けているコミュニケーション能力を僕が補い、彼女の才能をいかんなく発揮してもらう。そして僕はその姿を見て、内科医としての基本を学んでいく。そのように、お互いを補完し合うことで統括診断部はうまく回っている。僕という歯車が欠けたときどうなるのか……。

郵便受けの前に移動した僕は頭を振る。いまそんなことを考えても仕方がない。今回の事件が解けなければ、来年の四月どころか数日以内に統括診断部は瓦解《がかい》するかもしれないのだ。

『TAKANASHI』と名札が貼《は》られた自室の郵便受けを開ける。ずぼらな住人が多いのか、上下四列、横十列の郵便受けで名札が貼ってあるのは、数室しかない。中に入った数枚のチラシをそばに置かれているゴミ箱に捨てた僕は、ふとすぐわきの壁に大きな封筒が立てかけられていることに気づく。その宛名《あてな》は『たかなしことり様』と定規で引かれたような文字で記されていた。

「なんだよ、これ？」眉根が寄ってしまう。

これって、もしかして僕宛か？　しかし、平仮名で書いてあるのはともかく、下の名前が間違っているというのはどういうことなんだ？

わけが分からないまま封筒を手に取った僕は、封を破って中を覗《のぞ》き込む。その瞬間、全身の血液が凍り付いた気がした。

中には五〇〇ミリリットルのペットボトル、目覚まし時計、複雑に絡《から》まったコード、そして電池が入っていた。ペットボトルには黄色がかった液体が満たされている。

「うわあ！」悲鳴を上げて封筒を放り出す。

自動発火装置⁉　逃げないと！　必死にその場から離れるため身を翻《ひるがえ》そうとするが、恐怖でこわばった体がうまく動かなかった。足を縺《もつ》れさせた僕は、その場に無様に倒れこむ。這《は》って離れようとしたとき、足の裏に何かが当たった。反射的に振り向いた僕の口から「え？」と呆《ほう》けた声が漏れる。

放り出した封筒からペットボトルが転がり出て、僕の足に触れていた。しかし、それには配線も発火装置らしき機器もついていない。

ゆっくりと立ち上がった僕は、封筒に近づくと、しゃがみ込んでおそるおそる中を覗き込む。よく見ると、たんに時計、電池、大量の配線が無造作に押し込まれているだけで、何らかの機能を持った装置としては成立していないことは明らかだった。

なんだよ、これ？　困惑しつつ封筒とペットボトルを見下ろす。

なにかの悪戯《いたずら》だろうか？　それにしては悪質すぎる。そもそも、いったい誰が何の目的で？　僕が放火事件に巻き込まれていると知っている人物など限られているはずだ。

混乱が混乱を呼び、思考が底なし沼に沈み込んでいく。

まずは落ち着かなくては。僕は振り返ってエントランスの入り口を確認する。幸い、郵便受けは外から死角になる位置にある。刑事に外から監視されていたとしても、封筒を手に取ってからの行動は見られていないはずだ。

心を決めた僕は、素早く封筒とペットボトルを手に取ると、自分の部屋へと向かう。走り出しそうになる足と気持ちを必死に抑えて、監視されていたとしても異変を察知されないように気を付けつつ外廊下を歩いていく。

階段で三階に上がり、自室の扉を開けて玄関に入った僕は、壁に背中を預けて座り込むと、傍らにペットボトルと封筒を置いた。

自分のテリトリーに戻ってきたという安心感で、いくらか心が落ち着いてくる。乱れた呼吸を整えながら、僕は状況の把握に努める。

この封筒の中身には明らかに、自動発火装置としての能力はなかった。もしかしたら、ペットボトルの中身も可燃物ではなく、単なる着色された水なのかもしれない。

僕はペットボトルを手に取ると、おずおずとキャップを開いて鼻を近づける。その瞬間、強いシンナー臭が鼻腔を貫いた。思わず顔を背けてしまう。

考えが甘かった。中身はおそらくガソリンだ。僕は慌《あわ》てて蓋《ふた》を閉め、鼻をこする。

何故、こんなものが郵便受けの横に置かれていたのだろう。考えられるのは、嫌がらせ、もしくは……警告。全身の産毛《うぶげ》が一気に逆立った気がした。この封筒には住所が書かれていない。つまり、これは郵送ではなく何者かによって直接、置かれたものだ。

何者か？　一連の放火事件の犯人に決まっている。封筒の中に入っていた物は、先日成瀬から聞いた、碇の通夜で使われた自動発火装置の材料と同じなのだから。

室田と内村、二人もの人間を焼き殺した犯人が僕を脅迫している。

整っていた呼吸が再び乱れてくる。僕は額に手を当てて、思考を巡らせる。

このことを警察に伝えるべきだろうか？　もしかしたら、封筒の中身から犯人に繋《つな》がる手がかりが得られるかもしれない。そこまで考えたところで、僕はあることに気づき「ああっ……」と絶望的な声を上げる。

古いこのマンションには、エントランスホールに防犯カメラが付いていない。つまり、誰が封筒を置いたのか記録されていないうえ、僕が封筒を受け取ったということも証明できないのだ。

事件の第一容疑者である僕がこれを警察に見せたりすれば、『部屋に自動発火装置を作るための材料があった』と判断される可能性が高い。もしかしたら、それこそが封筒を置いていった人物の目的なのかもしれない。

どうする？　どうにかしてこれを処分するか？　けど、そんなことを警察に気づかれたら、犯人が証拠隠滅を図ったと思われるかもしれない。なら……。

そこまで考えたところで、僕は髪を掻き乱していた手を止める。

違う。いま一番危惧《きぐ》するべきはそんなことじゃない。放火犯に僕の住所を知られているということだ。

ＲＸ－８を焼き、封筒を渡してきたことを見ても、犯人は僕に明確な敵意を持っている。すでに二人もの人間を焼き殺している放火犯は、僕を次のターゲットに定めたのだ。

古いこのマンションには、セキュリティは最小限の設備しかない。監視カメラもほとんどついていないはずだし、外部からの侵入もその気になれば容易だ。

この部屋に火を放たれたら……。僕は玄関に置かれている小さな消火器を見つめる。小さな火事ならこれで対応できるだろうが、もしガソリンをばらまかれて火をつけられたりしたら、ひとたまりもない。一瞬で部屋は炎の海と化すはずだ。場合によってはマンションごと燃え上がるかもしれない。

他の住民を巻き添えにするわけにはいかない。ここから出なければ。けれど、警察に保護を頼むわけにもいかない。

どうする？　どうすればいいんだ……？　体育座りになって頭を抱えた僕は、ズボンのポケットからスマートフォンを取り出すと、履歴を表示して発信のタブに触れる。

こんなとき頼れる人物は一人しかいなかった。数回のコールのあと、回線がつながる。

『なんだよ、せっかく寝ていたのに。少し休めっていったのお前だろ』

スマートフォンから眠そうで不機嫌な声が響く。それを聞いただけで、押しつぶされてしまいそうな不安がいくらか薄まった。

「すみません、鷹央先生。ちょっとトラブルになって……。どうすればいいか教えて欲しいんです」

『なにがあったんだ？　詳しく話せ、私が助けてやるから』

鷹央の声から一瞬にして眠気が消え、覇気がこもる。胸に巣くっていた不安がさらに消えていく。

「実は……」

僕はその場で正座をして話しはじめた。

た。

「……というわけなんです」

十数分かけて事情を説明し終えた僕は、鷹央の指示を待つ。答えはすぐに返ってき
『うちに来い。その封筒の中身を全部持っていますぐ、私の〝家〟に来るんだ』

「えっ？　いや、そんなわけにはいきませんよ。きっと犯人は本気で僕を……殺すつもりです。しかも、火事で殺そうとしているんですよ。病院に行ったら先生とか医療スタッフ、それに患者さんまで巻き込むかも」

『大丈夫だ。うちの病院はもともと二十四時間体制の警備を敷いているし、先日のこともあるから、警備員がかなり増員されている。それに監視カメラもいたるところにある。さらに病院は法律上、厳しい防火体制が敷かれているから、たとえ火が上がってもそう簡単に燃え広がらない』

「けれど……」

本当に大丈夫なのだろうか？　僕は決心できずにいた。

『それになにより、いまは刑事たちが病院を、というか私を監視している』

鷹央の言葉に、僕ははっと顔を上げた。

『お前がうちに来たら、お前を監視している刑事たちも病院の監視に加わるだろう。夜中に共犯と思われている二人が会うんだから、かなりの監視体制になるはずだ。そ

んななか、放火なんかできると思うか？　大丈夫だから、すぐにここに来るんだ』

「……分かりました。行きます」

立ち上がりながら答えると、鷹央は『待ってるぞ』と言い残して電話を切った。

僕は土足のまま部屋に入ると、小さなバッグを手に取って玄関に戻り、封筒の中身を詰め込んでいく。バッグのファスナーを閉め、部屋を出てマンションをあとにすると、大通りに向かい、そこでタクシーに乗り込んだ。

ドライバーに行き先を告げた僕は、振り返って背後を見る。銀色のセダンが数十メートル後ろを走っていた。ヘッドライトによる逆光で見えにくいが、運転席と助手席に男が座っている。おそらく、刑事による尾行だろう。

四十分ほどかけて天医会総合病院に到着した僕は、タクシーを降りるとそのまま裏にある職員用入り口を職員カードで開けて院内に入り、屋上へと向かった。

鷹央の〝家〟の前にたどり着いた僕は、扉を開けて室内に入る。自宅マンションに着いたとき以上の安心感に、体から力が抜けていった。僕が玄関に座り込むと、鷹央の（「入ったら殺す」と警告されている）プライベートスペースへと続く扉が開き、若草色の手術着を着た鷹央が姿を現した。

「ようっ、お帰り」

鷹央はからかうような様子で言う。僕は安堵で緩んだ顔に笑みを浮かべる。

「どうも、ただいま」

「二時間二十七分前に出て行ったばかりなのに、またすぐ病院に戻ってくるとはな。なかなか仕事熱心じゃないか。で、例のものはその中か？」

近づいて来た鷹央は、床に置いたバッグを指さす。僕が頷くと、彼女はファスナーを開け、せわしなく中を探りはじめた。

「なるほど、たしかにこれをうまく組み合わせれば時限発火装置を作ることも十分に可能だな」

そんな物騒なものの作り方、知っているのか……。

「それ、どうしましょう。僕が持っているのを見つかったら、放火犯だっていう証拠にされるんじゃ」

「そうだな、ガソリン以外は明日になったら院内に運び込んで、使っていないロッカーにでも隠しておこう。さすがの警察でも、院内全てを捜索するわけじゃないからな。ガソリンはそのまま下水に捨てたら危険だから、誰かに頼んで適当な車のタンクにでも入れてもらうとするか」

鷹央はバッグに入っている物を次々と取り出して言った。

「分かりました。それで、この後は……？」

僕が言うと鷹央はびしりとソファーを指さした。

「休め」

「え？　休むって、これを置いた犯人を探したりは……」

「さっき、私に少し休めって言っただろ。お前も同じだ。今回の件で消耗している。あまりにも色々なことがいっぺんに起こりすぎたからな。とりあえず、一晩休んだあと、今後のことを考えるぞ。じゃあな」

鷹央は小さくあくびをすると、プライベートスペースへと続く『開かずの扉』に近づいていく。

「鷹央先生」

僕は扉のノブを摑んだ鷹央に声をかける。彼女は「なんだ？」と振り返った。

「本当に今回の『謎』は解けますか？　本当に統括診断部は大丈夫なんでしょうか？」

そんなこと訊ねても仕方がないことは分かっていた。しかし、気弱になった心が鷹央の強い言葉を欲していた。

「……大丈夫だ。あと数日の猶予《ゆうよ》があるんだ。その間に、新しい情報が入って来るかもしれない。だから、きっと大丈夫なはずだ」

自分に言い聞かせるように言うと、鷹央はノブを引く。彼女の背中を見送った僕の鼓膜を、扉の閉まる乾燥した音が揺らした。

3

「あー、小鳥先生⁉」

甲高い声で目が覚める。ソファーから体を起こすと、玄関に鴻ノ池《こうのいけ》が立っていた。脇《わき》のローテーブルに置いた腕時計を見ると、時刻は午前七時過ぎになっていた。いつの間にか疲労で熟睡してしまったらしい。

「なんで小鳥先生が朝からここにいるんですか？　これってもしかして、『お泊り』ってやつっスか？」

テンション高い鴻ノ池の声が頭に響く。僕はこめかみを押さえて顔をしかめた。

「……それどころじゃないんだよ」

「あっ、もしかして深刻な事態ですか」

鴻ノ池はにやけた表情を素早く引っ込める。この辺りの勘の良さと、切り替えの早さがこいつの優秀なところだろう。

「そうだよ。だから、お前の相手をしている余裕なんてない」

寝癖のついた髪を手で梳《す》くと、鴻ノ池が〝本の樹《き》〟の隙間《すきま》を縫って近づいてきた。

「何があったか教えてくださいよ」

「お前は関係ないだろ」

「関係あります！　救急室で火事が起こったとき私も現場にいましたし、そのあとの話もちょこちょこ聞いているじゃないですか」

鴻ノ池はぐいっと顔を近づけてくる。

「けど、これ以上首を突っ込んだら、お前までおかしなことに巻き込まれるぞ」

僕たちに近づくと警察にマークされる可能性がある。場合によっては犯人にまで……。

「そんなことで私がひるむと思っているんですか。私が殺人の容疑者になったとき、鷹央先生と小鳥先生が助けてくれたじゃないですか。今度は私が恩返しする番です。私はまだ研修医ですけど、気持ち的には統括診断部のメンバーのつもりなんです」

鴻ノ池のセリフには強い決意がみなぎっていた。僕は少し考え込んだあと、鴻ノ池と視線を合わせる。

「……後悔しないな？」

鴻ノ池は迷うことなく頷いた。僕は息を吐くと、昨日のことを詳しく話していく。

十数分間、僕の話を固い表情で聞いた鴻ノ池は「分かりました！」と両手を合わせた。

「分かりましたって、何が？」

「送られてきた封筒の中身を隠すの、私が手伝います。研修医用のロッカーに空きがあるし、ガソリンは私の愛車に使えばいいですし」

「あれ？　お前、車持っているのか？」

僕が聞き返すと、鴻ノ池は微笑《ほほえ》んだ。

「めちゃくちゃ格好いいやつ持ってますよ。今度見せてあげますね。けど私、いいタイミングに来ましたね」

「そういえばお前、なんでこんな朝からやって来たんだよ？」

「あ、そうそう、精神科を回っている同僚の研修医から、室田春香《はるか》さんの退院が決まったって話を聞いたんで、一応ご報告しようと思いまして」

燃え上がる父親に向かって叫ぶ春香の姿が、脳裏にフラッシュバックする。

「もう回復したのか？」

「うーん、完全回復ってわけじゃないですけど、少しは落ち着いてきたみたいです。昨日の夜に墨田《すみだ》先生が面接して、今日の午後の退院が決まりました」

「そうか。……けれど、このあと大変だろうな。だれか、支えてくれる人がいればいいんだけどな」

「そういう相手はいないんじゃないですかね。何回かお見舞いにきた人がいたけど、春香さんそのたびに『会いたくない』って断っているって聞いていますよ」

「そうか……。朝早くからわざわざご苦労だったな。助かるよ」

「全然気にしなくていいですよ。私が住んでいる研修医用の女子寮は近いですから。すぐに来れます」

「ああ、病院の裏手にあるあの小綺麗《こぎれい》なマンションだろ。いいよな、俺の研修医時代の寮なんて、病院からそれなりに離れた築四十年の建物だったぞ」

「いいじゃないですか。そういう思い出の場所があるのって、ちょっと羨《うらや》ましいです」

「……耐震性に問題があるらしくて、来月辺りに取り壊すらしい」

「……思い出、消えちゃいますね。ところで、鷹央先生はどこにいるんですか？」

思い出したように鴻ノ池が言う。

「自分の部屋で寝ているんじゃないか？」

「こんな時間までですか？」

鴻ノ池は不思議そうに言うと、『開かずの扉』に近づいていった。

そう言えば、いつもなら鷹央は起きている時間だ。さすがに疲労が溜《た》まっているのだろうか？

鴻ノ池は「鷹央先生、起きていますか？」と扉をノックする。数十秒後、ゆっくりと扉が開いた。出てきた鷹央の姿を見て、僕と鴻ノ池は息を呑む。

蒼白《あおじろ》い顔には生気がなく、充血した瞳《ひとみ》の下にはアイシャドーを引いたようなクマが浮かんでいた。髪が乱れているのは寝癖ではなく、何度も掻き乱したからだろう。

「なんで室田は燃え上がったんだ……。どうやってあんなことを……」

うわごとのように鷹央はつぶやく。

しまった。僕は自分のうかつさを呪う。きっと鷹央は一晩中『人体発火現象』について考え、悩み続けていたのだろう。

ほんの数週間前、『甦《よみがえ》る殺人者事件』の際も、彼女は同じような状態に陥っていた。超人的な頭脳を持つ鷹央だが、追い詰められるとパニックになり易《やす》いという弱点も持つ。一度袋小路にはまり込むと、思考がそこから脱出できずに堂々巡りをくり返し、やがて脳細胞が過負荷に耐えきれなくなってショートしてしまうのだ。

このままでは数日以内に統括診断部が無くなってしまうという焦りが視野狭窄《きょうさく》を引き起こし、鷹央を追い詰めていたのだろう。そんな彼女に「休んでください」と言ったところで、一度暴走をはじめた脳のシナプスはそう簡単に止まることはないのだ。

前回は鷹央が眠るまで僕がついて、事件のことについて考えようとするたびに止めていた。今回もそうするべきだったのに……。後悔が胸を焼く。

「鴻ノ池、鷹央先生をこっちに連れて来い、ソファーで横になってもらうんだ」

「あっ、はい。鷹央先生、こっちです」

鴻ノ池に手を引かれた鷹央は、おぼつかない足取りで近づいてくると、ソファーに倒れこんだ。

「いま持っている情報では『人体自然発火現象』のからくりが分からないんだ。そもそも、あんなことが可能な犯人が、なんで碇の遺体や小鳥の車を焼いたときは、明らかに放火だって分かる証拠を残したんだ。……道理に合わない。……なにかがおかしい」

瞳の焦点がぼやけたまま、鷹央は熱に浮かされたような口調でつぶやく。

「鷹央先生、鷹央先生、分かりますか？」

僕が必死に声をかけると、眼球だけ動かしてようやく僕を見た鷹央は「小鳥？」と不思議そうにつぶやいた。どうやら周りの状況も把握できないほど疲弊しているらしい。

「なんで休まなかったんですか。一晩しっかり眠って疲労を回復させるって約束したじゃないですか」

思わず責めるような口調になってしまう。

「だって、このままだと統括診断部が無くなるかもしれないんだぞ。ベッドには入ったんだが、一人でそのことを考えているうちに眠れなくなって……」

眠れなくなって、一晩中思考の迷路を彷徨《さまよ》い続けてしまったのだろう。

鷹央にとってこの統括診断部は唯一《ゆいいつ》といっていい『居場所』なのだ。それが消え去ろうとしている恐怖を、僕は十分に理解していなかった。

「こんな状態じゃなんにも思いつきませんよ。とりあえず、ここで数時間眠ってください。僕たちがついていますから」

「けれど、家宅捜索が入るまで時間が……」

上体を起こそうとする鷹央の肩を、僕は柔らかく押さえる。

「大丈夫です。鷹央先生が寝ている間に、僕たちが必要な情報をさらに集めておきます。鷹央先生はしっかり休んだあと、それをもとに推理をしてください」

僕はゆっくりと言い聞かせるような口調で言う。無理やり横にしたところで、鷹央自身が思考を止めない限り、脳細胞が休息を取ることはできない。

数十秒、眉間にしわを寄せて考え込んだあと、鷹央は普段では考えられないような弱々しい声で「分かった……」とつぶやいて瞼を落とした。暴走していた脳の動きがオフになったのか、すぐに小さな寝息が聞こえてくる。僕と鴻ノ池は、同時に小さく安堵の息を吐いた。

「鷹央先生、大丈夫ですかね」鴻ノ池が小声で囁《ささや》いてくる。

「一応な。ただ、しっかり見ておかないと、またいつ起きて事件のことについて考え出すか分かったもんじゃない。鴻ノ池、お前、今日は忙しいか？」

「いえ、そんなに忙しくはないですけど……」

「僕も今日は外来が入っていないから、各科から依頼があった患者を診て回るだけで、少し余裕がある。うまく時間を使って、交代で鷹央先生の様子を見てくれないか」

「ラジャーです」

鴻ノ池は固い表情で敬礼をした。


もう午後七時過ぎか。電子カルテの前に座り、検査のオーダーを打ち込んでいた僕は振り返って鷹央を見る。暴走によって負ったダメージを癒《いや》すかのように、鷹央は朝から半日以上眠り続けていた。その間、僕は主に他科から診察依頼があった患者のカルテの確認や検査のオーダーなどを行い、鴻ノ池が交代で〝家〟に来られる昼休みなどの時間を利用して病棟におりて、患者の診察を行った。

あとでカルテやオーダーの内容を鷹央に確認してもらう必要があるが、なんとか今日一日の通常業務を終えることができた。僕は席を立つと、鷹央に近づいていく。ソファーで丸くなって眠っている鷹央の表情は穏やかで、少なくとも夢の中では事件のことを忘れられているように見えた。

これだけしっかり休めばある程度は回復できるだろう。僕は胸を撫でおろすが、その一方で心の奥底には不安が巣くっていた。

眠っている間に推理に必要な情報を集めると鷹央に言ったが、それは彼女を休ませるための口実に過ぎなかった。鷹央は復活したとしても、推理に必要な情報が不足しているいまの状況では、また今朝と同じ状態に戻ってしまう。しかし、これ以上の情報を集める方法など思いつかなかった。

僕は一人掛けのソファーに腰掛けると深くリクライニングさせ、後頭部で両手を組む。

これまで、僕が見てきたことのなかで、何かヒントがないだろうか？　鷹央が解けないような『謎』を僕がどうこうできるとは思えない。しかし、見聞きしたことの中に、鷹央に伝えられていない手がかりがあるかもしれない。目を閉じ、一連の事件についての記憶を浚《さら》う。昨夜、封筒を受け取ったシーンが蘇ってきた。

数分間、記憶の中を漂った僕は違和感をおぼえて目を開ける。自分がなにに気づいたかははっきりしない。しかし、なにか手がかりを摑んでいるという手ごたえがあった。

落ち着け、落ち着いて考えろ。自分に言い聞かせているとき、腰のあたりから振動が伝わってくる。

なんだよ、こんなときに。僕はズボンのポケットからスマートフォンを取り出した。液晶画面に表示されている『公衆電話』の文字に眉根が寄る。

嫌な予感をおぼえながら、僕は足音を忍ばせて〝家〟を出ると、『通話』のアイコンに触れた。

「もしもし、小鳥遊ですけど……」

屋上の端にある鉄柵《てっさく》の前まで僕は移動していく。

『どうも、小鳥遊先生』

押し殺した声が聞こえてくる。聞き覚えのある声だった。

「成瀬さん？」

『それは誰のことでしょう？』

電話の向こう側の人物は淡々と言う。その意味を僕はすぐに理解した。

成瀬はなにか重要な情報を伝えようとしているのだ。本来、容疑者である僕には絶対に教えてはならない情報を。

「失礼、人違いでした。それでなんの御用でしょうか？」

『明日の朝、天久先生の〝家〟と、あなたのマンションに家宅捜索が入ります』

僕は大きく息を呑み、目を剝いた。

「そんな⁉　まだ数日の猶予があるって、昨日言っていたじゃないですか」

『なんのことですか？　私はあなたに会ったことなんてありませんよ』

「分かりました。僕はあなたが誰だか分からないし、もちろん会ったこともありません。だから教えてください。なんでこんなに早く家宅捜索が決まったんですか？」

まどろっこしい成瀬の態度に苛立ちながら僕は訊ねる。

『あなたのせいですよ。昨日、マンションに帰ったあなたはすぐに、バッグを持って病院にとんぼ返りをした。それを見て、あなたが証拠隠滅を図っている可能性が高いと判断されたんです』

そんな……。僕は言葉を失って立ち尽くす。

『俺が協力できるのはここまでです。さすがにこれ以上のリスクを負うことはできない』

「……ありがとうございます」

何とか言葉を絞りだす。もし、情報を流したことが明るみに出れば、成瀬も大きなペナルティを負うことになるはずだ。それを承知で連絡してくれたことがありがたかった。

『あと、分かっていると思いますが……』

「ええ、もちろん僕はあなたが誰か知りません」

『よろしくお願いします。それでは俺はこれで。できれば、今夜中に真犯人が見つかることを期待しています』

その言葉を残して回線が切れた。僕はスマートフォンを握った手をだらりと下げると、唇を強く噛む。

僕の不用意な行動のせいで、貴重な時間が失われてしまった。明日の朝には大量の捜査員たちが僕のマンション、そしてこの天医会総合病院に殺到する。そうなれば、すべてがお終《しま》いだ。マスコミが殺到し、病院は機能不全を起こすだろう。統括診断部はその責任をとって消滅することになる。

全部僕のせいだ！　僕は拳《こぶし》で鉄柵を殴りつける。重い音が辺りに響き渡った。

昨日、鷹央に助けを求めたりせず、自分一人で対処しておけば。そもそも、室田が運び込まれたとき、服の下に手を入れて聴診など行っていなければ。

それが無意味なことだと理解しつつも、後悔せずにはいられなかった。

柵に両手をかけてうなだれていると、背後から「小鳥先生？」と声がかかる。見ると、心配そうな表情を浮かべた鴻ノ池が立っていた。

「あの、どうかしたんですか？　もしかして、鷹央先生がなにか？」

「……いや、鷹央先生は大丈夫だよ。なんでもない、心配するなって」

笑顔を浮かべようとするが、顔の筋肉がひきつって上手《うま》くいかなかった。

「それより鴻ノ池、もう仕事は終わったのか？　それなら、ちょっと交代して鷹央先生を見ていてくれると助かるんだけど」

僕は早口で言ってこの場を取り繕う。鴻ノ池は訝《いぶか》しげに眉根を寄せた。

「それはかまいませんけど、小鳥先生はどうするんですか?」

「いや、ちょっと買い出しに行こうと思ってな。昨日、着の身着のままで自宅を出たから、日用品が必要なんだよ」

「はあ……、分かりました」

鴻ノ池は曖昧《あいまい》に頷くと、何度も振り返りながら〝家〟へと向かう。

「小鳥先生、なにかあったらちゃんと私にも相談してくださいよ」

玄関扉を開けた鴻ノ池が声をかけてくる。僕が「分かっているって」と返事をすると、彼女は〝家〟へ入っていった。

僕は枷《かせ》がつけられたように重い足を引きずり、〝家〟の裏手にある小さなプレハブ小屋で白衣からジャケットに着替えると、屋上をあとにする。

一階に入っているコンビニはすでに閉店しているので、僕は病院を出て近所のコンビニまでゆっくりと歩いていく。もともと、日用品を買うのが主な目的ではなかった。少し一人になって考えをまとめたかった。

残された猶予は半日を切っている。そのことを鷹央に伝えて、できる限りのことをするべきなのだろうか? けれど、特に新しい情報もないいま、わずか半日で事件の真相にたどり着くことなどできるのだろうか?

夜道を歩きながら考え込んでいた僕は、背後からついてくる足音に気づく。やはり、いまも刑事に尾行されているのだろう。昨日、タクシーに乗ったときもセダンがついて来ていたので、かなり大掛かりな監視体制が敷かれているのは間違いない。それだけ、容疑が濃くなっているということだろう。

いまは刑事を気にしている場合じゃない。僕は自分に言い聞かすと、歩きながら頭を動かし続ける。ふと、成瀬からの電話が来る前におぼえた違和感について思い出す。あのとき、僕はなにかに気づきかけていた。

僕はいったいなにが気になったんだ？　自らの内側に思考を落とし込んでいく。次の瞬間、脳天から足先まで電流が走った気がした。僕はその場で足を止めて、顔の前に手を持ってくる。

もしかしたら……。思いついた仮説を必死に検証していく。考えれば考えるほど、それが事実だと確信していく。

落ち着け、落ち着くんだ。そうだとしたら、いま取るべき行動はなんだ？

そばにあった自販機で缶コーヒーを買うと、近くにあったバス停へと近づいていく。スマートフォンを取り出した僕はバス停のベンチに腰掛け、缶コーヒーを飲みながら作戦を練りはじめた。

数十分間、手の中のスマートフォンをいじりながらバス停のベンチに座り続けた僕は、大きく息を吐いて顔を上げる。見ると、数十メートル離れた路肩に、銀色のセダンが停まっていた。きっと、刑事が乗っているのだろう。

まずは、刑事たちの尾行を撒かなくては。僕はスマートフォンの履歴を表示すると、『発信』のタブに触れる。相手はすぐに出た。

『はい、鴻ノ池ですけど、どうしました?』

「鴻ノ池、お前、僕に愛車を見せたいって言っていたよな」


空になったコーヒー缶をわきにあるゴミ箱に向かって投げる。放物線を描いた缶はゴミ箱の中に吸い込まれていった。

鴻ノ池に電話をしてから三十分ほどが経っている。そろそろだろう。うまくいくのだろうか? 胸に湧《わ》いた不安を、僕は息に溶かして吐き出していく。いまさら悩んでもしかたがない。すでに賽《さい》は投げられたのだ。

僕が拳を握りしめていると、低く唸《うな》るようなエンジン音が響いて来た。そちらに視線を送った僕は目を見張る。猛禽《もうきん》を彷彿《ほうふつ》させる、攻撃的な流線型をした巨大なバイクが猛スピードで近づいてきていた。

バイクは僕の目の前で急停車する。ゴムが焼ける匂いが鼻先をかすめた。

「お待たせしましたー」

ライダースーツにフルフェイスヘルメットを身につけ、バイクに跨《またが》った人物は、その無骨な格好に似合わない明るい声を上げながらヘルメットのシールドを上げる。少し垂れ気味の、大きな二重の目が露《あら》わになる。

「鴻ノ池？」

「そうですよ。どうしたんですか、そんな鳩《はと》が豆鉄砲食らったような顔して」

「いや、お前、愛車を見せるって……」

「ええ、私の愛車、KAWASAKI Z1000ですよ」

鴻ノ池は得意げに胸を反らす。体にぴったりとフィットするライダースーツを着込んでいるので、細身だが引き締まったボディラインが際立《きわだ》っている。

まさか『愛車』がバイクだったとは。てっきり、軽自動車かなにかだと思っていた。

「ローンを組んで去年ようやく手に入れた子なんです。可愛《かわい》いでしょ」

鴻ノ池は目を細めて、『可愛い』と表現するにはあまりにも攻撃的な形状をしているバイクのボディを撫でる。

「というわけで、後ろにどうぞ。特別にこの子に乗せてあげます」

鴻ノ池はバイクから降りると、ヘルメットホルダーに取り付けられていたヘルメットを僕に向かって放る。

「一緒にいったらお前まで警察に目を付けられるぞ。僕も大型二輪の免許は持っているから一人で……」

「嫌です！」僕のセリフが終わる前に鴻ノ池は声を上げる。「いくら小鳥先生にでも、恋人を貸し出せるわけないじゃないですか。後ろに乗せるのも特別なんですからね。分かったら、さっさとヘルメットかぶって下さい」

「これから何をするか、ちゃんと理解して言っているんだろうな？」

ヘルメットを頭に乗せながら訊ねると、鴻ノ池は心から楽しそうに口角を上げた。

「ええ、もちろん。バイクでぶっ飛ばして、尾行している刑事たちを撒くんですよね」

鴻ノ池は「いいから乗りな」とでも言うように、親指で後部座席を指した。そこまでの覚悟ができているなら、もはや何も言うまい。僕は言われた通り、鴻ノ池の後ろの座席に跨る。

「そういえば、鷹央先生はどうしてた？」

「目を覚まして、お腹すいているみたいだったんでレトルトカレー作ってあげました。あとのことは真鶴《まづる》さんに任せてあります」

姉の真鶴なら、僕たち以上に鷹央のことを分かっているから安心して任せられる。僕たちはこれからの作戦に集中するとしよう。

「それじゃあ、行きます。振り落とされないようにしっかり掴まっていてくださいね」

「あ、ああ……」

僕は遠慮がちに背後から、鴻ノ池の引き締まったウェストに腕を回す。

「覚悟はいいですね。後悔してももう遅いですからね」

鴻ノ池はシールドを落とすと前を向いて姿勢を低くし、ハンドルを握る。座席の下から、獣の咆哮《ほうこう》のようなエンジン音が響いた。

「後悔？」

僕がつぶやくと同時に、バイクが急発進した。体が反り返り、振り落とされかけた僕は、慌てて両手に力を入れる。見たこともないスピードで左右の景色が流れていく。悲鳴のような風切り音が鼓膜に叩きつけられる。

「ちょ、ちょっ……、いくらなんでも飛ばしすぎ……」

僕の叫び声は風に押し流されて、鴻ノ池に届く気配がなかった。そのとき、体が四十五度傾いた。ほとんど減速することなく、バイクはわきにある路地へと飛び込む。

「ちょー楽しいですね、小鳥先生。こんな興奮するの久しぶりっス」

前方から飛んでくるハイテンションな声を聞きつつ、僕は死を覚悟しながら鴻ノ池の体にしがみつき続けた。

「生きてる……。僕、生きているよな……？」

バイクから降りた僕は、両肩を抱くようにして体を丸める。想像を絶する運転で僕に死の恐怖を三十分ほど与え続けたあと、鴻ノ池はバイクをようやく停めていた。

上下の歯をカチカチと鳴らす僕を尻目に、鴻ノ池はフルフェイスヘルメットを外して、気持ちよさそうに髪を掻き上げた。

「やっぱり思いっきり飛ばすのは最高ですね。あっ、気分良いから、ずっと私の体に触っていたの許してあげますね。倫理的にはギリギリアウトかもしれないですけど」

「倫理的にも法的にも完全にアウトの運転していたお前に言われたくない!」

僕は震え声で叫ぶと、鴻ノ池は不満げに唇を尖《とが》らす。

「小鳥先生が言ったんじゃないですか。『全力で飛ばして尾行をまいてくれ』って」

「言ったよ。たしかに言ったけど、まさかあそこまで……」震えでうまく言葉が出ない。

「ならいいじゃないですか。間違いなく尾行はまけましたよ。で、言われた通りに走りましたけど、この建物なんなんですか?」

鴻ノ池はブロック塀の奥に見える、年季の入った三階建ての建物を見る。外壁の塗装はところどころ剝《は》げ、いくつかの窓ガラスが割れていて廃墟《はいきょ》のような様相を呈している。

僕は電話で話したときに前もってここの住所を鴻ノ池に伝え、こうして狛江《こまえ》市の住宅街のはずれに連れてきてもらっていた。

「前に言っただろ。僕が研修医時代に住んでいた寮だよ」

「え、でも、その寮ってもうすぐ取り壊されるんじゃ……」

「ああ、そうだ。だから、いまは誰も住んでいない。身を隠すには最適だろ」

「身を隠すって、どういうことですか？　私、ここに連れて行けとしか聞いていないんですけど」

「今回の事件の犯人に見当がついたんだよ」

「犯人が⁉　誰なんですか⁉」鴻ノ池は大きな目を見開いた。

「はっきりと誰かまでは分からない。ただ、犯人は間違いなく……警察関係者だ」

「警察⁉」鴻ノ池の目がさらに大きくなる。

「ああ、そうとしか考えられない。今回の事件の関係者の中で、僕が天医会総合病院に勤めているのを知っている人物は多いけれど、僕の自宅を知っている人物はいないはずなんだ。それなのに、犯人は僕の自宅に封筒を置いて脅してきた」

「尾行している警察なら当然、小鳥先生の住所を知っている……」

鴻ノ池はかすれ声でつぶやく。僕は「そうだ」とうなずいた。

「きっと、警官の中に被害者と利害関係がある奴がいるんだ。そいつはどうにかして『人体自然発火現象』を起こし、僕に罪を擦《なす》り付けようとしている。捜査員なら、事件の証拠を隠したり、逆に偽の証拠を現場に置いたりすることも可能だからな」

「そんな……。じゃあ、どうすればいいんですか？」

「次のターゲットは僕だ。たぶん、犯人である僕が逃げ切れないことを悟って自殺したっていうシナリオにするつもりなんだろうな。だから、警察の尾行をまく必要があったんだよ」

「でも、本当に捜査関係者が真犯人だとしたら、濡れ衣を晴らす方法なんてないじゃないですか。ずっとここに隠れているつもりですか？」

「いや、大丈夫だ。犯人が捜査関係者だっていう大きなヒントが見つかったんだ。きっと鷹央先生が真犯人をみつけて、そいつを告発できるだけの証拠を見つけてくれるさ。僕はそれまでここに身を隠していればいいんだ」

「そううまくいきますかね？」鴻ノ池の声には疑念があふれていた。

「仕方がないんだよ。いま僕にできることは、ここに隠れて鷹央先生が推理する時間をかせぐことだけなんだから。まさか犯人も僕がここにいるとは知らないはずだ。十分に時間をかせげる。あ、あと、頼んでおいたもの持ってきてくれたか」

「……はい、これです」

バイクのシートを上げた鴻ノ池は、そこに納められていた小さなバッグを取り出した。

「言われた通り、小鳥先生の自宅に届けられた封筒の中身が入っています。これ、どうするつもりですか?」

「この建物内に置いとくんだよ。そうしたら、建物が取り壊されたとき、がれきと一緒に処分されるだろ。しかし、……おかしなことに巻き込んで悪かったな」

「気にしないでください。こういうときは、持ちつ持たれつですよ」

鴻ノ池は僕の背中をたたく。

「本当に助かったよ。ありがとうな」

「じゃあ、そろそろ行きます。……小鳥先生、気をつけてくださいね」

鴻ノ池はバイクにまたがってヘルメットのシールドを下げた。

「分かってるよ」

ややこわばった笑みを浮かべると、鴻ノ池はバイクのエンジンを思い切りふかした。重低音に内臓を揺らされながら鴻ノ池を見送った僕は、振り返って廃墟と化した寮を見上げた。

4

背の高い雑草が生い茂った裏庭。ブロック塀の上部から、かすかに街灯の光が差し込むだけのその空間には、闇《やみ》が満ちていた。

闇の一部がわずかに蠢《うごめ》く。人影が這うように建物に近づいていく。

やがて、建物のそばまで移動した人影は、ペットボトルらしき容器を手に取り、開いた窓の隙間に注ぎはじめる。液体が床に落ちる水音がかすかに聞こえてきた。

中身をすべて注ぎ終えた人影は、容器を放り捨てると数歩あとずさりをしながら、ポケットから何かを取り出した。金属がこすれる音が響く。人影の手元が明るくなり、まとっていた闇のマントが引き剝がされる。男がうっとりとした目で手に持っているライターの炎を見つめていた。

やがて、男は無造作にライターを窓に向かって放った。オレンジ色の炎が、放物線を描きながら窓の隙間へと吸い込まれていく。

そして、爆発が起こった。

部屋の中で生まれた紅蓮《ぐれん》の猛獣は、燃え盛るその体を室内にとどめることができず、窓から溢《あふ》れ出してくる。触手のような炎が建物の壁を這いあがり、その外装を溶かしていった。恍惚《こうこつ》の表情で炎を見上げる男の顔が、紅《あか》く照らし出される。

さて、そろそろ行くか。

僕は細く息を吐いて気合を入れると、三時間以上潜んでいた茂みから這い出した。葉がすれる音が響き、男の体が大きく震える。

僕は立ち上がると、数メートル先で立ち尽くしている男に向かって声をかけた。

「やあ、久しぶり。蘆屋雄太《ゆうた》君」

体に着いた土や小枝を払い落としながら、僕は男に微笑みかける。

「やっぱり君が犯人だったんだね」

「な、なんで……」

半開きの口からうめき声を漏らす蘆屋雄太に、僕は一歩近づく。雄太は腰を引いて、二歩後ろに下がった。

これ以上近づくと、逃げ出しそうだな。その前に、とりあえずいろいろと確認しないと。僕はその場で足を止める。窓からはいまだに炎が噴き出していた。かなり離れているにもかかわらず、輻射熱《ふくしゃねつ》が顔を炙《あぶ》る。

「最初に違和感をおぼえたのは、犯人が僕の住所を知っていたことだ。事件の関係者で僕の自宅を知っている人間なんてほとんどいないし、普段車で帰っている僕を尾行して自宅を突き止めるのは簡単じゃない。だから一瞬、警察関係者が犯人なんじゃないかなんて馬鹿なことまで疑ったよ。けど、よく考えれば大きなヒントがあったんだよな」

「ヒント……？」呆けた表情のまま雄太はつぶやく。

「そう、僕に届けられた封筒だよ。時限発火装置の材料入りのね」

「あれのなにが⁉　足がつかないように遠くのホームセンターで買って……、指紋だってつかないように……」

まだ思考が回復していないのか、雄太は自分があの封筒の送り主であることを簡単に認める。この調子で、我に返る前に情報を引き出させてもらおう。

「問題なのは封筒の中身じゃないよ。あれが置いてあったシチュエーションだ」

雄太は「シチュエーション？」と、焦点の合わない目をこちらに向ける。

「そう、一番不思議だったのは、なんで郵送じゃなくわざわざあれを郵便受けのわきに置いたかだ。まあ、郵送しなかったのは、自分がマンションまで来たってことを見せつけて僕を脅すためとも考えられるけれど、あそこに置いたのはおかしい。僕が帰ってくる前に誰かに片付けられたり、盗まれたりする可能性もあったからね。それらを防ぐ簡単な方法もあった。そう、僕の郵便受けに封筒を入れることだ。けれど、実際はそうしていなかった。なぜか？　それを考えたときに気付いたんだよ」

僕は目をすっと細める。

「犯人はあのマンションに僕が住んでいることは知っていても、僕がどの部屋に住んでいるのかまでは知らなかったんじゃないかってね。ただ、そうだとしても、僕はちゃんと郵便受けに『TAKANASHI』って名札を貼っている。そこに入れればいいはずだ。それなのに犯人はそれをしないで、なぜか平仮名で『たかなしことり』とかわけのわからないことを書いて封筒を壁に立てかけた。その理由を考えたとき、分かったんだよ」

言葉を切った僕は雄太の反応を窺《うかが》う。しかし、彼は虚《うつ》ろな目をこちらに向けるだけで、話を理解しているかどうかも定かではなかった。仕方がないので、僕は話を続ける。

「犯人は僕の本名は知らず、その一方でマンションに僕の他にも『たかなし』っていう住人がいることは知っていたんじゃないかってね。ただ、覚えている限り、あのマンションに僕以外の『たかなし』がいるって話は、最近ある人と話したときにしか言っていない。けれど、その人は僕の本名を知っているはずだ。以上のことから考えられる可能性は一つ」

僕は人差し指を立てる。いつも鷹央がしているように。

「最近の僕の会話が盗聴されていたんだ。けれど、犯人が聞いたと思われる会話は、普段僕がいる場所ではなく、外出時のものだ。つまり、盗聴器は僕自身に仕掛けられているはず。そこまで分かったら、あとは簡単だったよ」

僕はズボンのポケットから小さな機器を取り出す。病院から支給されている小さな院内携帯。雄太は「ぐっ」と喉に物を詰まらせたような音を漏らす。

「先週の月曜、僕はこれを失《な》くしていることに気付いた。すぐに受付に届けられたんで、てっきりその日に院内で落としたと思っていたけど、実際は違っていたんだね。その前日、碇さんの通夜で君ともめたときに僕はそれを君に奪われていたんだ」

「俺が盗《と》ったわけじゃない！　お前が落としたものを拾っただけだ！」

雄太は声を張り上げる。

「拾ったことは認めるんだ」

僕が肩をすくめると、雄太ははっとした表情になる。やはりまだ頭が回っていないようだ。この機会を逃さず、畳みかけるとしよう。

「きっと、この携帯の中には盗聴器だけじゃなく、GPS発信機でも入っているんだろうね。君はリストラされる前は、メーカーの技術者だった。それくらいのことなら朝飯前だろ。GPSは平面で表示されるから、どの高さにあるか分からない。だから僕のマンションをつきとめても、何階の部屋に住んでいるかまでは分からなかったんだ」

雄太はなにも答えないが、ゆがみが大きくなっていく表情を見ると、図星なのだろう。

「さて、そこまで分かったところで、どうするべきか考えた。犯人は車を焼き、マンションに封筒を置いて脅すほどに僕を恨んでいる。本当なら、十分に怯《おび》えさせた僕をそろそろ焼き殺したいはずだ。聞いたところ『放火は癖になる』らしい。もう、すでに二人も同じように殺しているんだから、躊躇《ためら》いなんかないだろうしね」

「なっ⁉　俺は……」

雄太は目を剝いてなにか反論しようとするが、僕はかまわずに話し続ける。

「それなのに、なんで僕を襲わなかったのか。それは、警察が常に僕を尾行していることを、盗聴で知っていたからだ。僕に直接手を出せば、尾行している警官に逮捕されるかもしれない。それで、犯人は僕に直接手を出しては来なかった。そこまで分かれば、やるべきことは一つしかない。……犯人を罠《わな》にかけることだ」

雄太の頰がぴくぴくと痙攣《けいれん》しはじめた。

「まずは、うちの研修医を使って警察の尾行をまいてここに来た。そして、研修医との会話で、ここには僕しかいないことを伝えて、放火へのハードルを下げたんだよ」

「じゃあ、あの女と話したことは……」

「ああ、盗聴されるのが分かっていて、前もって決めていたものだよ。あいつを呼び出す前、スマートフォンのメッセージアプリで十分に打ち合わせしておいたんだ。君は僕たちに騙《だま》されて、誘い込まれたんだよ」

「そんな……」雄太の震える唇の隙間から声が零れる。

「あとは身を隠して、まんまと君がおびき寄せられるのを待っていればよかった。けれど、思った以上に早く来てくれて助かったよ。やぶ蚊が多くてさ。しかし、君……」

僕が声を低くして睨《にら》みつけると、雄太の顔に怯えが走った。

「まさか、先祖の墓があばかれたっていうだけで、ここまでやるとはね。『炎蔵の呪い』の正体が、身内による放火だっていう説は本当だったってことか。けれどな、二人も焼き殺すのはいくらなんでもやりすぎだ」

「ち、違う！　俺は誰も殺してなんかいない！」

雄太は声を嗄《か》らして叫ぶ。僕は大きく舌を鳴らした。

「ふざけるな！　げんに放火で僕を焼き殺そうとしたじゃないか！」

「それは……、通夜で恥をかかされたから、その仕返しをしようとしただけで……。ちょっと脅かすだけのつもりだったんだよ。あんた以外の奴らについては、俺はなにもしていない。あれは本当に『炎蔵の呪い』だったんだ」

媚《こ》びるような笑みを浮かべる雄太に、吐き気がしてくる。

「往生際が悪いな。そんな言い訳が警察に通じるといいね」

ため息交じりに言うと、雄太は笑みを引っ込め、牙を剝くように唇をゆがめた。

「警察？　警察はあんたがこの建物に放火したと思うにきまっているだろ。尾行を振り切って数時間後に、放火容疑者のあんたが火災現場にいるんだぞ」

「あのなあ、それくらい手を打ってあるに決まっているだろ」

僕はさっきまで隠れていた茂みを指さす。

「目立たないんだけど、炎で明るくなっているから目を凝らせば分かるだろ？　小さな金属の箱が置いてあるのが。あれは赤外線暗視機能付きの監視装置だよ。暗いところでも映像撮影が可能だから、君がペットボトルに入れたガソリンを部屋に注いでいるところから全部映っている。もちろん、これまでの会話も全部ね。いやあ、うちの上司の危険なコレクションも、案外役に立つもんだろ」

鴻ノ池から渡されたバッグ、あの中には僕が指示して持ってこさせた鷹央のコレクションが収められていた。

僕が勝利の笑みを湛えていると、遠くからサイレン音が聞こえてくる。近所の住人が通報したのだろう。さて、おしゃべりの時間はおしまいだ。僕はジャケットのポケットから、鷹央のコレクションの一つである手錠を取り出すと、輪の部分に指を入れてくるくると回転させる。

「もうすぐ消防隊がやってくるね。それじゃあ、その前に仕上げといこうか」

「仕上げって……なんだよ？」

危険を悟ったのか、雄太の腰が引ける。

「決まっているじゃないか。君を捕まえて警察に突き出すんだよ。きっと警察なら徹底的に調べ上げて、すべての犯行の証拠を見つけ出してくれるだろうからね」

僕が無造作に間合いを詰めると、雄太は荒い息をついて睨みつけてくる。その瞳に炎が揺れた。次の瞬間、雄叫《おたけ》びを上げた雄太が、両手を伸ばして襲い掛かってくる。

けれど、僕はその行動を完全に読んでいた。僕を倒して、監視装置を奪う。それ以外に、彼に残された道はないのだから。

予想していたのだから、もちろん準備もできている。僕はすっと右足をあげると、突っ込んでくる雄太の腹へと前蹴りを突き刺した。靴を通して、内臓がひしゃげる感覚がつま先に伝わってくる。

弾《はじ》き飛ばされるように後方に倒れこんだ雄太は、腹を押さえてえずいた。体重の乗った蹴りをカウンターで受けたのだから当然だろう。

「RX－8、……仇《かたき》は討ったぞ」

僕は空を仰ぐと、雄太に燃やされた愛車に向かって語り掛ける。そのとき、うずくまっていた雄太の腕が動いた。目に痛みをおぼえ、僕は顔をそむける。涙でかすむ視界の中、雄太が腹を押さえてよろよろと立ち上がるのが見えた。その手が汚れているのを見て、僕はようやく土を顔に投げつけられたことに気付く。

僕は慌てて重心を落として身構える。土が目に入ったせいで、雄太の行動がよく見えない。また襲い掛かってくるつもりか。

素早く目をこすった僕が見たものは、涙で滲《にじ》む視界の中、背中を向けて逃げていく雄太の姿だった。その足取りは蹴りのダメージのせいかおぼつかないが、こちらもこんな状態では追うことができない。

監視装置の画像さえあれば、雄太が犯人だということは証明できる。ここで逃がしても、警察がその強大なマンパワーで瞬《また》く間に彼を逮捕するだろう。別にそれでも結果は変わらない。変わらないが……。

苦悩の表情でソファーに横たわる鷹央の姿が、脳裏をよぎる。

あの人をあんなに苦しめたこの事件、やっぱり『僕たち』の手で始末をつけなければ。

「逃がすな！　捕まえろ！」

僕が声をあげると同時に、逃げる雄太の前の茂みから、人影が勢いよく飛び出してきた。

雄太は一瞬体を震わせたが、スピードを緩めることなく人影に向かって襲い掛かった。

視力が戻ってきた目が、腕を搦めとられ、顔面から勢いよく地面に突っ込んでいく雄太の姿をとらえる。

突進の勢いを見事に利用され、えげつない角度と勢いで投げられた雄太に、僕は近づいていく。人影が雄太の手首、肘《ひじ》、そして肩の関節を完全に極《き》め、地面に磔《はりつけ》にしている。

とというか、これって肩関節、外れてないか……。

僕が頰を引きつらせていると、雄太を押さえつけている人影、帰るふりをして茂みに潜んでいた鴻ノ池舞《まい》がこちらを見る。

「捕まえましたよ小鳥先生！　これで私も統括診断部の一員って認めてもらえますかね」

サイレン音が大きくなるなか、鴻ノ池は満面に無邪気な笑みを浮かべた。

5

「というわけで、小鳥遊先生と鴻ノ池先生のご協力によりまして、蘆屋雄太を逮捕することができました。容疑は狛江市にある取り壊し予定の建物に対する放火の容疑ですが、その他の事件についてもしっかりと調べていきます」

翌日の夕方、天医会総合病院の十階にある統括診断部の外来診察室で、日野の話を聞いていた。彼の隣には、仏頂面の前川が患者用の椅子に腰かけている。対してこちら側は、僕の他に鷹央、鴻ノ池、そして葵がいた。

昨日の夜、(鴻ノ池に肩関節を外されながら) 捕まった雄太は、駆け付けた警察官によって逮捕された(肩の関節は僕と鴻ノ池でとりあえず整復した)。雄太が炎を放った時点で、隠れていた鴻ノ池が通報していたのだ。

交番の警官たちから少し遅れて到着した日野たちに、僕は事情を説明したうえ、すべてが映っている監視装置を証拠として提出したのだった。

そして今日、昼頃に「事件の捜査状況について説明したい」と日野から連絡があったので、なにかわかったら連絡すると約束していた葵も呼び、こうして話を聞いている。

「ちょ、ちょっと待ってくれ」

片手を額に当てた鷹央が、もう片方の掌《てのひら》を日野に向ける。

「本当に蘆屋雄太が一連の事件の犯人なのか?」

鷹央の声には戸惑いが色濃く滲んでいた。

一晩中かけて警察で事情を説明した僕と鴻ノ池は、朝方に天医会総合病院に戻ると、鷹央に昨晩のことを説明した。雄太が犯人だったということを聞いた鷹央は「いや、そんなはず……」と困惑の表情を浮かべ、細かい点について僕に色々と質問をしてきた。しかし、徹夜で疲労困憊《こんぱい》のうえ午前から外来が入っていたので、僕は「とりあえず詳しい話はあとにしましょう」と鷹央を宥《なだ》めた。

午前は外来、午後は病棟業務を終えたあと仮眠を取っていたので、今日はまだ鷹央と事件のことについて詳しく話してはいなかった。

「昨日、取り壊し予定の寮に放火した件と、小鳥遊先生の車を燃やした件については認めています。ああ、あと小鳥遊先生を盗聴したうえで、マンションに封筒を置いて脅した件も」

「それじゃあ、室田と内村の焼死、それと碇の遺体が燃えた件は認めていないんだな」

鷹央は前のめりになる。

「ええ、そちらは自分とは関係ない。あれは『呪い』によるものだとか、わけの分からないことを言っています」

日野は苦笑を浮かべる。

「蘆屋炎蔵とかいう陰陽師の墓をあばいた人間は、遅かれ早かれ『呪い』によって死ぬ。けれど、小鳥遊先生には恥をかかされた恨みがあるんで、呪い殺される前に脅して、十分に恐怖を与えたかった。それがあの男の供述です」

「僕を殺すつもりはなかったって言っているんですね？　ガソリンまで使ったくせに」

僕が呆《あき》れ声で訊ねると、日野は肩をすくめた。

「最初は殺意を否定していましたが、厳しく問い詰めると『場合によっては死んでもいいと思っていた』という趣旨の供述をしはじめましたね。まあ、未必の故意で殺人未遂罪が適用できるかもしれません。そもそも、いざとなれば小鳥遊先生だけでなく、墓に入った天久先生や倉本《くらもと》先生も殺害するつもりだったようです」

殺害リストに自分の名前が出て、葵は片眉を上げた。

「いざとなればというのは、私たちが『呪い』で死ななかったらということですか？」

葵の問いに、日野は「そうみたいですね」と頷く。

「供述によると、蘆屋家では代々『呪い』の存在を子供の頃から徹底的に教え込まれるそうです。ただ、それと同時に別のことも指示されていたようですね」

「別のこと？」

僕が聞き返すと、日野の代わりに葵が口を開いた。

「呪われた人物が死ななかった場合、子孫である自分たちが自らの手を汚してでも『呪い』を成就させること」

「ええ、その通りです」日野はゆっくりあごを引いた。

蘆屋炎蔵に『呪い』を掛けられた者の家に、炎蔵の関係者が火を放つことで、呪術《じゅじゅつ》師《し》としての名声を上げていった。先日、葵が言っていた仮説はおそらく当たっていたのだろう。そして、その伝統は千年以上経った現代にまで、綿々と受け継がれていた。

「まあ、千年以上、その陰陽師の墓を荒らす人間はいなかったので、放火して『呪い』に見せかける必要などなかったようです。けれど、とうとう墓の中に入る人物が現れた。子供の頃から洗脳のように家族の掟《おきて》を叩き込まれていた蘆屋雄太は、それを実行する最初の子孫となった。そういうことなんでしょうね。まったく馬鹿げた話ですよ」

日野は大きく息を吐く。

「でも、蘆屋雄太は小鳥の件以外は認めていないんだろ。室田、内村、碇の三人が燃えたのは自分の犯行ではなく、『炎蔵の呪い』によるものだと言っているんだろ？」

鷹央は早口で言う。

「そんなくだらない言い訳をしていますね。二人の放火殺人となったら極刑も十分あり得ますから、足掻《あが》くのも当然でしょう。ただ、たった一日で半落ちになるような気弱な男です。すぐにすべての犯行を認めますよ」

「本当に室田の『人体自然発火現象』も、蘆屋雄太の犯行なのか？」

「天久先生、さっきから何をおっしゃりたいんですか？　蘆屋雄太は放火の現行犯で逮捕されたんですよ。そちらのお二人に、肩関節を外された状態で」

日野は僕と鴻ノ池に湿った視線を投げかけてくる。鴻ノ池は「いやあ」と照れた様子で後頭部に手をやった。褒められているのではないと思うのだが……。

「すべての事件の犯人が蘆屋雄太では、なんというか……道理に合わないような気がするんだ。『人体自然発火現象』で焼き殺すことができるなら、部屋にガソリンを撒いて火を放つなんていう乱暴な真似《まね》をする必要はないはずだろ」

鷹央は両手で額を押さえる。

「それに、碇の通夜で自動発火装置を使ったのもよく分からない。そもそも、クリプトコッカス感染症によって死亡した時点で、碇はある意味『呪い殺された』わけだろ。それなのに、なんでわざわざ死体を焼く必要があったんだ？」

「さあ、炎が上がった方が派手で目立つとでも思ったんじゃないですか？　まさか天久先生、本当に小鳥遊先生の事件以外は『呪い』が原因だとでも思っているんですか？」

日野の口調に呆れが滲む。隣に座る前川も、嘲笑《ちょうしょう》するような表情を浮かべていた。

「いや、そうじゃない。碇の件では自動発火装置が発見されているし、室田や内村についても何者かが人為的に火を起こしたとは思っている。ただ、本当にその犯人が蘆屋雄太なのか疑問なんだ。そもそも、あの『人体自然発火現象』がどうやって引き起こされたのか、それもはっきりは……」

鷹央は俯《うつむ》くと、聞き取れないほどの小声でぶつぶつとはじめる。

「天久先生がなんとおっしゃろうと、蘆屋雄太が犯人なのは間違いないですよ。すでに物的証拠も出てきていますからね」

「物的証拠？」鷹央は顔を上げる。

「ええ、さっそく今日、蘆屋雄太の自宅に家宅捜索に入ったんですよ。そこで色々と見つかりました。コードや時計など碇教授の通夜で使用された自動発火装置を作った痕跡、ガソリンをはじめとする無数の危険物ですね」

「それが自宅から見つかったんですか？」

僕は思わず前傾する。そうだとしたら、決定的な証拠になる。

「自宅というか、プレハブの倉庫です。大量の古文書と一緒に発見されました。そこで自動発火装置を作ったんでしょう」

「大量の古文書？」葵が反応した。

「ええ、解読などはしていませんが、おそらく先祖の陰陽師についての記録ではないですかね。重要なのは、放火に使われたと思われる機器や化学物質が大量に押収《おうしゅう》されたことです。室田の体から突然炎が上がった現象についても、それらの化学物質を使えばきっと説明がつくでしょう。いま、科捜研の方で検証を行っています」

「……蘆屋雄太は、その証拠についてなんて言っているんだ？」

鷹央は上目遣いに日野を見る。

「そんなものは知らない。倉庫は何年も使っていなかった。そう言い張っています。

諦《あきら》めの悪い男ですね。まあ、そういうことで蘆屋雄太が一連の事件の犯人であることはまず間違いないでしょう。あとは時間をかけて、起訴をする証拠を固めていきます。もちろん、小鳥遊先生の件だけでなく、全ての事件についてね。それじゃあ前川君、そろそろおいとましようか」

日野は前川を促しつつ席を立つ。

「わざわざ説明に来ていただいて、ありがとうございました」

硬い表情で黙り込んだ鷹央の隣で、僕は日野に声をかける。少々皮肉を込めた口調で。

「いえいえ、あの男を逮捕できたのは小鳥遊先生と鴻ノ池先生のおかげですからね」

「あと、僕を容疑者として疑っていたことに負い目もありますしね」

皮肉の濃度を最大限に上げると、日野は「なんのことでしょう?」と心から不思議そうに目をしばたたかせた。なかなかの役者だ。

「もう気にしていませんよ。どこかの危険な研修医が、容疑者の肩を外したことも不問にしてくれましたしね」

僕が唇の端を上げると、鴻ノ池が勢いよく立ち上がった。

「あれは正当防衛です。こんなか弱い乙女に、思い切り摑みかかってきたんですから」

なにがか弱い乙女だ。雄太の肩を整復するときも「ちょっと痛いですよー」とか言って、嬉々《きき》としてやっていたくせに。僕が呆れていると、日野が背中を見せる。

「あなたたちが誰から捜査情報を流してもらっていたかについても、今回は追及しません。鴻ノ池先生のスピード違反についてもね。それで手打ちということでいかがですか？」

成瀬の情報漏洩《ろうえい》にも気づいていたか。食えない男だ。

「ええ、それで結構ですよ」

僕が答えると、日野は「では、そういうことで」と片手を上げ、前川とともに部屋から出て行った。

二人を見送った僕は、大きく息を吐く。とりあえず一件落着か。

「あの、鷹央先生、大丈夫ですか？」

心配そうな鴻ノ池の声を聞いて横を向く。そこでは鷹央が険しい表情で頭を抱えていた。

「本当にこれでいいのか？　蘆屋雄太が全ての事件の犯人？　本当に……？」

「鷹央先生、もうそんなに悩まなくても大丈夫ですよ。きっとあの男が、『炎蔵の呪い』を体現するために墓に入った人間を殺した。そういう単純な事件だったんですよ」

僕は鷹央を落ち着かせるよう、諭すような口調で言う。

「そうか？　いや、もちろん私も蘆屋雄太が犯人の可能性は考えた。動機からしたら一番可能性が高い人物だからな。けれど、室田の『人体自然発火現象』のからくりがはっきりとしないから……。あいつが犯人となると、いろいろとおかしな点が……」

鷹央は再び思考の迷路へと迷い込んでいく。

「焦って考える必要はないですよ。これで、僕の容疑は晴れたんですから、統括診断部がなくなることはありません。疑問点はゆっくり考えていけばいいんですよ」

「まあ……、言われてみればそうだな。焦る必要はなくなったのか……」

鷹央は自分に言い聞かせるようにつぶやいた。

「ねえ、蘆屋雄太が放火事件の犯人だっていうのはいいんだけど、室田先生の体調がおかしくなったのも彼の仕業なの？」

思い出したかのように葵が言った。

「いや、室田さんの病気はクリプトコッカスっていう真菌による感染症で……」

僕が説明をしようとすると、葵は首を横に振る。

「そうじゃなくて、その病気が治ったあとのこと。鷹央ちゃんが診断してくれたおかげで肺炎はよくなって、室田先生は沖縄に出張できるぐらい元気になっていたじゃない。それなのに、また調子が悪くなってこの病院に搬送されて、そこで焼死したんでしょ？　体調が悪くなったのって、やっぱり蘆屋雄太がなにかしたからなのかな？」

僕は言葉に詰まる。たしかに、搬送されてきたとき室田は重体だった。あれはたんに持病が悪化しただけなのか。それとも一連の事件と関係があるのだろうか？

「それだよ」鷹央が葵を指さす。「なんであんな状態になったのかも分からないんだ。あれも、事件の一部だった可能性が高い。病状悪化の原因が分かれば、きっと事件の真相に近づくヒントになったはずなのに、検査する前に炎が上がったから……」

鷹央が唇を噛んで顔を伏せると、首をすくめながら鴻ノ池が小さく手を挙げた。

「あの……、検査してますけど」

「検査してる⁉」

鷹央が顔を跳ね上げる。僕も目を見張った。

「はい、室田さんが搬送されてきたとき私、採血をしているんです。それが終わって、検体を注射器から検査用のスピッツに移し替えているときに火事になったから……」

「けれど、室田の血液検査のデータはなかったはずだぞ」

鷹央はそばのデスクに置かれている電子カルテを指さす。

「たぶん、患者さんが亡くなったから検査する必要がないって判断されたんだと思います。けど、うちの病院では再検査もできるように、全ての検体は二週間保管されるはずだから……」

「まだ室田の血液は保管されている！　血液データを調べられる！」

勢いよく立ち上がった鷹央は、内線電話の受話器をむしり取った。


「鷹央先生、検査結果出たそうです」

受話器を置いた僕が言うと、ソファーに寝そべっていた鷹央は「わかった！」と手にしていた文庫本を脇に置いて、電子カルテの前へと移動した。

外来診察室で日野の報告を受けてから約一時間、僕たちは屋上にある鷹央の〝家〟で室田の血液検査のデータが出るのを待っていた。

一時間前、鷹央が確認すると、室田の血液はたしかにまだ保管されていた。それを聞いた鷹央は、(副院長の立場を思いっきり利用して) その血液の検査を最優先で行うように指示を出した。そしてちょうどいま、検査終了の報告が中央検査部から内線電話で知らされたところだった。

僕は〝本の樹〟を避けながら、電子カルテの前に座る鷹央に近づいていく。鷹央の肩越しに、僕、鴻ノ池、そして葵がディスプレイを覗き込む。鷹央がマウスをクリックすると、画面に検査結果の一覧が表示された。喉の奥から「うっ」と声が漏れる。

「……ひどい」

鴻ノ池が片手を口元に当てる。たしかに、そこに並んだ数字は酷《ひど》いものだった。

重度の肝障害、腎《じん》機能障害、そして貧血が認められ、酷い炎症所見も見て取れる。また、血液の凝固能力を示す数値も軒並み壊滅的な値となっている。おそらく搬送されたとき室田は酷い易出血状態だったのだろう。広範囲の皮下出血や下血を起こすのも当然だ。このデータだけでも、室田が多臓器不全に陥っていて、さらに失血死しかけていたことが見て取れる。

「なんでこんなことに……」

言葉を失う僕の前で、鷹央は画面を凝視しながら小声でつぶやきはじめる。

「肝障害、腎障害、凝固能異常……。嘔吐《おうと》、下血、意識障害……」

「鷹央ちゃん、どうしたの？」

葵が心配そうに声をかける。しかし、鷹央は反応することなく独り言を続けた。なにかに気づいたんだ。なにか重要なことに。僕は葵に視線を向けると、唇の前で人差し指を立てる。葵は小さく頷いた。

「煙草……、酸素……、古文書……。そして……人体自然発火現象！」

鷹央は声を張り上げると、勢いよく立ち上がった。椅子が倒れ大きな音を立てる。掌を見つめてつぶやきはじめた彼女を、僕は無言で見守る。

「けど、もしそうなら、なんで碇の遺体を焼く必要があった？　そもそも、あのときはなんで証拠が残ったんだ？　……いや、違う！　残ったんじゃなく、わざと残したのか！　だとすると……」

大きく目を見開いた鷹央は、前傾すると再びディスプレイに顔を近づけ、マウスを操作する。室田のカルテを消し、代わりに他の人物の診療記録が画面に現れた。

「そういうことか……」

大きな瞳で画面を見つめる鷹央の横顔を見ながら、僕はおそるおそる口を開く。

「鷹央先生、なにか分かったんですか？」

「ああ、分かったぞ。一連の『炎蔵の呪い』と『人体自然発火現象』のからくりがな」

鷹央は画面から視線を離すことなく言う。

「蘆屋雄太が全部やったわけじゃないってことですか？」

「あの男は小物に過ぎない。馬鹿なことをしたからスケープゴートとして……」

鷹央は唐突に言葉を切ると、視線を彷徨わせる。

「そのスケープゴートが小鳥と舞によって逮捕された……。これは予想外の出来事だったはずだ。なら、このあとどう動く……？」

宙空を眺めていた鷹央の体が大きく震える。

「小鳥、行くぞ！」

唐突にそう叫ぶと、鷹央は僕の手を摑んで出口に向かう。

「え？　行くって……。どういうことですか？」

「詳しく説明している時間がない。早く行かないと手遅れになるんだ！　ぐだぐだ言ってないで、さっさと私を連れていけ！」

焦燥が滲む鷹央の態度から、事態が切羽詰まっていることが伝わる。けれど……。

「けれど、ＲＸ－８は焼けちゃったんで、連れていくにしても足がないんですが……」

僕を引っ張っていた鷹央は動きを止め、顔を強張《こわば》らせる。

「ああ、なんで代わりの車を用意していないんだよ！　こんな大切な時に」

「そんなこと言われても……」

困惑する僕に向かって放物線を描いて小さな物体が飛んできた。反射的に僕はそれを摑む。見ると掌の上に鍵が載っていた。

「Ｚ１０００のキーです。裏の駐輪場に置いてありますから、使ってください」

僕に向かって鍵を放った鴻ノ池が言う。

「あのバイク、使っていいのか？」

「鷹央先生が緊急事態って言っているんだから仕方がないじゃないですか。けれど、絶対に傷つけないでくださいよ。なにかあったら弁償してもらいますからね」

「助かる。それで鷹央先生、どこへ行けばいいんですか？」

白衣を脱いでポロシャツ姿になった僕が訊ねると、鷹央は低い声で目的地を告げた。

6

ブレーキを握りしめると、KAWASAKI Z1000が急停止した。勢いで後輪がわずかに浮き、肝が冷える。

このバイク、パワーがありすぎだ。鴻ノ池の奴、こんな化け物みたいなバイクを乗りこなしていたのかよ。

久しぶりに運転するには、あまりにも獰猛《どうもう》すぎる性能に四苦八苦しながら、僕はなんとか鷹央が指定した『目的地』へ到着していた。

「鷹央先生、着きましたよ」

振り返ると、手術着にフルフェイスヘルメットというアンバランスな恰好の鷹央がもぞもぞと体を動かす。座席から降りたいのだが、地面に足がつかなくて困っているらしい。僕は先にバイクを下りると、鷹央の体を支えて下ろしてやった。

「ああ、暑苦しい。なんなんだよ、これは！」

乱暴にフルフェイスヘルメットを脱いだ鷹央は、苛立たしげに言う。

「安全のためなんだから仕方がないでしょ。それより、ここでいいんですか」

僕は垣根の奥にのぞく、二階建ての家を見る。

「ああ、ここだ」

鷹央はすぐわきにある大きな木製の扉を両手で押して開いた。僕も後に続いて門扉《もんぴ》をくぐると、前を歩く小さな背中に声をかける。

「けれど、なんで室田さんの家に来たんですか？」

鷹央が指定した『目的地』、それは、死亡した室田の自宅、今回の事件にかかわるきっかけとなった場所だった。

「ここに真犯人がいるからだ」鷹央は大股で進んでいく。

室田が死んで、この家にはいま娘の春香しか住んでいないはずだ。まさか、彼女が『人体自然発火現象』の真犯人だというのだろうか？　そうだとしても、どうして急いでここに来る必要があったのだろう？

状況を把握できないままついて行くと、鷹央は正面玄関に向かわず、家の裏手へと回り込んでいく。

「え？　春香さんに会いに来たんじゃないんですか？」

「違う。いま会わないといけないのはあいつじゃない」

鷹央は振り返ることなく足を進めていくと、裏庭に建つ巨大な蔵の前へとやって来た。

「まずはここだ」

「この蔵に何が……」

つぶやきかけた僕の口に、鷹央はたたきつけるように掌を当ててくる。

「あれを見ろ」

声をひそめ、鷹央は蔵の入り口を指さす。よく見ると、重そうな鉄製の扉がわずかに開いていた。

「もしかして、中に犯人がいるんですか？」

掌の下からくぐもった声を絞り出すと、鷹央は「ああ、多分な」と扉に近づいていく。

あの中に犯人がいる。碇の遺体を燃やし、『人体自然発火現象』で二人の人間を焼き殺した犯人が。心臓の鼓動が加速していくのをおぼえながら、僕も扉の前へと移動する。

「準備はいいか？　一気に行くぞ」

「はい」僕はわずかに開いた扉に手をかけた。

「いまだ！」

鷹央の合図とともに、僕は腕に力を込めて扉を開くと、蔵の中へと飛び込んだ。闇に満たされた広い蔵の奥で、人影が蠢《うごめ》いているのがかすかに見える。

「動くな!」

鷹央が入り口の脇にある電灯のスイッチを入れる。梁に取り付けられている裸電球が一斉に灯り、大きな金庫の陰にうずくまっていた人物が、眩《まぶ》しそうに目元を腕で覆《おお》って立ち上がった。

「君は……」

そこにいるのが誰なのかに気づいた僕が絶句する傍らで、鷹央はにっと口角を上げた。

「チェックメイトだ。加賀谷正志《かがやまさし》」

翠明大学日本史学科の助手である加賀谷は、唇を噛んでこちらを睨みつけた。

「加賀谷君が犯人……? けれど、なんでこの蔵に……?」

僕が立ち尽くしていると、鷹央はあごを引いて上目遣いに加賀谷に視線を送った。

「証拠隠滅のため。そうだよな?」

加賀谷の顔に明らかな動揺が走る。

「証拠隠滅? この蔵に事件の証拠があるって言うんですか?」

「ああ、そうだ。絶対に存在を知られるわけにはいかない証拠がな。そして、あるアクシデントのせいで、この男はできるだけ早くそれを処分しないといけなくなった。だから、今夜ここに忍び込んだんだ」

「アクシデント？」

僕が聞き返すと、鷹央は僕の背中を軽く叩いた。

「お前が蘆屋雄太を逮捕したことだよ」

「蘆屋雄太？　あの男がどうかかわってくるって言うんですか？」

混乱がさらに深まり、底なし沼に沈み込んでいくような感覚をおぼえる。

「さっき日野が言っていただろ。蘆屋家のプレハブ小屋から、自動発火装置の材料と一緒に、大量の古文書が見つかったって。その古文書はこの蔵から持ち出されたものだ」

鷹央は蔵の一番奥を指さす。たしかにそこに山積みになっていた古文書の量がかなり減っているように見えた。

「この男の描いたシナリオでは、蘆屋雄太がこの蔵に忍び込んで古文書を盗み、そのあと放火するという筋書きだったんだろう。蘆屋雄太は炎蔵に強い敬意を持ち、その墓を荒らした室田を恨んでいた。室田が保管している炎蔵に関する古文書を盗み、蔵に火を放つ動機がある。さらに、あの男はお前の車に放火もしている。罪をなすりつけるには最高の人物だ。おそらく、蘆屋雄太が目をつけられたのは碇の通夜だろうな」

「あの通夜でですか？」

「通夜では、お前が蘆屋雄太を追い払ったあとに、加賀谷がやって来たんだよな。そのとき、雄太とすれ違って、怨嗟《えんさ》のこもったセリフを聞いたんじゃないか。例えば『あの野郎、絶対にぶっ殺してやる』とかな」

　鷹央は問いかけるように言う。加賀谷は口を真一文字に結んで、反論しなかった。その態度から、僕は鷹央の推理が正しいことを確信する。

「そのあと、すぐにお前の愛車が放火された。この男はそれが蘆屋雄太の犯行だって気づいたんだ。当然だよな、通夜での放火犯である自分はなにもしていないんだから。そして、雄太をスケープゴートにして証拠隠滅を図ることを決めた。蘆屋家の使っていないプレハブ小屋に、自動発火装置の材料と大量の化学物質、そしてこの蔵から持ち出した古文書を運び込んだ。予定ではそのあとこの蔵に火を放ち、匿名《とくめい》の通報でもして蘆屋家を調べさせればいい。そうすれば、蔵への放火だけではなく、全ての犯行を蘆屋雄太になすりつけられるはずだった」

「けれど、僕が蘆屋雄太を逮捕したことで、予定が狂った……」

　頭の中で、ばらばらのパーツが少しずつ組み合わさって形を作りはじめる。

「そうだ。蘆屋家で見つかった古文書がここから盗まれたものだと気づかれたら、すぐに警察が調べにくる。だからこそ、蘆屋雄太の逮捕を知ったこの男は、その前にここに火を放つことにしたんだ」

「それはおかしいんじゃないですか？　昨日の夜に蘆屋雄太は逮捕されているんですよ。いま放火しても、あの男の犯行だと見せかけられないでしょ」

「ただの放火ならな。けれど、時限式の自動発火装置を使ったらどうだ？」

「自動発火装置って、まさか碇さんの通夜で使われた……」

「ああ、そうだ。実際に使わなくても、その装置の残骸が焼け落ちた蔵から見つかれば、こう思わせることができるかもしれない。逮捕される前に蘆屋雄太は蔵に忍び込み、自動発火装置を仕掛けておいた。それが逮捕後に作動し、蔵が燃えてしまったとな」

「それって、かなり強引じゃないですか。なんでわざわざ、翌日に火が出るように装置を仕掛けるんですか？」

僕が首を傾けると、鷹央は忍び笑いを漏らす。

「たしかに強引だ。けれど、それ以外に方法はなかったんだよ。もしこの蔵を調べられたら、二人もの人間を殺害した『人体自然発火現象』のからくりがばれちまうからな。なあ、そうだろ？」

鷹央が水を向けると、加賀谷の握りしめた両拳がぶるぶると震えはじめた。

「鷹央先生、ここにいったい何があるんですか？　どうやったら、人体から炎を上げさせるなんてことが出来るんですか？」

僕が勢い込んで訊ねると、鷹央はあごを引いて低い声でその言葉を発した。

「黄《おう》リンだよ」

加賀谷の表情が、炎に炙られた蠟《ろう》のようにぐにゃりと歪《ゆが》んだ。


「黄リン……？」

僕が聞き返すと、鷹央は大きく頷いた。

「黄リンはリンの同素体の一つで、強い毒性を持つ物質だ。そのため、殺鼠剤《さっそざい》などに含まれている。人間の致死量は約五十ミリグラムで、それ以上内服すると消化管障害による嘔吐・下痢、腎機能障害、肝障害、凝固能異常など様々な症状を引き起こし、早ければ数時間以内に死亡する」

「その症状って……」

「ああ、そうだ。うちの救急部に運ばれてきたとき、室田は急性の黄リン中毒だったんだ。採血データを見ると、しっかり治療したとしても救命は難しかっただろうな」

「けれど、『人体自然発火現象』は……」

僕が頭を押さえると、鷹央は「知らないのかよ」と眉根を寄せた。

「黄リンで問題になるのはその毒性だけじゃない。発火点が極めて低いことに起因する、自然発火性だ」

「自然発火性……」

「そうだ。約五十度で発火現象が起こるとされ、湿度などの条件次第ではそれ以下でも炎が上がることがある。そのため、水中で保管することが勧められる物質だ」

「じゃあ、室田さんと内村さんの『人体自然発火現象』は……」

「ああ、本当に体が燃え上がったんじゃなく、ポケットにでも入っていた黄リンが、熱や湿度などの条件が重なって炎を上げたんだろう。運の悪いことにそのとき着ていた服も易燃性のもので、さらに室田は大量の酸素、内村はアルコール濃度の高い酒という燃焼を促進する物質により爆発的に燃え上がったんだ。それが『人体自然発火現象』のからくりだ」

「ちょっと待ってください。黄リンをポケットに仕込むってどうやってですか。ポケットに変なものを忍び込ませたら、気づかれるかもしれないじゃないですか」

　僕は片手でこめかみを押さえる。

「忍び込ませたわけじゃない。きっと二人は自分から黄リンをポケットに入れていたんだよ。それが危険な物質とは思わずにな」

「自分からポケットに？」意味が分からず、僕は首を捻《ひね》る。

「思い出してみろ。室田は手根管症候群による正中神経麻痺《まひ》で、利《き》き手の拇指球筋《ぼしきゅうきん》が萎縮《いしゅく》していた。そしてあの男は肺気腫《はいきしゅ》を患《わずら》っているにもかかわらず、煙草をやめていなかった。この二つから気づくことはないか」

拇指球筋の萎縮、そして喫煙……。それになんの関係が？　僕は眉間にしわを刻んで考え込む。

拇指球筋が萎縮しているということは、親指に力が入らないということだ。そして、煙草を吸うときは……。僕ははっと顔を上げる。

「ライターが使えない？　親指を動かす筋肉が萎縮している室田さんにはライターの点火は難しかったはずだ。だから、煙草を吸うためには他のものを使用するしかなかった。……他の火を付ける道具を」

僕は隣に立つ鷹央を見る。彼女は満足げにあごを引いた。

「そう、マッチだよ」

「マッチが『人体自然発火現象』の原因……」

「普通のマッチじゃない。黄リンのマッチだ。一八三〇年に発明された黄リンマッチは、どこにこすっても容易に火がつくことから爆発的に普及した。しかし、その自然発火性と毒性により事故が多発し、一九世紀後半には使用が禁止されはじめた。日本では一九二一年を最後に製造が禁止され、現在のマッチには自然発火性と毒性、どちらもない赤リンが使われるようになっている。けれど、もう存在しないはずの黄リンマッチがここには保管されていた」

鷹央は加賀谷の前にある金庫を指さす。扉が開いたその中に、様々な喫煙器具と一緒に、マッチの山が収められているのが見て取れた。

「暗く、冷たく、完全に密閉されている金庫の中で、黄リンマッチは発火することも酸化することもなく保管されていたんだろう。そして、長い年月の後に金庫は開けられ、そしてその危険性に気づいた犯人によって、殺人の道具として使用されたんだ」

鷹央は唇を舐めると、言葉を続けていく。

「おそらく、犯人は発火よりも黄リンの毒性に注目していたんだろうな。室田は常に爪楊枝《つまようじ》のようなものを口に咥《くわ》えている癖があった。マッチで同じことをさせて黄リンを摂取させるというのが当初の計画だったんだろう。それだけなら、自分が毒殺したという罪悪感も薄いだろうからな。けれど、上手くいかなかった。黄リンは皮膚に触れると爛《ただ》れるから、それ単体で摂取させるのは難しいんだよ。室田が口内炎で苦しんでいたのは、おそらく黄リンマッチを口に咥え、痛みに気づいて吐き出したからだろう。そうこうしているうちに、事件が起きてしまった」

「事件ですか?」

僕が訊ねると、鷹央は「そうだ」と重々しい声で答えた。

「内村が焼死したんだ。ヘヴィスモーカーだった内村は、室田が持っていた黄リンマッチを譲って貰《もら》っていたんだろう。それが自然発火し、さらにこぼしたウイスキーに引火して、内村は焼け死んだ」

「じゃあ、内村さんの事件は偶然なんですか？」

「ああ、そうだ。犯人の狙《ねら》いはあくまで室田だった。しかし、いつまで経っても室田が死なないことに業《ごう》を煮やした犯人は、おそらくは食事に黄リンを仕込んだんだろう。それを食べた室田は、急性の黄リン中毒を起こして救急搬送され、そこで電気毛布で温められたことが原因でポケット内のマッチの自然発火が起こり、あの惨事になった。これが今回の事件の真相だ」

説明を終えた鷹央は、すっと目を細くして加賀谷を見る。しかし、加賀谷は口を真一文字に結び、なにも言わなかった。そのとき、外から複数の足音が聞こえてくる。

「鷹央先生！」

鴻ノ池が蔵に飛び込んできた。タクシーで追いかけてきたのだろう。その後ろには葵、さらには日野と前川の姿もあった。病院を出るとき、日野に連絡してここに来させろと、鷹央は舞に指示を出していたのだ。

「あの……、これは、なんの騒ぎなんですか？」

騒ぎを聞きつけてきたのか、室田春香も不安げな表情で姿を現した。

「さて、役者がそろったな。それじゃあ、そろそろクライマックスといくか」

鷹央はぺろりと唇を舐めると、足を踏み出した。

「動くな！」

悲鳴じみた声を上げた加賀谷が、金庫の陰から何かを取り出す。数本のコードと時計が組み込まれた装置に、黄色味を帯びた液体に満たされた二リットルのペットボトルが逆さまに取り付けられている物体。それが何なのかに気づき、体が固まる。

「これは碇教授の通夜で使ったのと同じ自動発火装置だ。ガソリンの量が増やしてあるから、作動させたらこの蔵の中が火の海になるぞ。分かったら、僕に近づくな！」

目を血走らせた加賀谷は、ヒステリックに叫んだ。

「自動発火装置って、それじゃあお前が通夜の放火を⁉」

前川が目を剝く。他の者たちも状況を理解できず、啞然《あぜん》とした表情を晒《さら》していた。

「そうだ。全部僕がやったんだ。室田教授の使っていたマッチと、この蔵にあった黄リンのマッチを交換した。そうすれば、マッチを咥える癖があった教授に毒を盛ることができると思って。そのマッチを分けてもらった内村先生が黄リンの自然発火で焼け死んだことは想定外だったけど、最終的には本命の室田教授を殺すことが出来た」

加賀谷は早口で言う。

「そんな……、なんであなたが室田先生を……？」

かすれ声で葵が訊ねると、加賀谷は苛立たしげにかぶりを振った。

「あの男は僕のことを認めてくれなかった。研究室に十分に貢献していたのに、助手から講師への昇格もさせてくれなかったし、それどころか僕を小間使いかなにかみたいに使い続けた。だから、ずっと殺してやりたいと思っていたんだよ！」

一気にまくしたてた加賀谷は、肩で息をする。

「……加賀谷君、署でいまの話について詳しく聞かせてもらえるかな？」

日野がゆっくりと蔵の中に入ってくる。加賀谷は自動発火装置を頭上に掲げた。

「だから、近づくなって言っているだろ！」

「分かった。これ以上、近づかない。だから落ち着きなさい」

足を止めた日野は、諭すような口調で言う。

「まずは一つ確認させてくれ。君は自分が、室田教授を殺した犯人だと言うんだね。そして、その過程で間違って内村准教授も死亡させてしまったと」

加賀谷は装置を頭上に掲げたまま数秒黙り込んだあと、緩慢に口を開いた。

「……ええ、そうです。全部、僕がやったんです」

蔵の中に重い沈黙が降りる。

ほとんどの者が衝撃的な展開に言葉を失っているなか、唯一この状況を予期していた人物がその沈黙を破った。

「いや、違うな」

鷹央の声が壁に反響する。

「お前が室田と内村を殺した犯人じゃ、道理に合わないんだよ」

「何を言っているんだよ！　僕は自分が犯人って認めているんだぞ。それの、いったいどこが道理に合わないって言うんだ！」

加賀谷の顔が紅潮していく。鷹央は左手の人差し指を立てる。

「碇の通夜で、棺が燃え上がった事件だよ。もしお前が恨みから室田を殺したとなると、あんな事件を起こす必要なんかないはずだ」

「そ、それは……。碇先生の遺体が燃えれば、炎蔵の墓をあばいた人たちが狙われているとみせかけることが出来て、自分が疑われないだろうと。それに、本当に『呪い』だと思わせることもできるかもしれないし……」

しどろもどろに加賀谷が言うと、鷹央は虫でも追い払うように手を振った。

「そんなわけないだろ。もし呪いに見せかけたいなら、証拠が残るような自動発火装置なんて使わないはずだ。そんなものを使えば、人為的な放火だってすぐに分かるからな。そもそも、碇の通夜の時点では、まだ室田は生きていたし、内村の焼死もたんなる事故として処理されていた。疑いを逸《そ》らすために放火なんてする必要性がないんだ」

「じゃあ、誰がなんのためにあんなことを起こしたんですか？」

僕が訊ねると、鷹央は立てていた指で加賀谷を指さす。

「通夜で火事を起こしたのはこの男だ。今回の事件でこの男がやったことは、碇の遺体を焼いたことと、全ての罪を蘆屋雄太に押し付けようと画策したことだ。室田と内村を殺した主犯は他にいる。その主犯を守るために、この男は棺に自動発火装置を仕込んだんだ。わざと放火だと分かるようにな」

「主犯を守る……？　放火だと分かるように……？」

「そうだ。おそらくこの男が事件の真相に気づいたのは、内村の事件があった数日後、研究室の室田のデスクで小火《ぼや》があったときだろう。それはデスクの上に置かれていた黄リンマッチが自然発火したものだ。小火を消し止めた加賀谷は燃え残ったマッチの残骸を見て、それが黄リンマッチだと気づき、主犯が室田を殺そうとしていることを悟った。同時に、内村が巻き添えで焼死したこともな。そのとき、この男はこう思ったんだ。このままだと、主犯は近いうちに室田の殺害に成功し、そして警察に逮捕される可能性が高いと。だからこそ、そのときに備えて前もってアリバイを作ろうとした」

「アリバイ？　碇さんの遺体を焼くことがアリバイ作りだったって言うんですか？」

「ああ、あの事件では、遺体が葬儀場に運び込まれてから通夜がはじまるまでの間に、棺に自動発火装置が仕込まれたことによる、放火であることがはっきりとしている。それは全て、この男が意図的に行ったことだったんだ」

「つまり、主犯にはその時間に明らかなアリバイがあった……」

「そうだ。結果的には碇の遺体を焼いたことで、犯人のターゲットが炎蔵の墓を荒らした人間だと思われるという効果もあったんで、動機を隠すというのもあながち嘘《うそ》ではなかったな。さて、ここまでのところで何か反論はあるか？」

鷹央に水を向けられた加賀谷は、ぶるぶると震える唇を開く。しかし、その隙間《すきま》から声が漏れることはなかった。

「誰なんだ、その主犯っていう奴は？　いったい誰が室田と内村を殺したんだ！」

堪《こら》えきれなくなったのか、前川が声を張り上げる。鷹央は加賀谷を指していた指を、再び顔の前に持ってくる。

「マッチなどを咥えるという室田の癖を知っている人物。黄リンマッチが収められていることに気づくほど、この蔵に自由に出入りできる人物。マッチをすり替えられるほど室田に近付ける人物。最終的には室田の食事に黄リンを混ぜられる人物。加賀谷が自分を犠牲にしてまで守りたいと思う人物。そして、碇の通夜のとき、室田とともに沖縄に行っていたという確実なアリバイがある人物。すべての条件に当てはまる者が、たった一人だけいる」

鷹央は勢いよく身を翻すと、蔵の入り口で立ち尽くしている人物を指さした。

「室田春香。お前が、『人体自然発火現象』の主犯だよ」

＊

鷹央に指さされた春香は小さく息を呑んで硬直した。

「春香さんが……犯人……？」

春香の隣に立つ鴻ノ池が、呆けた声でつぶやく。

「違う、春香さんは関係ない！　なんで春香さんが唯一の家族だった室田先生を殺すっていうんだ！」

声を嗄らして加賀谷が叫ぶと、日野があごを引いて同意を示す。

「私たちも被害者の身内ということで調べましたが、春香さんには室田教授を殺す動機などないはずです。室田教授は財産より借金の方が多かったようですし、生命保険などにも入っていませんでした。教授が死んだことにより、春香さんは経済的には厳しい状況に追い込まれてしまったはずです」

「動機ならあるさ。うちの病院のカルテを見れば一目瞭然《りょうぜん》だった」

鷹央が言うと、春香の顔に動揺が走る。

「カルテ？　室田教授の診療記録に、なにか書かれていたんですか？」

訝しげに日野が訊ねると、鷹央は首を横に振った。

「いや、室田宗春のカルテじゃない。その妻子、つまり宗田春香と母親のカルテだ。室田の妻はうちの整形外科で骨折の治療をしていたんだ。まあ、それ自体は普通の怪《け》我《が》だったが、問題はその既往歴、つまり過去に罹《かか》ったり現在治療中の疾患についての記録だ。そこには『特になし』と記載されていた」

「え？　春香さんのお母さんって、体が弱くて色々な病気を持っていて、大きな病院にいくつもかかっているんじゃなかったでしたっけ？」

鴻ノ池が指を唇に当てる。

「ああ、そのはずだった。警察の聴取でもその情報は摑んでいただろ？」

鷹央に声を掛けられた日野は、躊躇いがちに「ええ」と答えた。

「けれど、カルテの記録上は特に既往歴はなかった。そもそも、いくつも疾患があったとしても、大きな病院を複数掛け持ちすること自体がおかしいんだよ」

「どういうことですか？　素人の私たちにも分かるように説明してください」

まどろっこしい鷹央の物言いに限界が来たのか、平静を保っていた日野の口調にも苛立ちが混じりはじめる。

「簡単なことだ。『大きな病院』というのは、一般的に『総合病院』を指す。つまり、様々な疾患を持つ患者でも『総合的に診ることが出来る病院』ということだ。だからこそ、普通は総合病院を掛け持ちすることはない」

僕は虚を突かれ、棒立ちになる。その通りだ。なんで気づかなかったんだ。

「じゃあ、どうして室田教授の妻は、いくつもの総合病院を受診していたんですか？」

「受診する理由が『普通』じゃなかったからさ。現在、日本では個人情報保護の観点から、電子カルテは各病院のクローズドシステムで運用されている。つまり、他病院での診療情報は紹介状などがないと知ることができないんだ。そのため、ある種の患者が室田の妻のように、毎回違う病院を受診するという行動を取る」

「……『ある種の患者』というのは？」

話の核心に近づいている予感からか、日野の口調には緊張が満ちていた。

鷹央は大きく息を吐くと、答えを口にする。

「DV被害を受けている患者だ」

「DV……」

かすれ声を漏らした葵が、おずおずと春香の様子をうかがう。春香の顔から、潮が引くように表情が消えていった。

「DVで怪我をした患者は、同じ病院で何度も怪我の治療を受けると怪しまれるので、毎回病院を変えて被害に気づかれないようにすることが多い。加害者がそれを強要することもあるし、被害者が加害者を守るためにそのような行動に出る場合もある。家族間の暴力であるが故《ゆえ》の現象だな」

「じゃあ、室田教授は妻に暴力を……」

「ああ、間違いない。室田の妻のレントゲン写真を確認したところ、骨折した上腕部以外にも、よく見ると肋骨《ろっこつ》に二ヶ所、古い骨折の痕跡が見つかった。日常的に暴力を受けていたが、それを誰にも言わずに堪えていたんだろうな。そして、室田春香のレントゲンでも、同じように古い骨折の跡が見て取れた。なあ、お前も父親から暴力を受けていたんだろ？」

　鷹央は春香に声をかける。しかし、春香はその声が聞こえていないかのように無反応だった。鷹央は気にする様子もなく、話を続ける。

「大学を卒業したお前は、地方で就職をした。しかし、母親が階段から落ちる事故で亡くなったので、体の弱い父の面倒をみるために退職して実家に戻ってきた。表面上だけ見れば良い話だ。ただ、室田のDVというフィルターを通して見ると、まったく違うストーリーが浮かび上がってくる」

「それってまさか……」恐ろしい想像が頭をかすめ、声が震えてしまう。

「そう、室田の妻は事故死ではなく、殺されたのかもしれないってことだ」

　淡々と言った鷹央は、心を閉ざしたかのように無反応になっている春香に向き直った。

「父親からのDVに耐えかねたお前は、実家を出て地方に逃れた。しかし、そこに母親が『事故死』をしたという連絡が入る。長年、母親が暴力を受けているところを見てきたお前は、それが事故なのではなく、父親が階段から突き落として殺したのだと確信し、激しく後悔した。自分が逃げ出したから、母への暴力がエスカレートしたのだとな。けれど、すでに事件はあくまで『事故』として処理され、殺人であると証明することは難しい。だからこそ、お前は実家に戻ってきた。母親の仇を討つために」

春香の体がかすかに震えはじめる。鷹央は淡々と言葉を重ねていった。

「だが、いくら体力が落ちているとはいえ、相手は成人男性だ。しかも、長年暴力を振るわれていた恐怖もある。だから、黄リンマッチによる毒殺という方法を取った。しかし、内村が焼死するという予定外の事態になり、さらになぜか碇の遺体まで燃えるという事態に混乱したお前は、最終的に室田の食事に黄リンを仕込むという直接的な行動に出た。その結果、黄リン中毒になった室田はうちに運ばれ、そのとき偶然ポケットに残っていた黄リンマッチが発火して炎に包まれたんだ」

春香の体の震えが、段々に大きくなっていく。能面を被《かぶ》ったかのように表情が消えていた顔に、怒り、哀《かな》しみ、諦め、安堵、どれともつかない感情が浮かび上がってくる。

「なあ、母親の亡くなったのを知ってから、お前はずっと混乱し続けていたんじゃないか？　今回の一連の事件は、偶然や様々な人間の思惑が重なって複雑になったが、基本的にはマッチをすり替えて父親に毒を盛ったという単純で雑な犯行だ。自分が犯人であることを隠そうとする意図もほとんど見られない。もし発火が起きず、室田が黄リン中毒で死亡していたら、まっ先に疑われるのは食事の用意をしていたお前だからな。父親が炎に包まれたときに泣き叫んだのも、演技ではなく本当にパニックになっていたんじゃないか？」

そうなのかもしれない。鷹央の柔らかい声を聞きながら僕は考える。

家族という最も大切な存在からの暴力に苦しむＤＶ被害者は、加害者に対する愛憎が入り混じり、混乱状態になることがある。だからこそ春香は最初、黄リンマッチという不確かな方法で父親を殺害しようとし、さらには自分で食事に毒を盛ったあと、病院へと付き添った。あのとき、室田から電話を取り上げ、連絡手段を奪うことも可能だったはずなのに。

最初から混乱していた犯行。そこに加賀谷や蘆屋雄太の行動が重なって、事件は複雑怪奇なものへと変貌《へんぼう》していき、結果的に鷹央を苦しめた。

「私は……」

弱々しい春香の声に、僕たちは耳を傾ける。

「ダメだ、春香さん！　なにも言うな！」

唐突に上がった絶叫が、春香の告白を遮った。鷹央は加賀谷を睨みつける。

「私は室田春香と話しているんだ。お前はちょっと黙っていろ」

「ふざけるな。さっきから僕が犯人だって言っているじゃないか！　自白しているんだぞ。それでいいじゃないか！」

「あくまでも自分を犠牲にして室田春香を守ろうってわけか」

鷹央は大きなため息をついた。

「なにがお前にそこまでさせる？　室田宗春の付き人をしていたお前は、あの男の一人娘に対しての暴力的な言動を見ていたんだろ？　介護が必要なほど弱っていたとはいえ、日常的にＤＶを行っていた男がそう簡単に変わるわけがないからな。だからこそお前は、春香の犯行を止めるどころか、隠蔽《いんぺい》工作をして助けようとまでした。その行動は春香に対する同情から来ているのか？　それとも……愛情か？」

加賀谷は口を固く結ぶと、ちらりと視線を春香に向けた。鷹央は小さく肩をすくめる。

「まあ、両方なんだろうな。そうでなければ、碇の遺体を燃やすほどの大それた行動には出られない」

「うるさい！　あんたに何が分かるんだ！　春香さんは僕が守る。なにがあっても僕が守り切って見せるんだ」

「……嘘よ」

俯いた春香が、ぼそりとつぶやいた。この場にいる全員の視線が彼女に集まる。春香は焦点を失った目を加賀谷に向けた。

「嘘。誰も私を助けてなんかくれるわけがない……。ずっとあの男は、お母さんと私を殴っていたのに、助けてくれる人は一人もいなかった……。お母さんが死んだときも、警察は事故だって決めつけて、もっとしっかり調べて欲しいって頼む私を相手にしなかった。私には味方なんて一人もいない。だから、私が自分でやるしかなかったの……」

抑揚なく春香は喋《しゃべ》りつづける。室田が焼け死んだあと、春香は『精神的に不安定』と診断され、精神科へと入院した。しかし、もしかしたらこの事件が起こるずっと前から、彼女の精神は限界を迎えていたのかもしれない。

「そんなことない！　僕は君の味方だ。何があっても君を助ける。僕が教授からつらく当たられたとき、君はいつも優しく励まして助けてくれた。本当は自分の方がつらいのに。だから、今度は僕が助ける番だ！」

加賀谷が必死に叫ぶが、春香は両手で耳を覆って激しく首を振った。

「嘘つかないで！　私には誰もいないの！　私はずっと一人なの！　いままでも、これからも……」

か細い嗚咽《おえつ》が蔵の壁に反響する。春香がこぼした涙の雫《しずく》が、土の床へと吸い込まれていった。

「……それなら、証明するよ」

加賀谷はぼそりとつぶやく。その声に含まれる危険な響きに、心臓が大きく跳ねた。

加賀谷は「刑事さん」と日野に声をかける。

「なにかな？」日野の顔に警戒の色が浮かんだ。

「何度も言うように室田教授と内村先生を殺したのは僕です。全て僕がやったんです」

「……署で詳しく話を聞いて、実際に何があったのか検証することにするよ」

「お断りします。二人も殺したら、このあとの人生ずっと刑務所で過ごすことになる。……そんなの耐えられない」

加賀谷は発火装置の側面にあるメモリをゆっくりと回しはじめた。僕の隣に立つ鷹央が大きく息を呑む。

「馬鹿！　やめるんだ！」

鷹央が焦燥の籠《こも》った声を張り上げると同時に、加賀谷は発火装置をこちらに向かって放り投げた。

「鷹央先生！」

なにが起きているのかに気づいた僕は、反射的に鷹央に覆いかぶさる。発火装置は数メートル先の床に落下し、そして……爆発した。

鼓膜に痛みをおぼえるほどの轟音《ごうおん》と、身を焦《こ》がす熱を背中に感じながら僕は振り返る。そこには、巨大な炎の壁が出現していた。

ペットボトルに収められていたガソリンに引火した炎は、吹き抜けになっている天井近くまで立ち昇り、蔵に収められている収蔵品を次々に呑み込んで膨れ上がっていく。立ち昇る黒煙が辺りに充満し、視界を奪いはじめる。

「外に逃げるぞ。早く！」

体の下で鷹央が叫ぶ。僕は慌てて立ち上がると、周囲を見回す。炎はさらに勢いを増して、木製の梁《はり》まで燃やしはじめていた。

「なにぼさっとしているんだ。走るんだ」

鷹央が僕の手を引く。僕は「は、はい」と鷹央とともに出口へと向かった。

外に出ると、すでに避難した鴻ノ池たちが立ち尽くしていた。蔵から十数メートル離れた僕と鷹央は、鴻ノ池と同じように蔵を見上げる。蔵の上部にある窓から、黒煙がとめどなく吹き出していた。

「全員避難できたか？」

軽く咳《せ》き込みながら鷹央が訊ねたとき、悲痛な悲鳴が上がった。

「加賀谷さんがいません！」

　血色を失った春香が、両手で口元を覆っていた。僕は素早く周りにいる人々を確認する。たしかに加賀谷の姿が見えなかった。

「じゃあ、まだ中に……」僕は炎に蹂躙《じゅうりん》されていく蔵を見つめる。

「あの馬鹿。自分ごと証拠を焼き払って、事件を有耶無耶《うやむや》にするつもりか」

　鷹央は険しい表情で歯を軋《きし》ませた。

　このままだと、証拠品である黄リンマッチは蔵ごと燃えてしまう。母屋《おもや》を捜索すれば、黄リンの痕跡が見つかるかもしれないが、家に出入りしていた加賀谷が罪の告白をしたうえで自殺したとなれば、春香が犯人だと証明することは難しいだろう。おそらくは容疑者死亡というかたちで加賀谷を書類送検して、事件は幕引きになる。

　命をかけて春香を守る。加賀谷はそれを文字通り実行したのだ。

「全部私がやったんです！　私がマッチをすり替えてお父さんを殺そうとしたんです。食事に毒を混ぜたのも私です。加賀谷さんは犯人じゃありません。だから、あの人を助けてください！」

　声を嗄らしながら春香が叫ぶ。

「そうは言っても、これじゃあ……」

　前川は言葉を濁す。火の勢いに完全に腰が引けているのが、傍目にも見て取れた。

失望の表情を浮かべた春香は、いきなり走り出す。

「危ない！」

そばにいた鴻ノ池がとっさに春香の足元に飛びついた。柔らかい土の上に、二人は倒れこむ。

「はなしてください！　加賀谷さんを助けに行かないと！」

「無理ですよ！　加賀谷さんが倒れていたら、春香さんじゃ移動させられません」

春香の足にしがみついたまま、鴻ノ池は声を張り上げる。

たしかに女性には無理だ。小柄な日野でも難しいだろう。けれど、僕なら……。

蔵に向かって一歩足を踏み出した瞬間、シャツの裾《すそ》を引かれた。

「お前、何をするつもりだ？」

シャツを摑んだ鷹央が険しい表情で見上げてくる。僕は乾燥している唇を舐めた。

「加賀谷君を助けてきます」

「なに馬鹿なことを言っているんだ！　炎の勢いを見ただろ。お前まで焼け死ぬぞ！」

「そうだよ！　小鳥遊君がそんな危険なことする必要ないでしょ！」

近づいて来た葵が鷹央に加勢した。

「けれど、僕以外に加賀谷君を助けられないんですよ。大丈夫です。これだけ大きな建物ですから、火が回りきるまでに少し時間があるはずです。蔵の中心にはなにも置いていない通路がありました。あそこなら炎を避けて奥まで進めるはずです」

僕は横目で、炎をあげる蔵に向かって手を伸ばす春香を見る。

こんな結末では誰も救われない。こんな結末でいいわけがない。その想いが僕を突き動かしていた。

「なんでお前が行くんだ！　なんでお前がそんなリスクを冒す必要があるんだよ！」

鷹央は手を伸ばして僕の襟を摑んでくる。

「鷹央先生は僕の容疑を晴らすため、必死にこの事件の『謎』を解いてくれました。けれどこのままじゃ、結果的にみんな不幸になる。そんなこと、あっていいわけがないんです。だから、僕が加賀谷君を助けて、正しい結末に修正します」

炎に紅く照らされた鷹央の表情が歪んでいく。

「だからって……、だからって、なんでお前が……」

「大丈夫ですって」

襟を摑む鷹央の手に、僕は自分の手を重ねた。

「絶対に死んだりしませんから。すぐに戻ってくるって約束します」

口を固く結んだ鷹央は、僕の目をまっすぐに見つめてくる。猫を彷彿させるその大きな瞳に吸い込まれていくような錯覚に襲われる。

襟から手を放した鷹央は身を翻すと、すぐわきにあった植物への水やり用のホースを摑み、水道の栓を開いた。ホースの先から迸《ほとばし》った水が、僕の全身を叩きつける。

「冷たっ！　なにするんですか⁉」

抗議の声を上げると、鷹央は手術着のポケットからハンカチを取り出し、それにもホースからの水を染《し》み込ませた。

「それだけ濡《ぬ》れていれば、ある程度の熱には耐えられる。あと、このハンカチを口に当てていけ。火災で怖いのは直接的な炎よりも煙を吸い込むことによる一酸化炭素中毒だ。できるだけ身を低くして煙を吸い込まないように気をつけろ」

「ちょっと鷹央ちゃん。本当に行かせるつもりなの⁉」葵の声が裏返る。

「無事に戻って来るって小鳥が約束した。だから大丈夫だ。そうだよな？」

僕に向き直った鷹央がハンカチを差し出してくる。僕はそれを受け取ると「はい！」と覇気をこめて言った。

「そのハンカチはお気に入りなんだ。絶対に返すんだぞ」

「分かっています。……行ってきます」

僕は蔵に向かって走り出す。「ああ、行ってこい」という鷹央の声が追いかけてきた。

煙が噴き出している蔵の入り口についた僕は、鷹央から受け取った濡れハンカチを口に当てると、言われた通り身をかがめて中に入る。

「くそっ、マジかよ」

炎の回りは想像より遥かに進んでいた。蒐集物《しゅうしゅうぶつ》はほとんど燃え上がっていて、煙が蔵全体に立ち込めている。梁も火に包まれていた。

時間がない。早く加賀谷を見つけなくては。僕は蔵の中心を走る通路を、這うようにしながら進んでいった。

炎が肌を容赦なく炙っていく。呼吸するたびに気管に煙が侵入し、咳き込んでしまう。

どこだ？　どこにいる？　涙が溢れる目を見開いていた僕は、通路の脇に倒れている人影を見つけ、腰を屈《かが》めて走り寄っていく。そこには加賀谷が倒れていた。爆発の際、どこかに頭でもぶつけて気絶したのか、その目は閉じられていた。

僕は加賀谷の体を仰向《あおむ》けにすると、力を込めて頬を張る。

「起きろ！　目を覚ませ！」

声をかけると、加賀谷が顔をしかめて瞼を上げていった。

「うわ！　うわっ！　なにが……」

目を開けた加賀谷はパニックになり四肢をばたつかせる。

「お前が自動発火装置で火を放ったんだよ。いいからさっさとここから逃げるぞ」

加賀谷は数回まばたきをしたあと、はっとした表情をうかべると、後ずさって僕から距離を取った。

「……何してるんだ？」

「僕はここで……死ぬ。そうすれば、春香さんは助かるんだ！」

「本気で言っているのか？」

「当り前だ。春香さんはずっと室田教授から虐待されて来たんだぞ。教授は春香さんを娘じゃなくて奴隷《どれい》みたいに扱っていたんだ。僕が見ているにもかかわらずな。あの人にとって、それは普通のことだったんだよ」

加賀谷は両目を固く閉じる。

「あの人はずっと苦しんできたんだ。誰にも助けてもらえずに苦しんで、それなのに僕にはいつも優しくしてくれて……。だから、僕が助けないといけないんだ！」

「……助ける？」僕は加賀谷に近づく。「自分ごと全てを焼き尽くすことが、お前の言う『助ける』ってことなのか」

「そうだ！　僕が全部の罪をかぶって死ねば、彼女はやっと幸せになれるんだよ」

「ふざけるな！」

僕は拳を握り込むと、加賀谷の頬を殴りつけた。

「自分に酔って、春香さんにこれ以上罪を背負わせるつもりかよ！」

倒れた加賀谷の襟を両手で摑んで、上体を引き起こす。

「罪を……背負わせる……？」

口の端から血を滴《したた》らせながら、加賀谷は唖然としてつぶやく。

「そうだ。刑罰から逃れたとしても、春香さんは父親と内村さんを殺した罪、そしてお前を犠牲にして自由を得たという事実を背負い続けることになるんだぞ」

「それは……」

「すでに精神的に追い詰められている春香さんが、それに耐えられるはずがない。罪悪感に押しつぶされて、おそらく……自分で命を絶つ」

加賀谷の喉から「ひっ」としゃっくりのような音が漏れた。

「そんな、それならどうすれば……？」

「春香さんが父親を殺そうとしていることに気づいたとき、君がやるべきことはアリバイを作ってやることなんかじゃなく、彼女を止めることだったんだ。彼女を止めて、寄り添ってやるべきだったんだ！」

加賀谷の表情からじわじわと力が失われていく。

「そんなことを言っても、もう遅いじゃないですか！　もう、僕は……間違った選択をしてしまった……」

「ああ、そうだな。だから、これ以上間違えるな。ここから出て、春香さんと一緒に罪を償うんだ。きっと、彼女が幸せになれる可能性があるとしたら、その方法しかない。それが、何年先になるかは分からないけれどな」

僕が襟を離すと、加賀谷はがくりと頭を垂れた。

「ここから出よう。君が愛した女性のためにも」

僕がくさいセリフを吐くと、加賀谷は両手で顔を覆って、蚊の鳴くような声で「はい」と答えた。

肩を貸して加賀谷を立たせた僕は、身をかがめたまま出口へと向かって歩きはじめる。そのとき、天井からめきめきという不吉な音が聞こえてきた。顔を上げた僕は目を見開く。炎に包まれた天井の梁が真っ二つに裂け、落下してきていた。

「伏せろ！」

僕は加賀谷とともに、床に倒れこむ。それと同時に轟音が響き渡った。おずおずと顔をあげた僕は言葉を失う。燃え盛る梁が出口との間の通路に落ち、そこを塞《ふさ》いでいた。

僕は焦って周囲に視線を這わせる。しかし、四方に紅蓮の壁が立ちふさがり、どこにも逃げ道は見つからなかった。加賀谷が炎を指さす。

「出られなくなったじゃないですか！　どうするんですか⁉」

「なに言っているんだ！　もとはと言えばお前のせいだろ！」

悪態をつきながら、必死にここから脱出する方法を考える。しかし、いくら頭を絞っても、そんな方法は見つからなかった。

消防隊の救助を待つしかない。けれど……。僕は煙に包まれた天井を仰ぐ。太い梁を失ったことで、ほかの部分にも負担がかかり、いまにも焼け落ちてきそうだった。いつ蔵全体が崩壊してもおかしくない。それ以前に、もうすぐ煙が空間を満たすだろう。そうなれば、一酸化炭素中毒になってしまうのは避けられない。

ああ、偉そうなことを言って、僕もあの人に命を背負わせてしまうのか。

脳裏に悪戯っぽい笑みを浮かべた鷹央の姿がよぎる。

どうか、罪悪感で押しつぶされたりしないでくださいね。これは僕が自分で選んだことなんだから。

もう先生は、僕がいなくてもしっかりとやっていけますよ。

諦めかけた僕が内心そうつぶやいた瞬間、爆発音が響き渡った。

「……え?」

呆けた声を上げる僕の前を、巨大な物体が高速で通過し、燃える瓦礫《がれき》の中へと突っ込んでいく。

「バイク……?」

炎の奥で横倒しになっているその物体を見て、僕は目をしばたたかせる。それは、攻撃的なフォルムのバイクだった。

「こっちだ！　早く来い！」

煙の奥から聞き慣れた声が届く。その瞬間、僕は立ち上がった。

「行くぞ！」加賀谷の腕を取って歩き出す。

「どこに行くんですか？　なにも見えないじゃないですか」

「いいから来い」

あの人が「来い」と言ったのだ。なら、それに従えばいい。

僕は煙を吸わないように息を止めて進んでいく。やがて、涙で滲む視界のなか、蔵の壁がみえてきた。そして、そこに開いた巨大な穴も。

僕は加賀谷の手を引いて、その穴へと飛び込む。

周囲に充満していた煙が消える。倒れこんだ僕は大きく息を吸い込む。火照《ほて》った肺が冷やされていった。

「なんとか助かったな」

目の前に、手術着のズボンを着た足が現れる。僕は頬を緩ませて顔を上げた。

「言ったでしょ、ちゃんと戻って来るって」

「なに偉そうなこと言っているんだ。壁に穴を開けなきゃ危なかったくせに」

鷹央はにっと口角を上げた。

「本当に助かりました。でも、あれって鴻ノ池のバイクじゃ……」

そこまで言った僕は、すぐ傍らで涙目の鴻ノ池が両膝をついていることに気づいた。

「私の愛車が……。私の可愛いZ1000が……」

両手で頭を抱えながら、鴻ノ池は悲痛なうめき声を漏らす。

ああ、こいつが無人のバイクを発進させ、壁にぶつけて穴を開けてくれたのか。あのバイクが炎を切り裂いてくれたおかげで、なんとか脱出することができた。

「いや、なんというか……ご愁傷様。僕も愛車を燃やされたから、つらさは分かるよ」

立ち上がった僕が肩に手を置くと、鴻ノ池がきっと睨みつけてきた。

「うちの子は身を挺《てい》して小鳥先生を助けたんですからね。弁償としてちゃんと新車を買ってくださいよ」

「いや……、僕も新しい車を買わないといけなくて、貯金が……」

「買ってくださいよ！」

涙目のまま、鴻ノ池が顔を近づけてくる。

「分かった。分かった、弁償する。弁償するから落ち着けって」

「そんなことより、もう少し距離を取るぞ。蔵自体が倒壊しそうだからな」

鷹央に促された僕たちは、炎に飲み込まれつつある蔵から離れていく。そんな僕たちに、固い表情の春香が近づいて来た。加賀谷の前で、彼女は足を止める。

「……ごめん。君を守れなかったよ」

うなだれた加賀谷にゆっくりと近づいた春香は、彼の胸元に額がつくほどにうなだれると、押し殺した泣き声を漏らしはじめる。

加賀谷はおずおずと、震える春香の肩に手をそえた。

遠くから消防車のサイレン音が聞こえてくる。

炎に照らされた二人の犯人の姿を眺めながら、僕は濡れたハンカチを鷹央に見せる。

「これ、ありがとうございました。汚れたんで、洗濯してから返しますね」

「気にしないでいい。とりあえず、約束通り戻ってきたからな」

鷹央は微笑むと、僕の手からハンカチを受け取った。

こうして、『陰陽師の呪い』からはじまり、『人体自然発火現象』へと発展した一連の事件は幕を下ろしたのだった。

火照《ほて》った頬を撫《な》でる夜風の冷たさが心地よかった。

エピローグ

「もうだめだ……、死ぬ……」

おぼつかない足取りで屋上の端へとやって来た僕は、鉄柵《てっさく》に体を預ける。

もう無理だ。ここから逃げないと危険だ。

「大丈夫？」

不意に風鈴の音のような涼やかな声が掛けられる。横を見ると、倉本葵《くらもとあおい》が鉄柵に寄りかかって微笑《ほほえ》んでいた。

「大丈夫じゃありませんね。……さっきから、頭の中で小人がダンスしています」

「私もさすがに限界が近いかも。お酒には自信ある方だったけど、上には上がいるって思い知らされた。鷹央《たかお》ちゃんって、本当にざるね」

「ざるというより、あの人は底が抜けた升ですよ」僕はガンガンと痛む頭を押さえる。

室田春香《むろたはるか》と加賀谷正志《かがやまさし》の逮捕という形で『人体自然発火現象』による殺人の幕が下りた翌週の金曜、事件解決を祝おうということで僕たちは鷹央の〝家〟に集まって酒宴を開いていた（月が変わり、鷹央の禁酒令がようやくとけたのだ）。

まあ、酒宴と言ってもその実態は、血の池の代わりにアルコールの池が広がっている地獄だ。強い酒を水のようにかぱかぱと呑《の》み干していく鷹央につき合わされ、開始二時間も経《た》たないうちに僕はノックアウト寸前まで追い詰められていた。

このままだと、また一晩中トイレに籠《こも》り、便器と人生について語りあう羽目になると判断した僕は、隙《すき》をついて鴻ノ池《こうのいけ》に鷹央を押し付け、こうして外に一時避難していた。

「加賀谷君と春香さんのことは聞いた？」

赤く染まった頰に向かって手で扇《あお》ぎながら、不意に葵が言った。

「昨日、日野《ひの》刑事が説明に来てくれました。二人とも全《すべ》て認めているみたいですね」

貯蔵されていた黄リンマッチは蔵とともに燃えて消えた。もし春香が否認すれば、犯行を立証することは難しかったかもしれない。しかし、彼女は自らの行動の責任を取る道を選んだということだ。

「どれくらいの罪になるんだろうね」葵は首を反らして夜空を仰ぐ。

「加賀谷君はともかく、春香さんはかなり長い刑になるでしょうね。情状酌量の余地はあるとは思いますけど、内村《うちむら》さんまで巻き込んだんだから」

「そっか、……こう言っていいのか分からないけど、春香さんも可哀そうだよね」

「そうですね。けれど、加賀谷君はずっと彼女を待って、支えてくれるはずですよ」

「だといいね」

葵は「ほぅ」と空に向かって息を吐いた。その整った横顔を無言で眺めていると、葵が横目でこちらを見てきた。僕たちの視線が絡《から》む。

「せっかく酔っているんだから、ちょっと際《きわ》どいこと訊《き》いちゃおうかな」

葵は小悪魔じみた笑みを浮かべる。

「際どいこと？　なんでしょう？」

「この前、二人で飲んだときさ、なんで私を一人で帰したの？　てっきり、ホテルにでも誘われるかもと思っていたのに」

「ああ、そのことですか」僕は苦笑しつつ肩をすくめる。「だって、葵さんが興味あったのって僕じゃなくて鷹央先生でしょ？」

「あれ？　バレてた？　私の恋愛対象が女の子だって」葵は小さく舌を出した。

「ええ、葵さん、炎蔵《えんぞう》の墓に向かう途中で、高校時代に同じ学校の人と付き合っていたって言いましたよね。でも、葵さんって女子校に通っていたんじゃないですか？」

「うん、そう。中学・高校とずっと女子校。けど、なんで分かったの？」

「ソフトボール部があるのに、野球部がないっていうことと、教室で着替えていたって話からですね。ソフトボール部に比べると女子野球部は少ない。それに、更衣室がないのは学校内に男子生徒がいないからだ」

「正解。あのときにもう気づかれてたの？」

「多分、鷹央先生はすぐに気づいていましたね」

だからこそ、僕が葵とくっつくことはないと、鷹央は言い切れたんだろう。

「僕が気づいたのは一緒に飲んだ夜です。葵さんは、周りに恋愛対象が全然いないって言っていた。けれど、よく考えたらそれっておかしいんですよ。歴史学科って男性の比率が凄《すご》く高いところなんだから」

「いやあ名推理、と言いたいところだけど、ちょっとだけ間違っている点もあるかな」

「間違っている点？」

目をしばたたかせると、葵は僕の耳元に唇を近づけ、甘い声で囁《ささや》いて来た。

「私のメインの恋愛対象が可愛《かわい》い女の子で、鷹央ちゃんを狙っていたのはその通りなんだけど、別に男の人がダメってわけじゃないの。小鳥遊《たかなし》君とか結構タイプなんだよね」

「え？　でも、研究室に恋愛対象はいないって……」

「それは、仕事に支障がでないように、研究室内での恋愛は考えていないだけ」

「じゃ、じゃあ、もしあの夜、僕が誘ったら……」動揺で声がかすれた。

「いい感じに酔っていたし、たぶんついていったかな」

「あああー」

僕は頭を抱える。なんて馬鹿《ばか》なことをしたんだ。千載一遇のチャンスを自ら逃していたなんて。できることなら、あの夜の小賢《こざか》しい自分を殴りつけたかった。

「あ、あのですね、葵さん。それじゃあ、あらためて今度お食事でも……」

顔を上げてそこまで言ったところで、葵が僕の唇に指を当ててきた。

「もうダメ。だって、鷹央ちゃんと小鳥遊君の『絆《きずな》』を目《ま》の当たりにしたからね。だから、鷹央ちゃんにも小鳥遊君にも、もう手は出さない」

「え、絆って……？」

「小鳥遊君が炎に包まれている蔵に飛び込もうとしたとき。『絶対に戻ってくる』っていう小鳥遊君の言葉を、鷹央ちゃんは全く疑わずに受け入れた。あんなの見せつけられちゃったら、二人の間に割り込むなんてできないよ」

「いや、あれはその場のノリというか、勢いというか……」

クサいセリフをまぜっかえされ、酒で紅潮していた頰がさらに熱くなってくる。

「そうやって気づいていないのは本人たちだけ。小鳥遊君さ、これからもちゃんと鷹央ちゃんを支えてあげるんだよ。あの子は、すごい力があるけど、一人だけじゃそれを発揮できない。彼女のそばにいられるのは、いまのところ君だけなんだからさ」

葵は力強く僕の背中を叩《たた》いてくる。僕は苦笑を浮かべることしかできなかった。

「ええ、分かっていますよ」

「もし小鳥遊君がしっかりしていなかったら、すぐに私が鷹央ちゃんを奪いにやって来るから、覚悟しておいてね」

妖《あや》しく舌なめずりした葵の迫力と色気に、僕が軽いめまいをおぼえていると、〝家〟の玄関扉が開いて鴻ノ池が飛び出してきた。

「二人ともずるいですよ……、鷹央先生を私だけに押し付けて……。三人がかりじゃないと、相手になるわけないじゃないですか……」

ゾンビのようなおぼつかない足取りで近づいて来た鴻ノ池が恨み言をつぶやく。

「あ、あと、今度新しいバイクを買いに行く約束、忘れないでくださいね。愛《いと》しい恋人を失った哀《かな》しみは、新しい恋人でしか癒《いや》せないんですから」

遊び人のようなセリフを口にしながら、鴻ノ池が寄りかかってくる。一人で鷹央の相手をしていたせいで、もはや足腰が立たなくなっているらしい。

ああ、こいつと僕の新車を買ったら、貯金がほとんど飛んでいくな。僕が「分かってるよ」と肩を落とすと、玄関からウイスキー瓶を手にした鷹央が姿を現した。

「おーい、どうしたんだ。まだ夜ははじまったばかりだろ。早く戻ってきて飲めよ」

「はいはい、すぐに行きますよ」

やや呂律《ろれつ》が回らないまま返事をした僕は、再び死地へと赴く覚悟を決める。

新しい相棒

天久鷹央の日常カルテ

人工芝が敷き詰められた広場に、艶やかな光沢を放つ新車が所狭しと並んでいる。ふと視線をあげると、ふわふわとした雲のような白い天井が緩やかなカーブを描いていた。

『火焔《かえん》の凶器事件』が解決した翌月の土曜日、僕は午前九時過ぎから東京ドームで行われているモーターショーにやって来ていた。

新車発表などの本番は午後からだ。なので、いまは客も比較的少ない。午後になったら、この会場はごった返すだろう。その前に、目的を果たさなくては。

RX－8の代わりの『相棒』を探すという目的を。

このモーターショーでは新車のお披露目だけではなく、各自動車会社が人気のラインナップを並べ、その場で契約もできるようになっていた。

先月の『火焔の凶器事件』で、僕の愛車は黒焦げになってしまった。その後継車を早く決めなくてはと思っていたときに、このモーターショーが開催されることを知った。

こうやって、各社の車を一つの会場で見て回れる機会はほとんどない。この機会を逃すわけにはいかないと、僕は朝早くから東京ドームにやってきていた。

ただ、問題は……。

僕は横目で隣に視線を送る。そこには、僕の上司である天久鷹央《あめくたかお》があくびをしながら歩いていた。その頭には、大きな猫耳がついていて、周囲の人々から好奇の視線を浴びている。

「えっと……。鷹央先生、けっこう人が多いけど大丈夫ですか？」

僕が話しかけるが、鷹央は全く反応しなかった。

ああ、そうか。忘れていた。

鷹央の耳がヘッドフォンで覆われているのを見て、僕はポケットからスマートフォンをとりだし、それを口に近づける。

「鷹央先生、大丈夫ですか？」

「ん？　なにがだ？」

鷹央がようやくこちらを向いた。

「ですから、それなりに人がいますけど、問題はないですか？」

僕はスマートフォンに話し続ける。

鷹央は人混みが苦手だ。特に多くの人々が会話をしている人混みが。

普通の者なら、周りで多くの人々が話していても、単に雑音として認識するだけだ。

しかし鷹央は聴力が人並外れていることと、生まれつきの脳の性質のため、多くの人々の会話を全て聞き取れてしまう。それらは鷹央の精神に過大な負荷をかけ、パニックを引き起こすのだ。

そのため、鷹央は会場に入ってからずっと、高精度のノイズキャンセリングヘッドフォンをつけて、周囲の音をシャットアウトしていた。なので、鷹央と会話するためには、ヘッドフォンと接続しているスマートフォンに話しかけなくてはならない。

……面倒くさいことこのうえない。

スマートフォンを手にした僕がため息をついていると、鷹央は肩をすくめた。

「まあ、人が多いのは鬱陶しいが、このヘッドフォンのおかげで音が遮断されているから、なんとか我慢できる」

鷹央はネコ耳がついているヘッドフォンを指でこんこんと叩《たた》く。

「あの、突っ込んでいいものかどうか迷っていたんですけど、……そのネコ耳はなんですか？」

「これか？　これは舞《まい》が付けてくれたものだ。『いまはこういうのが流行《はや》っているんです！　鷹央先生なら絶対に似合います！』って熱く語られてな。まあそこまで言うならいいかって。似合うか？」

鷹央は得意げに胸を張る。

「……ええ、お似合いです。とっても」

たしかに似合ってはいるが、童顔の鷹央がネコ耳をつけると、さらに幼く見えるのだが、分かっているのだろうか？

「そうかそうか。お前のような朴念仁《ぼくねんじん》にも大人のレディである私の魅力がようやく分かってきたようだな」

「大人の……」

……分かっていなかった。

「そもそも、なんでモーターショーについてきたんですか？　鷹央先生、車に全く興味ないでしょ」

そう、僕が一昨日なんとなしに、このモーターショーに行って車を見繕うと言ったら、鷹央は「私も連れていけ！」と言い出したのだ。

「うん、興味ない。お前みたいに車に欲情するような変態じゃないからな」

「欲情なんかしていない！」

「自分の車に『相棒』とか、あまつさえ『恋人』とまで言っておいて？」

痛いところをつかれて、僕は「ぐっ」と言葉に詰まる。そんな僕を見て、鷹央は勝ち誇るような表情を浮かべた。

「ただ、いくら車に興味なくても、専属運転手が車を購入するなら、上司としてどれがいいか吟味するのは当然だろ」

「僕は部下であって、専属運転手じゃありません！」

「まあ、細かいこと言うなって。捜査のときいつでも車を出してくれるって約束するなら、少しぐらいカンパしてやるぞ。それより、あれとかいいんじゃないか？」

全然細かいことじゃない！　僕は胸の中で抗議しながら、小走りで離れていった鷹央のあとを追う。

「おお、かっこいいな。これにしよう！」

鷹央はとてつもなく巨大で武骨なSUVを指さしながら、嬉々《きき》として声を上げる。

ハマーH4、軍用車両を民間用にモデルチェンジしたハマーシリーズの最新車両だ。もともとは軍用として作られたその威圧は失われることなく、圧倒的な存在感を示している。

「買えるわけないでしょ！」

僕が大きな声を出すと、鷹央は「なんでだよ？」と唇を尖《とが》らせた。

「こんな巨大なボディの車には、日本の道は狭すぎます。それにこれ、一千万円以上するんですよ」

「けど、今後、テロリストとかと戦闘になる場合を考えたら……」

「そんな場合を考えないで下さい！」

この人、いったいどんな事態を想定しているんだ？

「天医会《てんいかい》総合病院の周りは、狭い路地も多いんですから、こんな大きな車じゃまともに移動できませんよ。そもそも、僕はある程度、目星をつけてからこの会場に来ているんです。行きますよ」

いまだに未練がましくハマーH４を眺めている鷹央の手を握ると、引きずるようにしながら連れていく。


「やっぱりマツダを裏切れないかなあ……」

日産フェアレディZ、トヨタGRヤリス、スバルBRZなどのスポーツカーを中心に一時間ほど見学をしていった僕は、マツダのブースに来ていた。

鷹央はというと、完全に飽きていて、「目の保養に行ってくる」とコンパニオンの女性たちを見て回ったり、ネコ耳をしているせいで自分がコンパニオンだと思われ、写真を撮られそうになったりしていた。

さっき撮影の許可をとろうとするカメラマンたちにつきまとわれ、怒鳴り散らして追い払ったせいか、明らかに不機嫌そうな顔を晒《さら》している。

もうこの人のことは放っておいて、新車に集中しよう。

僕は目の前にある、ツーシーターースポーツカーに視線を注ぐ。

マツダロードスターS。

マツダが誇る伝統あるスポーツカーの最新バージョン。

やはり、いまは亡きRX－8の後を継ぐのは、ロードスターであるべきか？

僕が悩んでいると、鷹央が「おい」と声をかけてきた。

「……なんですか？」

僕はスマートフォンをとりだして、鷹央に話しかける。

「……本当に面倒くさいな、このシステム。

まさか、その車を選ぶつもりじゃないだろうな？」

「いえ、そうしようかと思っていましたけど、それがなにか？」

「座席が二つしかないじゃないか。これじゃあ、捜査に使うとき何かと不便だ。こんなのうちの統括診断部の専用車としては認めないぞ」

「……だから、僕の個人の車です」

「舞がもうすぐうちの科に研修に来るんだぞ。そのときはどうするんだ。その車じゃ、あいつを捜査に連れていけないじゃないか」

「なるほど！　だったらこれに決まりですね！」

僕の天敵である鴻ノ池《こうのいけ》舞が乗る余地を潰せるなら、最高じゃないか。

僕が心を決めかけたとき、鷹央はボソッとつぶやいた。

「……そうか。なら、病院から補助金は出せないな」

僕はびくりと体を震わせる。

「あの、つかぬことをうかがいますが、……補助金とは？」

「お前が買う車はある意味、統括診断部の専用車だ」

だから、違いますって。という舌先まで出かかった突っ込みを、僕は必死に呑《の》み込む。そんな僕を見ながら、鷹央はにやりと口角を上げる。

「専用車なら当然、病院の経費からある程度、出すことができる。まあ、半額といったところかな」

「半額⁉」声が裏返ってしまう。

先日、鴻ノ池の新しいバイクを買ったため、懐に余裕がなかった。半額も補助金が出るなら、正直とても助かる。

「ただし、その車では補助金は出せないな。もっと、大きな車じゃないと。さて、どうする？」

鷹央はにやにやといやらしい笑みを浮かべたまま、じりじりと迫ってくる。

大きな車……。

僕は横目で、ブースに並んでいるマツダの新車を眺めていく。

マツダのＳＵＶであるＣＸ－８の雄々しい姿が、僕の網膜に映し出された。

「ダメに決まっているでしょ！」

呆《あき》れと怒りが同程度にブレンドされた声が、うす暗い空間に響き渡る。

東京ドームに行った二日後の月曜の夕方、病院の屋上にある鷹央の〝家〟では鷹央の姉である天久真鶴《まづる》が腰に手を当てて仁王立ちしていた。

「え、だめなの？」

ソファーに腰かけたまま、鷹央は大きな目をぱちぱちとしばたたく。

「当たり前です。なんで統括診断部に専用車が必要なの？」

僕が購入するCX－8を専用車として登録する代わりに、病院からいくらか補助金を出すという話を、鷹央は今日、病院に申請した。それを聞きつけたこの病院の事務長である真鶴が、〝家〟に乗り込んできたところだった。

「だって、事件の捜査に行くとき、車がないと不便……」

「事件の捜査は、統括診断部の業務じゃありません」

ぐうの音も出ない正論を返され、鷹央は「うっ」とうめき声を漏らす。

「で、でも、叔父貴は院長専用車両を持っていて、専用運転手まで雇っているじゃないか。あいつだけズルい。副院長の私にも、専用車両ぐらいあってもいいじゃん」

「……ええ、そうね。それならいいわよ」

数秒考え込んだ後、真鶴が柔らかく微笑《ほほえ》んだのを見て、部屋の隅で大人しく事態を見守っていた僕は胸を撫《な》でおろす。

一昨日、補助金の話で舞い上がって気が大きくなってしまい、カーナビやら本革シートやら、かなりオプションをつけたうえでその場で仮契約をしていた。もし補助金が出なければ、多額のローンが僕の背中に重くのしかかることになる。

僕が安堵《あんど》の息を吐いていると、真鶴が「ただし……」と続ける。

「病院の経費で専用車両を持つということは、もちろんあなたも副院長として、医師会との会合、近くの総合病院との会議、自治体から依頼された講義、場合によっては厚労省との話し合いに積極的に参加してくれるということよね。そういう対外的な仕事、あなたが全部断るせいで、全部院長と私で引き受けていたから、助かるわ」

鷹央の表情がみるみるこわばっていく。

「いや、それは……」

「専用車を持ちたいんでしょ」

じりっと真鶴に迫られた鷹央は、助けを求めるように横目で僕に視線を送ってくる。

次の瞬間、鷹央は両手を合わせると、拝むように頭を下げた。

「すまん。一昨日の話、なしの方向で」

「ちょ、そんな……。困りますよ」

「しかたないだろ。院内での副院長の仕事だけでもうんざりなのに、外での仕事なんてできるか」

「できますよ。僕が専属運転手になって連れていきますから、やって下さい」

「ヤダ！　絶対にヤダ！」

「子どもじゃないんだから、駄々をこねないで下さい。そもそも……」

僕たちが言い合っているのを眺めている真鶴の顔に、心から嬉《うれ》しそうな笑みが浮かぶ。

「鷹央にこんなに仲が良い相棒が出来るなんて……。本当に良かった」

感極まったのか、軽く目元を拭うと、真鶴は僕に会釈をする。

「それじゃあ小鳥遊《たかなし》先生、失礼します。今後とも鷹央をよろしくお願いします」

勝手にいい感じにまとめると、真鶴は〝家〟から出て行く。

「あ、真鶴さん待って……」

僕が呼び止めようとしたときには、すでに玄関扉が閉まっていた。

「補助金……」

呆然《ぼうぜん》とつぶやく僕の肩を、近づいてきた鷹央がポンポンと叩く。

「まあ、こういうこともあるさ。ドンマイ」

「ドンマイじゃありません。補助金分、先生のポケットマネーで払って下さいよ」

「はぁ？　なんでお前の車に、私が金を払わないといけないんだよ」

鷹央は目を剝《む》いた。

「どうせ、先生の捜査で結構使うことになるでしょ。半分、専用車両みたいなものです。その分の代金ぐらい出して下さい」

「けつの穴の小さなやつだな。『その分、頑張って働いて稼ぎますよ』ぐらい言えないのか」

「僕の給料、先生の評価にかかっているんですよ。そう思うなら、ボーナスの査定あげて下さいよ！」

鷹央と僕はそれから一時間以上、車の購入代金について交渉（という名の口喧嘩《くちげんか》）を続けたのだった。

結局、鷹央が（予定されていた補助金よりは少ないけれど）カンパする形で決着はついた。その代償として僕は捜査の際、鷹央の要望通りに車を出すことを約束させられてしまった。

これって、鷹央が最初に出した条件通りになっていないか……。

そんなことを考えながら、僕は納車予定の新しい愛車のパンフレットを眺めて自分を慰めるのだった。

本作は二〇一八年八月に刊行された
『火焔の凶器 天久鷹央の事件カルテ』（新潮文庫）を
加筆・修正の上、完全版としたものです。
完全版刊行に際し、新たに書き下ろし掌編を収録しました。

実業之日本社文庫　最新刊

知念実希人
神秘のセラピスト　天久鷹央の推理カルテ　完全版
左手の聖痕であらゆる病を治すと豪語する「預言者」。鷹央はその「神秘」に潜む真実を明らかにできるのか。書き下ろし掌編「詐欺師と小鳥」収録の完全版！

ち1105

西村京太郎
十津川警部　北陸新幹線殺人事件　新装版
北陸路を震撼させた事件と戦争の意外なつながりとは!?　山前譲氏による北陸新幹線延伸記念特別企画「北陸新幹線と西村京太郎ミステリー」が加わった新装版！

に130

日野 草
殺し屋の約束
戦後の混乱期から現在を経て未来まで。百年のあいだ「約束」を受け継いだ殺し屋たちの願いとは――？　まったく新しい殺し屋ミステリー誕生！　解説／大矢博子
ひ71

南 英男
策略者　捜査前線
おまえを殺った奴は、おれが必ず取っ捕まえる！　歌舞伎町スナック店長殺しの裏に謎の女が―？　亡き親友に誓う弔い捜査！　警察ハード・サスペンス！

み733

彼女。
百合小説アンソロジー
相沢沙呼　青崎有吾　乾くるみ
織守きょうや　斜線堂有紀
武田綾乃　円居挽
百合ってなんだろう。彼女と私、至極の関係性を描いた珠玉の七編とそれを彩る七つのイラスト。傑作アンソロジー待望の文庫化！　〝観測者〟は、あなた。
ん101

実業之日本社文庫　好評既刊

実業之日本社文庫 ち1 204

火焔《かえん》の凶器《きょうき》　天久《あめく》鷹央《たかお》の事件《じけん》カルテ　完全版《かんぜんばん》

2024年2月15日　初版第1刷発行

著　者　知念実希人《ちねんみきと》

発行者　岩野裕一
発行所　株式会社実業之日本社
〒107-0062　東京都港区南青山6-6-22 emergence 2
電話［編集］03(6809)0473［販売］03(6809)0495
ホームページ　https://www.j-n.co.jp/
ＤＴＰ　ラッシュ
印刷所　大日本印刷株式会社
製本所　大日本印刷株式会社

フォーマットデザイン　鈴木正道（Suzuki Design）

ISBN978-4-408-55866-0（第二文芸）